M000289258

# studio d B1

## Deutsch als Fremdsprache

### Kurs- und Übungsbuch
### mit Zertifikatstraining

von
Hermann Funk
Christina Kuhn
Silke Demme
Britta Winzer
sowie
Rita Niemann und
Carla Christiany

Phonetik:
Friederike Jin

**studio d B1**
Deutsch als Fremdsprache

Herausgegeben von Hermann Funk

Im Auftrag des Verlages erarbeitet von:
Hermann Funk, Christina Kuhn, Silke Demme, Britta Winzer
sowie Rita Niemann und Carla Christiany
Zertifikatstraining und Test: Nelli Mukmenova
Phonetik: Friederike Jin

In Zusammenarbeit mit der Redaktion:
Andrea Finster (verantwortliche Redakteurin) sowie Lisa Dörr,
Gunther Weimann (Projektleitung)

Redaktionelle Mitarbeit: Nicole Abt (Bildredaktion),
Andrea Mackensen (Übungsteil)

Beratende Mitwirkung: Susanne Hausner, München; Andreas Klepp,
Braunschweig; Ester Leibnitz, Frankfurt a. M.; Peter Panes,
Schwäbisch Hall; Hannelore Pistorius, Genf; Doris van de Sand,
München; Ralf Weißer, Prag

Illustrationen: Andreas Terglane
Layoutkonzept: Christoph Schall
Layout und technische Umsetzung: Satzinform, Berlin
Umschlaggestaltung: Klein & Halm Grafikdesign, Berlin

Weitere Kursmaterialien:
Audio-CDs ISBN 978-3-464-20724-6
Vokabeltaschenbuch ISBN 978-3-464-20721-5
Sprachtraining ISBN 978-3-464-20720-8
Video-DVD mit Übungsbooklet ISBN 978-3-464-20817-5
Übungsbooklet im 10er-Paket ISBN 978-3-464-20850-2
Unterrichtsvorbereitung (Print) ISBN 978-3-464-20735-2
Unterrichtsvorbereitung interaktiv ISBN 978-3-464-20750-5

Symbole

*Kursraum-CD:*

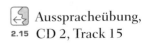 Hörverstehensübung,
1.14  CD 1, Track 14

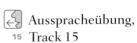 Ausspracheübung,
2.15  CD 2, Track 15

*Lerner-CD (im Buch):*

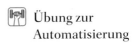 Hörverstehensübung,
14  Track 14

 Ausspracheübung,
15  Track 15

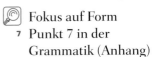 Übung zur
Automatisierung

Fokus auf Form
7  Punkt 7 in der
Grammatik (Anhang)

**www.cornelsen.de**

Die Links zu externen Webseiten Dritter, die in diesem Lehrwerk angegeben sind, wurden
vor Drucklegung sorgfältig auf ihre Aktualität geprüft. Der Verlag übernimmt keine Gewähr
für die Aktualität und den Inhalt dieser Seiten oder solcher, die mit ihnen verlinkt sind.

1. Auflage, 7. Druck 2011

Alle Drucke dieser Auflage sind inhaltlich unverändert und können im Unterricht
nebeneinander verwendet werden.

© 2007 Cornelsen Verlag, Berlin

Das Werk und seine Teile sind urheberrechtlich geschützt. Jede Nutzung in anderen als den
gesetzlich zugelassenen Fällen bedarf der vorherigen schriftlichen Einwilligung des Verlages.
Hinweis zu den §§ 46, 52a UrhG: Weder das Werk noch seine Teile dürfen ohne eine solche
Einwilligung eingescannt und in ein Netzwerk eingestellt oder sonst öffentlich zugänglich gemacht
werden. Dies gilt auch für Intranets von Schulen und sonstigen Bildungseinrichtungen.

Druck: Himmer AG, Augsburg

ISBN 978-3-464-20719-2

 Inhalt gedruckt auf säurefreiem Papier aus nachhaltiger Forstwirtschaft.

# studio d – Hinweise zu Ihrem Deutschlehrwerk

Liebe Deutschlernende, liebe Deutschlehrende,

Das Lehrwerk **studio d** erscheint in zwei Ausgaben: einer dreibändigen und einer fünfbändigen. Sie blättern gerade im dritten Band der dreibändigen Ausgabe. **studio d** orientiert sich eng an den Niveaustufen A1–B1 des Gemeinsamen europäischen Referenzrahmens und führt Sie zum *Zertifikat Deutsch*. **studio d** wird Sie beim Deutschlernen im Kurs und zu Hause begleiten. Das Kursbuch mit Übungsteil steht im Zentrum eines multimedialen Lehrwerkverbunds, den wir Ihnen hier kurz vorstellen möchten.

## Das Kursbuch und der Übungsteil **studio d** B1

Das Kursbuch gliedert sich in zehn Einheiten mit thematischer und grammatischer Progression. Der Übungsteil folgt unmittelbar nach jeder Kursbucheinheit und schließt mit einer Überblicksseite „Das kann ich auf Deutsch". Direkt im Anschluss können Sie sich mit dem *Zertifikatstraining* gezielt auf die einzelnen Teile der Prüfung *Zertifikat Deutsch* vorbereiten.
In transparenten Lernsequenzen bietet **studio d** Ihnen Aufgaben und Übungen für alle Fertigkeiten (Hören, Lesen, Schreiben, Sprechen). Sie werden mit interessanten Themen und Texten in den Alltag der Menschen in den deutschsprachigen Ländern eingeführt und vergleichen ihn mit Ihren eigenen Lebenserfahrungen. Sie lernen entsprechend der Niveaustufe B1, in Alltagssituationen sprachlich zurechtzukommen und einfache gesprochene und geschriebene Texte zu verstehen und zu schreiben. Die Erarbeitung grammatischer Strukturen ist an Themen und Sprachhandlungen gebunden, die Ihren kommunikativen Bedürfnissen entsprechen. Die Art der Präsentation und die Anordnung von Übungen soll entdeckendes Lernen fördern und Ihnen helfen, sprachliche Strukturen zu erkennen, zu verstehen und anzuwenden. Die Lerntipps unterstützen Sie bei der Entwicklung individueller Lernstrategien. In den *Stationen* finden Sie Materialien, mit denen Sie den Lernstoff aus den Einheiten wiederholen, vertiefen und erweitern können. Da viele von Ihnen die deutsche Sprache für berufliche Zwecke erlernen möchten, war es für uns besonders wichtig, einige berufsspezifische Schlüsselqualifikationen in unterschiedlichen Szenarien zu vertiefen.
Der Band schließt mit einem Modelltest, mit dem Sie die Prüfung *Zertifikat Deutsch* simulieren können.
Auf der Audio-CD, die dem Buch beiliegt, finden Sie alle Hörtexte des Übungsteils. So können Sie auch zu Hause Ihr Hörverstehen und Ihre Aussprache trainieren. Im Anhang des Kursbuchs finden Sie außerdem Partnerseiten, eine Übersicht über die Grammatik, eine alphabetische Wörterliste, eine Liste der unregelmäßigen Verben und die Transkripte der Hörtexte, die nicht im Kursbuch abgedruckt sind. Der Lösungsschlüssel liegt dem Buch separat bei.

## Die Audio-CDs

Die separat erhältlichen Tonträger für den Kursraum enthalten alle Hörmaterialien des Kursbuchteils. Je mehr Sie mit den Hörmaterialien arbeiten, umso schneller werden Sie Deutsch verstehen, außerdem verbessern Sie auch Ihre Aussprache und Sprechfähigkeit.

## Das Video

**studio d** – das Magazin zum Deutschlernen kann im Unterricht oder zu Hause bearbeitet werden. Das Videomagazin führt Sie durch interessante und unterhaltsame Beiträge, die die Themen des Buches aufgreifen und erweitern. Die Übungen zum Video finden Sie in den Stationen. Weitere Übungen finden Sie im Booklet und auf der CD-ROM *Unterrichtsvorbereitung interaktiv*.

## Das Sprachtraining

Umfangreiche Materialien für alle, die noch intensiver im Unterricht oder zu Hause üben möchten.

## Das Vokabeltaschenbuch

Hier finden Sie alle neuen Wörter in der Reihenfolge ihres ersten Auftretens.

Wir wünschen Ihnen viel Spaß und Erfolg beim Deutschlernen mit **studio d**!

# Inhalt

| | | Themen und Texte | Sprachhandlungen |
|---|---|---|---|

| Grammatik | Aussprache | Lernen lernen |
| --- | --- | --- |
| Wiederholung: Nebensätze, Präteritum | Wortakzent | Wortfelder und Wortfamilien ergänzen |
| Nebensätze mit *während* Präteritum der unregelmäßigen Verben Nominalisierung mit *zum* Wdh.: Präteritum, Sätze mit *wenn …, (dann)* | das z | Lernen mit Rhythmus und Bewegung |
| Konjunktiv II (Präsens) der Modalverben Konjunktionen: *darum, deshalb, deswegen* graduierende Adverbien: *ein bisschen, sehr, ziemlich, besonders* Wdh.: Nebensätze mit *weil*, Imperativ | höfliche Intonation | Dialogtraining mit Rollenkarten |
| Infinitiv mit *zu* Adjektive mit *un-* und *-los* Wdh.: Nebensätze mit *dass* | lange und kurze Vokale | Wörter in Gegensatzpaaren lernen |
| Adjektive vor dem Nomen Verkleinerungsformen: *Haus – Häuschen* Wdh.: Adjektivdeklination ohne Artikel (Nominativ und Akkusativ) | Adjektivendungen üben und hören | Adjektivendungen durch Nachsprechen lernen |
| Konjunktiv II (Präsens): *wäre, würde, hätte, könnte* Wdh.: Relativsätze | Laute hören: *a – ä, u – ü, o – ö* | Wortschatz systematisch: Kategorien bilden |

Grammatik und Evaluation, Videostation 1, Magazin: Fußball – die schönste Nebensache der Welt

| Grammatik | Aussprache | Lernen lernen |
|---|---|---|
| *wegen* + Genitiv<br>Futur mit *werden* + Infinitiv<br>Doppelkonjunktionen: *je …,*<br>*desto…/ nicht …, sondern …*<br>Wdh.: Zeitangaben | Kontrastakzente | Wörter aus dem Kontext<br>verstehen<br>mit einer Textgrafik arbeiten |
| Partizip I<br>Nebensätze mit *obwohl*<br>Doppelkonjunktionen: *nicht nur,*<br>*sondern auch / weder … noch*<br>Wdh.: Ratschläge mit *wenn* und<br>*sollte* | Konsonantenverbindungen | Redemittel zur Handlungs-<br>regulierung sammeln |
| Vermutungen: *könnte*<br>Plusquamperfekt<br>Nebensätze mit *seit*<br>Possessivartikel im Genitiv<br>Wdh.: Präteritum | Pausen beim Lesen machen<br>Wdh.: das *ch* | literarisches Lesen<br>eine Diskussion moderieren<br>eine Grammatiktabelle<br>selbst machen |
| das Verb *lassen*<br>Passiversatzform *man*<br>Relativpronomen im Genitiv<br>Wdh.: Passiv | das *r* und das *l* | Informationen einer Grafik<br>auswerten |
| Fragewörter: *wofür, woran,*<br>*worüber, wovon, womit*<br>*brauchen* + *zu* + Infinitiv<br>(Verneinung)<br>Gegensätze: *trotzdem*<br>Doppelkonjunktion: *entweder …*<br>*oder …*<br>Nomen mit *-keit* oder *-heit*<br>Wdh.: Verben mit Präpositionen | | Informationen in einer<br>Tabelle sammeln |

Grammatik und Evaluation, Videostation 2, Magazin: Ankunft

## 1 Themen und Personen

**1** Sich erinnern. Fotos aus studio d A2.
An wen oder was erinnern Sie sich?
Was tun und sagen die Leute?
Wie sehen sie aus? Beschreiben Sie.

**Redemittel**

### über Fotos und Erinnerungen sprechen

Wo ist das? Wer war das?     Das Foto a/b/… zeigt …
Weißt du noch, damals in …?     Ich erinnere mich (nicht) an …
Erinnerst du dich an …?     Daran erinnere ich mich nicht. / Klar. Das …

**2** Sich kennen lernen: Fünf Leute –
fünf Minuten – fünf Fragen.
Erinnern Sie sich an das *„Speed-dating"*? Bilden Sie Gruppen
mit fünf Personen. Jede/r stellt
jeder Person in der Gruppe fünf
Fragen.

Welche Hobbys hast du?

**3** Informationen weitergeben. Berichten Sie im Kurs.

Ich habe gehört, dass …

Teresa hat mir erzählt, dass …

Ich finde interessant, dass …

▶ Fragen stellen und beantworten
▶ über Fotos und Erinnerungen sprechen
▶ eine Geschichte nacherzählen
▶ über sich selbst erzählen und schreiben
▶ Wortfelder und Wortfamilien ergänzen
▶ Grammatik: Nebensätze, Präteritum
▶ Wortakzent

**4** **Wörter sortieren.** Wählen Sie eine Grafik aus und ergänzen Sie sie. Auf den Fotos finden Sie noch andere Wortfelder. Wählen Sie aus und sammeln Sie Wörter.

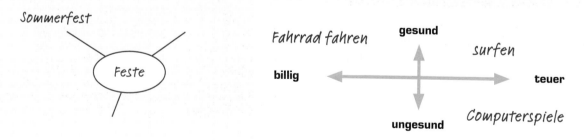

Sommerfest

Feste

Fahrrad fahren        gesund

surfen

billig ←——————→ teuer

ungesund        Computerspiele

**5** **Wortfamilien ergänzen.** Finden Sie mindestens fünf Wörter zu jeder Familie.

die Kleinstadt        arbeitslos

a) -stadt-   b) -arbeit-   c) -sprache-   d) -spiel-

## 2 Geschichten  nnern

**1** Eine Geschichte e: Warum konnten die Leute Norbert an <del>den Brief e...</del>

**Die Idee**

Der Brief musste vor 12 Uhr abgeschickt werden, aber Cora konnte nicht mehr zur Post fahren, weil es schon spät war und sie zur Arbeit musste. Es gab nur eine Möglichkeit: Ihr Mann Norbert musste den Brief mitnehmen. Aber Cora wusste, dass er sehr vergesslich war.
5 Auf einem Zettel notierte sie: „Nicht vergessen: Brief zur Post bringen!" Dann hatte sie noch eine Idee …
Norbert ging kurz vor neun aus dem Haus. Er hatte den Brief in die Tasche gesteckt. In der U-Bahn tippte ihm ein junger Mann auf die Schulter: „Vergessen Sie nicht, dass der Brief zur Post muss!" Norbert zuckte zusammen: Woher konnte der Mann das wissen? An der
10 Ampel auf dem Weg ins Büro musste er warten. „Entschuldigen Sie, bitte denken Sie daran, dass Sie den Brief für Ihre Frau zur Post bringen sollen." Ja, fast hätte er es vergessen, aber wie konnte die Frau wissen, dass …? Er machte einen kurzen Umweg zur Post. Zwei Euro und zwanzig für einen Auslandsbrief – teuer!, dachte er. Zwanzig Minuten später war er im Büro. Im Fahrstuhl fragte ihn eine Kollegin: „Haben Sie den Brief schon zur Post gebracht?"
15 Er war entsetzt. Wie konnten die Leute nur wissen …? Im Büro hängte er seinen Mantel an die Tür und setzte sich an seinen Schreibtisch. Plötzlich war alles klar …

**2** Eine Geschichte zu zweit nacherzählen

**a)** Ergänzen Sie die Grafik mit wichtigen Wörtern und Ausdrücken.

| | |
|---|---|
| Problem: Brief musste zur Post / keine Zeit. | Norbert war vergesslich … |
| Idee: Zettel … | Norbert ging aus … |
| … | … |

**b)** Erzählen Sie die Geschichte gemeinsam. Der Sprecher wechselt nach jedem Satz.

**c)** Wechseln Sie die Perspektive und schreiben Sie die Geschichte neu: Der Mann erzählt sie seinen Freunden. Die Frau erzählt sie ihren Freundinnen.

**3** **Urlaubserzählungen.** Hören Sie den Dialog und vergleichen Sie mit den Zeichnungen. Erzählen Sie, wie es wirklich war.

1.2

■ Grüß dich, Simone, wie war's denn im Urlaub?
◆ Fantastisch. Das Hotel war ganz neu und die Leute sehr nett.
■ Wie schön, hier hast du nichts verpasst. Das Wetter war einfach furchtbar.
◆ Wir hatten tolles Wetter. Die ganze Zeit.
■ Was habt ihr denn gemacht?
◆ Im Hotel gab es eine klasse Disko, da war es nie langweilig, wir waren jeden Tag am Strand und haben jeden Abend getanzt.
◆ Und wie war das Meer?
■ Super, das Hotel war nicht weit vom Strand und das Wasser war schön warm.
◆ Das klingt wirklich gut. Gib mir mal die Adresse, da fahren wir nächstes Jahr auch hin.

**4** **Wiederholung Wortakzent**

1.3

**a)** Hören Sie die Wörter und markieren Sie den Wortakzent.

der U̱rlaub – das Hote̱l – klasse – verpasst – fantastisch – furchtbar – die Disko – langweilig – super – die Adresse

1.4

**b)** Hören Sie die Wortgruppen und sprechen Sie nach.

nichts verpasst – einfach furchtbar – tolles Wetter – die ganze Zeit – eine klasse Disko – nie langweilig – jeden Tag am Strand – jeden Abend getanzt

**c)** Lesen Sie den Dialog laut. Achten Sie auf die Betonung.

**5** **Grammatikbegriffe (A2).** Erinnern Sie sich? Ordnen Sie die Sätze den Begriffen zu.

Ich interessiere mich für Politik. **1**
Das Bild gefällt mir nicht. **2**
Ich habe gefragt, ob du morgen Zeit hast. **3**
Durftest du mit 15 allein ausgehen? **4**
Damals gab es hier einen Park. **5**
Ken schenkt seiner Freundin einen Ring. **6**
Der Freund, mit dem ich studiert habe, arbeitet jetzt bei Bosch. **7**
Die erste Schokolade wurde in England produziert. **8**

**a** Zeitadverb am Satzanfang
**b** Präteritum Passiv
**c** Relativsatz mit Präposition
**d** reflexive Verben mit Präpositionen
**e** Modalverb im Präteritum
**f** Personalpronomen im Dativ
**g** Verb mit Dativ- und Akkusativergänzung
**h** indirekte Ja/Nein-Frage

**6** **Meine letzten Ferien.** Schreiben oder erzählen Sie.

– eine Person, an die ich mich gern erinnere
– ein Restaurant / ein Museum, in das ich gern gegangen bin
– ein Weg, den ich gern gegangen bin
– etwas, was ich sehr gern getan habe
– etwas, was mir aufgefallen ist

# Zeitpunkte

## 1 Zeitgefühl – gefühlte Zeit

**1** **Zeit sehen.** Wählen Sie ein Foto aus und notieren Sie, was Ihnen dazu zum Thema
Ü1–2 Zeit einfällt. Die Wörter helfen Ihnen. Stellen Sie Ihr Foto im Kurs vor.

*der Zeitdruck*

*die Lernzeit*

*die Lebenszeit*

*die Wartezeit*

*die Arbeitszeit*

*der Zeitpunkt*

*zeitlos*

*der Zeitplan*

*die Uhrzeit*

*die Halbzeit*

*die Freizeit*

**Redemittel**

**über ein Bild sprechen**

Ich habe Foto (a) gewählt, weil …
Das Bild (a) zeigt …
Für mich bedeutet Bild (a), dass …
Wenn ich Bild … sehe, denke ich an …

**Hier lernen Sie**

▶ über Zeit und Zeitgefühl sprechen
▶ Informationen kommentieren
▶ über deutsche Geschichte sprechen
▶ Nebensätze mit *während*
▶ Präteritum der unregelmäßigen Verben
▶ Nominalisierung mit *zum*
▶ das *z*
▶ Wdh.: Präteritum; *wenn …, (dann)*

 **2** **Zeit fühlen**

1.5

a) „Wann vergeht für Sie die Zeit langsam, wann schnell?"
Hören Sie und ordnen Sie die Antworten zu.

Ruth Eßer, 43
Lehrerin

1. ▦ Die Zeit vergeht schnell, wenn ich im Beruf Stress habe.
2. ▦ Wenn ich tanzen gehe, vergeht die Zeit schnell.
3. ▦ Wenn ich auf den Bus warte, vergeht die Zeit langsam.
4. ▦ Wenn ich Hausarbeit machen muss, vergeht die Zeit langsam.

Martin Döpel, 29
Webdesigner

**b) Und Sie? Wann dauert etwas lange, wann vergeht die Zeit schnell?**

Immer wenn ich …, (dann) … / Wenn ich …

**3** **Die längsten fünf Minuten in meinem Leben**

Ü3

Ich-Texte schreiben

Meine längsten fünf Minuten waren …
Ich erinnere mich …
Als ich …

 **4** **Zeit lyrisch**

1.6

**a) Hören Sie das Gedicht von Goethe und lesen Sie leise mit.**

**Hat alles seine Zeit**

Das Nahe wird weit
Das Warme wird kalt
Der Junge wird alt
Das Kalte wird warm
Der Reiche wird arm
Der Narre gescheit
Alles zu seiner Zeit.

J. W. v. Goethe

**b) Welcher Satz passt zu welcher Zeile?**

1. Während wir reden, wird das Essen kalt. – 2. Für alles im Leben gibt es einen richtigen Zeitpunkt. – 3. Jeder Mensch lernt jeden Tag etwas Neues. – 4. Am Ende des Lebens sind alle Menschen arm, auch wenn sie vorher reich waren. – 5. Eis schmilzt in der Sonne. – 6. Menschen werden älter. – 7. Was heute sehr wichtig ist, kann morgen unwichtig sein.

**c) Lernen Sie das Gedicht auswendig und präsentieren Sie es im Kurs.**

# 2 Wo bleibt die Zeit?

**1** Wozu brauchen wir unsere Zeit?
Ü4–5

**a)** Lesen Sie den Text und ergänzen Sie die Grafik mit den Informationen.

## ABGERECHNET Was machen wir eigentlich all die Jahre?

Wir haben es immer gewusst – die meiste Zeit unseres Lebens schlafen wir: Mehr als 24 Jahre liegt der Deutsche im Bett. Auch das haben wir geahnt: Circa sie-
5 ben Jahre verwenden wir für die Arbeit. Neu ist, dass wir mit fünf Jahren und sechs Monaten ein halbes Jahr länger fernsehen, als wir zum Essen brauchen. Aber das ist immer noch besser als die zwei Jahre und zwei
10 Monate, die wir für das Kochen verwenden.

Auch dem Liebling der Deutschen wird viel Zeit geschenkt – zwei Jahre und sechs Monate sitzen wir in unserem Leben durchschnittlich in einem Auto, aber sechs Mo-
15 nate verbringen wir im Stau. Deutlich weniger Zeit bekommen unsere Kinder – nur neun Monate unseres Lebens spielen wir mit ihnen. Dieselbe Zeit brauchen wir auch zum Waschen und Bügeln oder für den Weg
20 zur Arbeit. Selbst das Putzen der Wohnung dauert mit 16 Monaten deutlich länger.

Die Arbeitspausen dauern acht Wochen und zum Küssen brauchen wir zwei Wochen. Rund sechs Monate sitzen wir auf der
25 Toilette – genug Zeit zum Lesen und zum Fragen, ob Wissenschaftler eigentlich zu viel Zeit haben. (nach: Geo-Wissen, Nr. 36/05)

- 2 Wochen
- 8 Wochen — Pausen während der Arbeit
- auf der Toilette sitzen — 6 Monate
- mit den Kindern spielen
- 1 Jahr, 4 Monate — Wohnung putzen
- kochen
- Auto fahren — 2 Jahre, 6 Monate
- 5 Jahre
- 5 Jahre, 6 Monate
- arbeiten
- 24 Jahre, 4 Monate — schlafen

**b)** Welche Informationen überraschen Sie?

**Redemittel**

**neue Informationen kommentieren**

Ich finde den Artikel (nicht) interessant, weil …
Mich wundert, dass … / Mich überrascht, dass …
Ich hätte nicht gedacht, dass …
Es war klar, dass …

**2** Partnerinterviews. Wie viel Zeit brauchen Sie täglich zum …? Vergleichen Sie.
Ü6–7

Wie lange
- arbeitest du?
- siehst du fern?
- schläfst du?
- …

Wie viel Zeit brauchst du zum
- Waschen?
- Kochen?
- …

**3** **Das z.** Hören Sie und sprechen Sie nach.

1.7  Ü8

Konzentration auf das z

Zeit zum Tanzen
Zeit zum Witzeerzählen
Zeit zum Putzen, keine Zeit zum Zärtlichsein

**4** **Nominalisierungen mit _zum_.** Fragen und antworten Sie.
Ergänzen Sie dann drei eigene Beispiele.

10.4

|  |  |  |
|---|---|---|
|  | Lesen? | Meine Brille und ein Buch. |
|  | Schreiben? | Einen Kugelschreiber und Papier. |
|  | Lernen? | Mein Kursbuch und viel Ruhe. |
| Was brauchen Sie zum | Ausruhen? | Mindestens 14 Tage Urlaub! |
|  | Schlafen? | Mein Bett und leise Musik. |
|  | Arbeiten? | Meinen Computer und das Internet. |
|  | … | … |

**5** **Wunschzeit.** Wofür hätten Sie gern mehr Zeit?

■ Ich hätte gern mehr Zeit zum … Und Sie?
◆ Ich wünsche mir mehr Zeit zum … Und du?

**6** **Sätze mit _während_**

1  Ü9

a) Sarah macht alles gleichzeitig. Lesen und vergleichen Sie.

| Sarah | macht | Notizen, während sie telefoniert. |
|---|---|---|
| Während Sarah telefoniert, | macht | sie Notizen. |
| Sie | trinkt | Kaffee, während sie die Blumen gießt. |

b) Was kann man gleichzeitig tun? Schreiben Sie drei Sätze wie in den Beispielen.

Während sie bügelt, sieht sie fern.

Während sie den Abwasch macht, bringt er die Kinder ins Bett.

# 3 Zeitgeschichte

**1** Das Brandenburger Tor im Zentrum der deutschen Geschichte.
Welche Zeilen im Text passen zu welchem Foto?

*Das Brandenburger Tor*

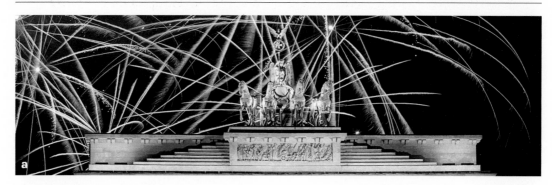

**Das Brandenburger Tor** steht im Zentrum Berlins und ist das wichtigste Wahrzeichen der Stadt. Der preußische König Friedrich Wilhelm II. baute es 1788 bis 1791 als Stadt-
5 tor an der Straße nach Brandenburg.

**Am 30. Januar 1933** zogen die Nationalsozialisten nach ihrer Machtübernahme durch das Brandenburger Tor.

**Im Zweiten Weltkrieg,** der am 1. September
10 1939 mit dem Überfall Deutschlands auf Polen begann, wurde das Brandenburger Tor stark beschädigt. Der Krieg endete am 8. Mai 1945. Deutschland wurde besiegt, befreit und geteilt. 1949 wurden die beiden deutschen Staa-
15 ten, die Bundesrepublik Deutschland und die Deutsche Demokratische Republik (DDR) gegründet. Die Großstadt Berlin wurde geteilt und Ost-Berlin wurde Hauptstadt der DDR.

**Am 13. August 1961** baute die DDR-Regie-
20 rung eine Mauer mitten durch Berlin. Die Ost-Berliner durften nicht mehr nach West-Berlin und in die Bundesrepublik reisen. Das Brandenburger Tor stand direkt auf der Grenze zwischen Ost- und West-Berlin und wurde
25 zum Symbol für den Kalten Krieg.

**Am 9. November 1989** fiel die Mauer und hunderttausende Berliner feierten. Das Brandenburger Tor wurde wieder geöffnet. 1990 wurden die beiden deutschen Staaten wieder-
30 vereinigt.

Heute ist das Brandenburger Tor der Ort vieler Feste und Partys. In den 90er Jahren feierten zum ersten Mal mehr als eine Million Technofans die Loveparade und 2006, zur
35 Fußballweltmeisterschaft, trafen sich hier die Fußballfans. Aber das Silvesterfeuerwerk ist jedes Jahr der Höhepunkt der Partys vor dem Brandenburger Tor.

**2** **Aussagen zur Geschichte des Brandenburger Tors**

**a) Zwei Aussagen sind falsch. Korrigieren Sie sie.**

1. Das Brandenburger Tor war früher ein Stadttor.
2. Die Nationalsozialisten feierten 1933 ihre Machtübernahme am Brandenburger Tor.
3. Während der Teilung Deutschlands war Berlin die Hauptstadt der BRD.
4. Nach dem Bau der Mauer 1961 durften die West-Berliner nicht mehr in die DDR und in die BRD reisen.
5. Zu Silvester gibt es immer ein Feuerwerk am Brandenburger Tor.
6. 2006 trafen sich die Fußballfans vor dem Brandenburger Tor.

**b) Lesen Sie die Texte noch einmal und schreiben Sie die Sätze weiter.**

1. König Friedrich Wilhelm II. *baute das* .......................................................
2. Die Nationalsozialisten .......................................................
3. Am Ende des Krieges .......................................................
4. 1949 .......................................................
5. Ost-Berlin .......................................................
6. 1990 .......................................................
7. Zur Fußballweltmeisterschaft 2006 .......................................................

**3** **Wichtige Ereignisse der deutschen Geschichte.** **Machen Sie Notizen und berichten Sie im Kurs.**

30. Januar 1933: *Machtübernahme der* .......................................................

1. September 1939: .......................................................

8. Mai 1945: .......................................................

13. August 1961: .......................................................

9. November 1989: .......................................................

**4** **Der 9. November 1989**

1.8

**a) Viele Menschen in Deutschland können sich erinnern, wo sie an diesem Tag waren und was sie getan haben. Hören Sie die Interviews und ergänzen Sie die Tabelle.**

|  | Wo? | Was getan? |
|---|---|---|
| Interview 1 | .................................... | .................................... |

**b) Und Sie? An welche historischen Ereignisse erinnern Sie sich? Berichten Sie im Kurs.**

*11. September 2001*

**Redemittel**

Ich war gerade …, als …
Als …, war ich …
Ich erinnere mich sehr gut an …
… war für mich ein besonderer Tag, weil …

# 4 Geschichtstexte lesen. Vergangenheit

**1** **Das Präteritum der regelmäßigen und unregelmäßigen Verben.** Markieren Sie die Präteritumformen im Text auf Seite 16 und schreiben Sie sie in die Tabelle.

| Infinitiv | Präteritum regelmäßiges Verb | Präteritum unregelmäßiges Verb |
|-----------|------------------------------|--------------------------------|
| stehen | | stand |
| | baute | |

**2** **Unregelmäßige Verben im Wörterbuch.** Markieren Sie die Präteritumformen.

**spre·chen**; *spricht, sprach, hat gesprochen;* 1 die Fähigkeit haben, aus einzelnen Lauten Wörter od. Sätze zu bilden ‹noch ni̇̇~ nicht richti̇̇~

**es·sen**; *isst, aß, hat gegessen;* 1 *(etw.)* e. Nahrung in den Mund nehmen (kauen) u. schlucken ↔ trinken ‹Brot, Fleisch, Ge-

**se|hen**; du siehst; er/sie sieht; er sah; gesehen; sieh[e]!; sieh[e] da!; ich habe es gesehen, *aber* ich habe es kommen sehen. *selten* gesehen: ich ~~ ihn nur

**le|sen**; du liest; er liest; er las; gelesen; lies! *(Abk.* l); lesen lernen, *aber:* beim Leser lernen

**trin|ken**; du trinkst; er trank; getrunken; trink[e]!

**schrei·ben**; *schrieb, hat geschrieben;* 1 *(etw.) s. (bes* mit e-m Bleistift, mit e-m Kugelschreiber usw od. mit e-r Maschine

**ge|hen**
*Die Formen lauten* du gehst; er/sie/es ging; gegangen; du ~~~ ~~~

**3** **Unregelmäßige Verben lernen.**
1.9
Hören Sie zehn unregelmäßige Verben und sprechen Sie mit. Lernen Sie die Verben im gleichen Rhythmus.

> **!** **Lerntipp**
>
> **Unregelmäßige Verben immer mit Rhythmus lernen:**
>
> Präsens – Präteritum – Partizip II
> gehen – ging – gegangen

**4** **Unregelmäßige Verben üben**
Ü 10–12

a) Markieren Sie zehn Verben, die Sie wichtig finden, in der Liste der unregelmäßigen Verben auf Seite 237.

b) Schreiben Sie die Verben auf Karteikarten und üben Sie mit Ihrem Partner / Ihrer Partnerin.

fliegen

fliegen
flog
geflogen

Die Maschine flog sehr hoch.

Ich bin am Sonntag nach München geflogen.

**5** **Lernen mit Bewegung.** Üben Sie die unregelmäßigen Verben im Gehen, mit Klatschen oder mit Kopfnicken. Was funktioniert bei Ihnen am besten?

# 5 Nachdenken über die Zeit

**1**  Momo – eine Szene aus einem Hörspiel verstehen

Der Roman „Momo" war Anfang der 80er Jahre ein Bestseller. Der Autor Michael Ende beschreibt in dem Buch, wie das Mädchen Momo gegen die „grauen Herren" kämpft, die den Menschen die Zeit stehlen. Das Buch wurde in mehr als 20 Sprachen übersetzt, es ist verfilmt und auch zu einem Hörspiel verarbeitet worden.

**a)** Sehen Sie die Zeichnung an. Worüber sprechen die Männer?

1.10
**b)** Hören Sie den ersten Teil des Hörspiels. Was glauben Sie, was ist das „richtige Leben"?

*Mein Leben geht so dahin mit Scherengeklapper und Geschwätz und Seifenschaum. Was hab' ich eigentlich von meinem Dasein? Für das richtige Leben lässt mir meine Arbeit keine Zeit.*

1.11
**c)** Lesen Sie den Text, hören Sie Teil 2 und beantworten Sie die Frage.

Der graue Herr rechnet Herrn Fusi auf dem Spiegel vor, dass dieser schon seine ganze Zeit bis auf die letzte Sekunde verbraucht hat. Zum Schlafen, Lesen, für Freunde, für seine Mutter und andere „unnütze" Dinge. Jetzt hat er keine Zeit mehr für das „richtige Leben". Deshalb macht der graue Herr ihm ein Angebot. Was für ein Angebot ist das?

1.12
**d)** Lesen Sie die Slogans für das Zeitsparen. Welche haben Sie gehört?

1. ☐ Die Zeiten ändern sich.
2. ☐ Zeit ist Geld!
3. ☐ Mach mehr aus deinem Leben – spare Zeit.
4. ☐ Spare in der Zeit, so hast du in der Not.
5. ☐ Zeitsparern gehört die Zukunft!
6. ☐ Alles zu seiner Zeit.

**2**  **Zeit und Veränderung.** Lesen und hören Sie die Geschichte von Herrn Keuner.
1.13  Diskutieren Sie die Fragen.

### Das Wiedersehen

Ein Mann, der Herrn K. lange nicht gesehen hatte, begrüßte ihn mit den Worten: „Sie haben sich gar nicht verändert." „Oh!", sagte Herr K. und erbleichte.

Bertolt Brecht, „Nachdenken über die Zeit",
aus: Gesammelte Werke, Suhrkamp Verlag, 1996

1. „Sie haben sich gar nicht verändert." – Wie reagiert Herr K.? Warum?
2. Sich verändern – sich nicht verändern: Was ist für Sie positiv, was ist negativ?

**1** Zeit hören

a) Hören Sie die Toncollage. Welche Situation passt zu welchem Foto? Ordnen Sie zu.

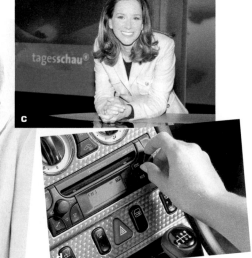

b) Hören Sie noch einmal und notieren Sie die Uhrzeiten zu den Situationen.

*b* Situation 1 ............................

Situation 2 ............................

Situation 3 ............................

Situation 4 ............................

**2** „Zeit" in Wörtern. Finden Sie mindestens fünf Beispiele. Arbeiten Sie mit dem Wörterbuch.

*der Zeitplan, ...*

der Teil

die Schrift          der Plan

der Punkt     **die Zeit**     das Gefühl

frei          halb

hoch

**3** Zeit für mich. Wofür hätten Sie gern mehr Zeit? Finden Sie zu jedem Buchstaben eine Tätigkeit.

............ Z ............          ............ M ............

............ E ............          ............ I ............

............ I ............          *für*          BÜ C HER LESEN

TEE **T** RINKEN          ............ H ............

| **15** Montag | **16** Dienstag | **17** Mittwoch | **18** Donnerstag | **19** Freitag | **20** Samstag | Sonntag **21** |
|---|---|---|---|---|---|---|
| ① Einwohner-meldeamt | | | .30 Arzttermin | | Auto waschen | |
| SCHWIMMEN GEHEN ☺ | | | | | TEE TRINKEN!!! | |
| | .15 Termin mit Frau Klee | | BUCH LESEN! | | | |
| | | Oma im krankenhaus besuchen | einkaufen | konferenz | | |

OKTOBER 2007     42. WOCHE

**4** Augenblicke bei Männern und Frauen. **Lesen Sie den Text und korrigieren Sie die Aussagen.**

**UMFRAGE ERGIBT** *Männer sehen in ihrem Leben sechs Monate lang Frauen hinterher, Frauen Männern aber nur vier Wochen.*

Eine Untersuchung von englischen Wissenschaftlern zeigt, was die meisten Frauen schon immer wussten. Ein Mann sieht in seinem Leben durchschnittlich sechs Monate lang Frauen hinterher. Frauen sehen Männern im Schnitt nur insgesamt vier Wochen lang hinterher. Das männliche Auge ist täglich ca. 16 Minuten auf bis zu acht Frauen fixiert. „Sie" sieht in dieser Zeit nur zwei Männern für je 90 Sekunden hinterher.

Ziele der männlichen Blicke sind Brust, Beine und Po. Augenkontakt? Nein, den suchen nur die Frauen, sie sehen Männern zuerst in die Augen. Kurz danach sieht aber auch „sie" auf den Po.

Lieblingsorte zum Hinterhersehen sind Restaurants, Bars und Diskos, aber auch der Supermarkt, Busse und Bahnen.

Schau mal ...

(aus: Bild am Sonntag, 29.10.2005)

1. Frauen sehen Männern länger hinterher als Männer Frauen.

   ......................................................................................................................

2. Ein Mann sieht jeden Tag ca. 16 Frauen an.

   ......................................................................................................................

3. Frauen sehen am Tag durchschnittlich neun Männern hinterher.

   ......................................................................................................................

4. Frauen sehen Männern zuerst auf den Po.

   ......................................................................................................................

5. Männer und Frauen sehen sich nur in der Disko an.

   ......................................................................................................................

**5** **Alles braucht seine Zeit.** Was dauert wie lange? Ordnen Sie zu.

die Sommerferien in Deutschland **1**      **a** 22 Monate
das Oktoberfest **2**      **b** 90 Minuten
ein Fußballspiel **3**      **c** ein bis sieben Tage
die Schwangerschaft eines Elefanten **4**      **d** drei bis vier Monate
der Winterschlaf eines Igels **5**      **e** sechs Wochen
das Leben einer Eintagsfliege **6**      **f** achtzehn Tage

**6** **Textkaraoke.** Hören Sie und sprechen Sie die ☞-Rolle im Dialog.

3

☞ Hallo, schön dich zu sehen!
🔊 …
☞ Was denn, hast du nicht mal Zeit für einen Kaffee?
🔊 …
☞ Ja, wann denn? So gegen zwölf?
🔊 …
☞ Na wie immer, im Café Einstein.
🔊 …
☞ Ich ruf dich an, wenn etwas dazwischen kommt.
🔊 …

**7** **Zeit interkulturell**

a) Wann ist bei Familie Güler Zeit zum …? Schreiben Sie Sätze wie im Beispiel.

Frau Güler meint, 19 Uhr ist für Kinder eine gute Zeit zum Schlafen-gehen.

b) Was machen Sie wann? Schreiben Sie vier Sätze.

Miguel Martinez, Argentinien

Bei uns in Argentinien ist 22 Uhr eine gute Zeit zum Abendessen.

Für mich …
Ich finde …
Zeit zum Lernen, Schlafen, Ausgehen, Einkaufen, Fernsehen, Lesen …

**8** Wörter mit *z*

**a) Markieren Sie den Wortakzent. Hören und kontrollieren Sie. Lesen Sie die Wörter laut.**

das Z<u>ei</u>tgefühl – der Zeitpunkt – die Freizeit – die Lebenszeit – der Zeitdruck – die Arbeitszeit – die Wartezeit – der Zeitplan – zeitlos

**b) Welches Wort hören Sie? Kreuzen Sie an.**

1. ▦ Zeit ▦ seit     3. ▦ Zehen ▦ sehen     5. ▦ zelten ▦ selten

2. ▦ Zoo ▦ so     4. ▦ zieh ▦ sieh     6. ▦ Zeh ▦ See

**c) *z* oder *s*? Hören und ergänzen Sie.**

1. ....u....ammen ....ein     4. ....icher     7. ....urück

2. ....u viel     5. ....u Hau....e     8. ....ahlen

3. ....üß     6. redu....ieren     9. organi....ieren

**9** Sätze mit *während*

**a) Markieren Sie die Verben im Hauptsatz.**

1. Während Nina die Zeitung liest, streichelt sie die Katze.

2. Während sie duscht, singt sie ihr Lieblingslied.

3. Sie telefoniert mit einer Freundin, während sie die Wohnung putzt.

4. Während sie kocht, kommt ihre Mutter.

**b) Was geht gleichzeitig? Was nicht? Schreiben Sie Sätze.**

| Während ich | Rad fahren telefonieren schlafen fernsehen wandern lernen duschen Zeitung lesen | , | lesen träumen kochen sprechen singen frühstücken Musik hören | (nicht). |
|---|---|---|---|---|

*Während ich Rad fahre, lese ich nicht.*

238

**10** **Unregelmäßige Verben.** Ergänzen Sie die Tabelle.

| Grammatik | Infinitiv | Präteritum | Partizip II |
|---|---|---|---|
| | sitzen | saß | gesessen |
| | sehen | sah | gesehen |
| | finden | fand | gefinden |
| | bleiben | blieb | geblieben |
| | schlafen | schlief | geschlafen |
| | entscheiden | entschied | entschieden |
| | schreiben | schrieb | geschrieben |
| | beginnen | begann | begonnen |
| | bekommen | bekam | bekommen |
| | liegen | lag | gelegen |
| | ziehen | zog | gezogen |
| | werden | wurde | (ist) geworden |

**11** **Historische Orte in Berlin.** Lesen Sie den Text. Ergänzen Sie die Verben im Präteritum.

### Berlin–Mitte

*Der Pariser Platz* Friedrich Wilhelm I (**1** bauen) den Platz zwischen 1732 und 1734. Der Pariser Platz (**2** bekommen) seinen Namen im Jahr 1814, als Preußen Napoleon besiegte.

Der Platz hat eine quadratische Form und man (**3** bauen) hier vor allem Palais. Oft (**4** finden) hier auch politische Demonstrationen statt. Der Platz (**5** bekommen) immer mehr politische Bedeutung. Auch bekannte Künstler (**6** wohnen) hier, wie der Maler Max Liebermann und der Dichter Achim von Arnim.

Im Zweiten Weltkrieg (**7** werden) der Pariser Platz stark zerstört. In den Jahren 1961 bis 1989 (**8** liegen) er genau auf dem Grenzstreifen und man (**9** dürfen) ihn nicht betreten.

Erst nach dem Fall der Mauer (**10** beginnen) man mit dem Wiederaufbau des Platzes. Die Akademie der Künste, die französische Botschaft und das Hotel Adlon (**11** ziehen) wieder auf den Pariser Platz zurück. Das Adlon (**12** sein) schon vor hundert Jahren ein weltbekanntes Luxushotel.

1. baute
2. bekommen
3. baute
4. findet
5. bekommt
6. gewohnt
7. wird
8. liegte
9. durfte
10. beginnt
11. ziehte
12. war

## 12 Kuriose Meldungen

**a) Lesen Sie die Kurzmeldungen. Welche Überschrift passt zu welchem Text? Ordnen Sie zu.**

1. ▓ Notruf 110
2. ▓ Wer schafft den Rekord?
3. ▓ Sonntagsausflug

**Lübeck** – Kennt er das von seinem Frauchen? Ein Hund reiste per Autostopp am letzten Wochenende

durch Norddeutschland. Das Tier lief einer Frau in Lübeck vor das Auto. Als sie ausstieg, sprang „Bello" in ihren Wagen und wollte ihn nicht mehr verlassen. Die Frau hatte keine Wahl. Sie musste das Tier mit nach Berlin nehmen. Sie brachte ihn zur Polizei. Die Beamten riefen die Besitzerin an. Die Rückfahrt war kein Problem: Frauchens Tochter wohnt nämlich in Berlin.

**b**

**a**

**London** – Ein Lehrer aus den USA brach am Mittwoch im britischen Blackpool den Weltrekord im Dauerfahren auf der Achterbahn. In 28 Tagen schaffte Richard Rodriguez aus Miami mehr als 15 600 Kilometer. Doch weil im kanadischen Montreal in zwei Tagen Normand Saint Pierre auch zu einem neuen Weltrekord startet, bleibt Rodriguez im Rennen. Beide wollen weitermachen, bis der andere nicht mehr kann.

**Braunschweig** – Mit den Worten „Hallo, ich habe Sie gerufen!" begrüßte die neunjährige Gritt um ein Uhr nachts zwei Polizisten schon vor dem Haus – in Gummistiefeln, Schlafanzug und Mantel. Die Schülerin rief die Polizei an, weil sie starke Ohrenschmerzen hatte. Auf die Frage, warum sie denn nicht ihre Eltern weckt, antwortete das Mädchen, dass diese doch am Morgen sehr früh aufstehen, weil sie zur Arbeit gehen müssen. Zu-

**c**

sammen weckten sie dann doch die Eltern. Der überraschte Vater fuhr mit seiner Tochter sofort zum Notarzt.

**b) Markieren Sie im Text die Präteritumformen. Welche sind regelmäßig, welche unregelmäßig? Ergänzen Sie die Tabelle.**

| regelmäßige Verben | unregelmäßige Verben |
|---|---|
| schaffte | brach |
| ... | ... |

---

## 13 Fünfjähriger Autofahrer. Lesen Sie die Notizen und hören Sie den Polizeibericht. Welche Notizen passen nicht zum Text? Korrigieren Sie sie.

5

**Fünfjähriger Autofahrer**

drei Polizisten – Dienstagmorgen – einen Wagen kontrollieren
das Auto – schnell fahren, nicht normal
deshalb – Auto anhalten
im Auto: Mutter und Sohn (5 Jahre alt)
der Sohn hat das Auto gefahren – 500 m
der Vater – keine Strafe bekommen

## Das kann ich auf Deutsch

**über Zeit und Zeitgefühl sprechen**

Wenn ich auf den Bus warten muss, vergeht die Zeit für mich langsam.
Wie lange arbeitest du heute? / Wie viel Zeit brauchst du zum Einkaufen?

**Informationen kommentieren**

Ich finde den Artikel (nicht) interessant, weil …

**über deutsche Geschichte sprechen**

Das Brandenburger Tor war früher ein Stadttor.
Am 9. November 1989 fiel die Mauer.

## Wortfelder

**Zeit**

die Wartezeit, der Zeitpunkt,
zeitlos, schnell, langsam,
meine längsten fünf Minuten

**deutsche Geschichte**

die Nationalsozialisten,
der Zweite Weltkrieg, der Kalte Krieg,
die Wiedervereinigung

## Grammatik

**Nebensätze mit *während***

**Während** sie bügelt, sieht sie fern. Er kauft ein, **während** sie die Wohnung putzt.

**Präteritum der unregelmäßigen Verben**

gehen – **ging**, fliegen – **flog**, sprechen – **sprach**

**Nominalisierung mit *zum***

Wie viel Zeit brauchst du **zum Kochen** / **zum Lesen** / **zum Schlafen**?

**Wiederholung**

Präteritum: Die Fußballfans **feierten** am 9. Juli 2006 vor dem Brandenburger Tor.
*wenn …, (dann):* **Wenn** ich auf den Bus warte, vergeht die Zeit langsam.

## Aussprache

**das z:** Zeit zum Putzen, Zeit zum Zärtlichsein

##  Laut lesen und lernen

Das dauert aber lange! Entschuldigung, aber ich hab keine Zeit! Schon zwölf –
wie die Zeit vergeht! Alles hat seine Zeit. Mach schnell! Erinnerst du dich an den
9. November 1989?

# Zertifikatstraining

**Sprachbausteine, Teil 1**

Lesen Sie den Brief und entscheiden Sie, welches Wort (a, b oder c) in die Lücken 1 bis 10 passt. Kreuzen Sie die richtige Antwort an. Sie haben ca. 10 Minuten Zeit.

**Carpe diem – Nutze den Tag**

Liebe Karin,

danke für __1__ Brief. Ich habe mich sehr gefreut! Schön, __2__ es dir in Mannheim gefällt und du jetzt weniger Stress hast.

Ich habe letzte Woche einen Artikel in __3__ Zeitung gelesen und musste an dich denken. Der Artikel hieß „Carpe diem — Nutze den Tag". Stell __4__ vor, du bekommst jeden Tag morgens von einem fremden Menschen 86 400 Euro. Es gibt nur ein Problem: Wenn du das Geld nicht ausgibst, ist es __5__ Mitternacht weg. Was soll man am besten mit __6__ Geld machen? Endlich ein neues Auto kaufen? Und dann ganz viele Geschenke für die Familie und Freunde? Und vielleicht eine Wohnung und . . .

Aber eigentlich __7__ es in dem Artikel um __8__ Zeit: Wusstest du, dass jeder Tag 86 400 Sekunden hat? Und dass so viele Sekunden einfach so vergehen? Man sollte also diese Sekunden für das eigene Glück, für die __9__ Familie und das eigene Leben nutzen. Stimmt doch, oder? Es ist aber nicht immer so einfach! Man muss ja auch arbeiten.

So, genug geredet. Ich __10__ jetzt Schluss machen.

Viele liebe Grüße

Sonja

| | | | | |
|---|---|---|---|---|
| 1. a) dein | 3. a) die | 5. a) im | 7. a) gehen | 9. a) eigener |
| b) deine | b) das | b) am | b) ging | b) eigenen |
| c) deinen | c) der | c) um | c) gegangen | c) eigene |
| 2. a) weil | 4. a) sich | 6. a) dem | 8. a) die | 10. a) muss |
| b) dass | b) mich | b) der | b) der | b) müssen |
| c) und | c) dir | c) das | c) das | c) musst |

# 2 Alltag

## 1 Alltagsprobleme

**1** **So ein Ärger!** Lesen Sie die Dialoge und ordnen Sie die Fotos zu.

**1.** ▨
- Da kommt ja schon wieder ein Krankenwagen. Ist das hier immer so laut?
- ◆ Ja, das Krankenhaus ist hier in der Nähe. Ich überlege schon, ob ich mir eine andere Wohnung suche.

**2.** ▨
- Ein Strafzettel – oh nein! Ich steh' höchstens seit zwei Minuten hier, ich hab' nur etwas abgeholt!
- ◆ Aber Sie sehen doch, dass man hier nicht parken darf!

**3.** ▨
- Ich hab' eine Panne, können Sie mir helfen?
- ◆ Na klar, kein Problem!

**4.** ▨
- Der Geldautomat hat meine EC-Karte gesperrt.
- ◆ Da haben Sie sicher die falsche Geheimzahl eingegeben. Das darf man nur zweimal.

 **2** **Informationen verstehen.** Hören Sie die Dialoge. Welche Informationen sind neu? Notieren Sie.

1.14

*1. Oder ist das die Feuerwehr?*
*2. ...*
*...*

## Hier lernen Sie

▸ über Alltagsprobleme sprechen
▸ Ratschläge geben
▸ Konjunktiv II (Präsens) der Modalverben *sollte, müsste, könnte*
▸ etwas begründen: *darum, deshalb, deswegen*
▸ graduierende Adverbien: *sehr, …*
▸ höfliche Intonation
▸ Wdh.: Nebensätze mit *weil*; Imperativ

**5.**

■ Entschuldigung, könnten Sie mich bitte vorlassen? Ich habe nur eine Milch.
◆ Na, dann gehen Sie schon!

**6.**

■ Was suchst du denn jetzt schon wieder?
◆ Ach, ich kann meinen Schlüssel nicht finden!

**7.**

■ 25 Minuten Verspätung! Da ist ja mein Anschluss in Koblenz weg! Wie komme ich denn jetzt nach Karlsruhe weiter?
◆ Moment bitte, ich seh' mal nach.

**8.**

■ Entschuldigung, könnten Sie vielleicht aufstehen und Ihren Platz der alten Dame geben?
◆ Aber natürlich! Bitte sehr.

**3** **Meine persönlichen Alltagsprobleme.** Worüber ärgern Sie sich? Was stresst
Ü1 Sie? Berichten Sie im Kurs.

> Ich ärgere mich oft über unfreundliche Verkäuferinnen.

> Autofahren im Großstadtverkehr ist für mich Stress.

**Redemittel**
… ist für mich Stress.
… ist/sind ein bisschen nervig.
… macht/machen mich wahnsinnig!
Ich finde es stressig, wenn/dass …
Ich ärgere mich sehr oft über …
Es stört mich, wenn/dass …
Es macht mich nervös, wenn/dass …

**a)** Hören Sie den Dialog und lesen Sie mit. Was ist das Problem?

■ Guten Tag.

◆ Guten Tag, was kann ich für Sie tun?

■ Ich hab' da ein Problem. Der Automat hat meine EC-Karte gesperrt. Können Sie mir helfen?

◆ Ja natürlich, wenn Sie mir Ihre Geheimzahl sagen, kann ich Ihre Karte entsperren.

■ Das ist ja das Problem. Ich hab' die Geheimzahl total vergessen.

◆ Das tut mir leid, dann müssen Sie eine neue Karte beantragen. Bitte füllen Sie diesen Antrag aus und unterschreiben Sie hier.

■ Und wie lange dauert das mit der neuen Karte?

◆ Ach, das geht ziemlich schnell, ungefähr drei bis vier Tage. Die Karte und die neue Geheimzahl werden Ihnen getrennt zugeschickt.

■ Aber wie kann ich denn jetzt Geld abheben?

◆ Das kann ich Ihnen in bar auszahlen. Wie ist denn Ihre Kontonummer, bitte?

■ 38 57 75 54 10.

◆ Füllen Sie bitte diese Auszahlungsquittung aus. Haben Sie Ihre Kundenkarte oder den Personalausweis dabei?

■ Ja, hier … und ich hätte gern einhundert Euro.

◆ So, bitte schön: fünfzig, siebzig, achtzig, neunzig, fünfundneunzig, einhundert.

■ Danke schön, auf Wiedersehen.

◆ Auf Wiedersehen.

**b)** Lesen Sie den Dialog noch einmal. Welche Verben passen? Ergänzen Sie.

1. ein Problem _____*haben*_____

2. eine neue Karte _____*beantragen*_____

3. einen Antrag _____*ausfüllen*_____ und _____*unterschreiben*_____

4. eine Karte per Post _____*zugeschicken*_____

5. Geld in bar _____*auszahlen*_____

**c)** Üben Sie den Dialog zu zweit.

**5** Bei der Polizei. Mit einem Dialogschema arbeiten

**a)** Sie sind auf dem Markt zum Einkaufen. Um 11 Uhr wollen Sie am Obststand bezahlen, da merken Sie, dass man Ihnen das Portemonnaie aus der Tasche gestohlen hat. Sie gehen zur Polizei und zeigen den Diebstahl an. Schreiben Sie zu zweit einen Dialog.

1. Sie erklären Ihr Problem.  → 2. Der Beamte fragt nach Details (Adresse/Zeit/Ort).

3. Sie geben die Informationen.  → 4. Der Beamte liest das Protokoll vor und sagt, dass Sie unterschreiben müssen.

5. Sie fragen, wie es weitergeht.  → 6. Der Beamte sagt, dass Sie Post bekommen, wenn es neue Informationen gibt.

7. Sie bedanken und verabschieden sich.

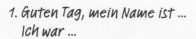
1. Guten Tag, mein Name ist ...
Ich war ...

→ 2. Wann haben Sie gemerkt, dass das Portemonnaie weg ist? Wo ...

**b)** Lesen und üben Sie den Dialog. Spielen Sie ihn vor.

**6** Einen Dialog schreiben und üben

Ü3–4

**a)** Arbeiten Sie zu zweit. Lesen Sie die Rollenkarten und ordnen Sie die Aussagen zu.

**A**

Sie fahren mit dem Auto. Ein Polizist hält Sie an, weil Sie zu schnell gefahren sind. Sie entschuldigen sich und sagen, dass Ihre Frau / Ihre Tochter ein Kind bekommt. Sie müssen ins Krankenhaus. Sie müssen 40 Euro zahlen und eine Quittung unterschreiben. Der Polizist wünscht Ihnen viel Glück.

**B**

Ihr Zug hat 35 Minuten Verspätung. Sie haben Angst, dass Sie den Anschlusszug in Frankfurt verpassen. Der Zugbegleiter entschuldigt sich für die Verspätung und fragt, wohin Sie wollen. Sie müssen um 15 Uhr in Karlsruhe sein. Der Zugbegleiter sagt, dass Sie den Zug um 13.05 oder um 13.50 ab Frankfurt nehmen können.

1. ▨ Wann kommen wir ... an?
2. ▨ Ich werde Vater/Oma.
3. ▨ Wo muss ich unterschreiben?
4. ▨ Ich muss pünktlich sein.
5. ▨ Das ist kein Problem, Sie können ...
6. ▨ Alles Gute!

**b)** Wählen Sie eine Karte aus. Schreiben Sie einen Dialog und spielen Sie ihn vor.

# 2 Stress im Alltag

**1** Arbeit als Stressfaktor

**a)** Lesen Sie den Artikel. Was macht Sabine Schröder beruflich?

## „Mein Job frisst mich auf!"

Arbeiten bis spät in die Nacht, ständig unter Zeitdruck, keine Zeit für Freunde – und immer ein schlechtes Gewissen.
5 Was sollten wir tun, wenn der Job das ganze Leben beherrscht?

O ft fragt sich Sabine Schröder: „Warum mache ich ständig unbezahlte Überstunden? Und was ist mit meinem Privatleben?" In der Werbe-
10 agentur, in der die 35-Jährige als Texterin arbeitet, ist zwar offiziell um sechs Feierabend. Aber Sabine kommt selten vor 20 Uhr aus der Agentur. Wenn sich eine Sitzung sehr in die Länge zieht, kommt sie sogar erst nachts um zwölf oder halb eins nach Hause.
15 Und wann ist Zeit für persönliche Dinge? Sie muss eigentlich schon lange zum Zahnarzt, aber den Termin hat sie verschoben und ihr Kühlschrank ist ziemlich leer, weil sie keine Zeit zum Einkaufen hat.
**Sabine Schröder liebt ihren Beruf,** aber wenn uns
20 der Job völlig beherrscht, dann ist etwas nicht in Ordnung. Unsere Arbeitswelt hat sich in den letzten Jahren sehr stark verändert, deshalb haben viele Menschen das Gefühl, dass ihr Job sie auffrisst. Wir sitzen abends nicht im Kino, sondern über besonders
25 wichtigen Papieren. Wir kommen erst spät nachts von Dienstreisen zurück und nehmen am Wochenende Arbeitsunterlagen mit nach Hause. Durch Handy und Internet sind wir überall und für jeden erreichbar.
**„Bis in die Nacht produziere ich** unter Zeitdruck
30 Ideen", sagt Sabine. „Danach fühle ich mich oft leer." Auch die Freunde reagieren inzwischen nicht mehr so verständnisvoll wie früher, wenn sie kurzfristig absagt. Ihre Partnerschaft ging kaputt, weil sie nie richtig Zeit hatte. Sie weiß, dass sie einen Ausgleich zum
35 Job braucht. Sie sollte sich ein Hobby suchen. Aber wann denn?

*nach Brigitte, Nr. 23 vom 25.10.2006*

**b)** Sammeln Sie in einer Tabelle: Was macht Sabine Stress? Was sind die Folgen? Berichten Sie im Kurs.

> *Sie hat Stress, weil sie oft sehr lange arbeitet.*

*Eigentlich bin ich ganz anders, ich komme nur nie dazu.*

**2** Und Sie? Wann hatten Sie das letzte Mal Stress? Warum? Erzählen Sie.

Ü5

Zug verpasst – verschlafen – …

> *Das letzte Mal war ich gestresst, als ich zwei Stunden im Stau gestanden habe.*

> *Ich hatte Stress, weil …*

## 3 Strategien gegen Stress

**a) Einen Hörtext vorbereiten:**
Sprechen Sie über die Fotos.

1.16

**b) Hören Sie den Anfang der Radiosendung und ergänzen Sie.**

Titel der Sendung

.................................................................

Thema

.................................................................

.................................................................

1.17

**c) Hören Sie die Interviews. Was sagen die Leute? Kreuzen Sie an.**

1. ☐ Ich schlafe lange.
2. ☐ Ich treibe Sport.
3. ☐ Ich spiele Klavier.
4. ☐ Ich sehe fern.
5. ☐ Ich gehe ins Kino.
6. ☐ Ich habe gerne Stress!
7. ☐ Ich höre Musik.

8. ☐ Ich gehe schwimmen.
9. ☐ Ich mache einfach mal gar nichts.
10. ☐ Ich habe keinen Stress.
11. ☐ Ich lese Zeitung oder ein schönes Buch.
12. ☐ Ich gehe in die Sauna.
13. ☐ Ich treffe mich mit Freunden.
14. ☐ Ich gehe mit meinem Hund spazieren.

## 4 Und was machen Sie? Üben Sie mit eigenen Beispielen.

Ü6

> Wenn ich viel Stress habe, mache ich Sport.

> Wenn ich viel Ärger habe, muss ich mit einer Freundin darüber reden.

# 3 Gute Ratschläge

**1** **Was Katrin alles tun sollte.** Sehen Sie sich die Zeichnungen an. Zu wem passen die Sätze unten? Kennen Sie ähnliche Situationen?

1. ................................................ : Komm doch mal mit zum Sport!

2. ................................................ : Wann werde ich endlich Oma?

3. ................................................ : Was? Zwei Tage!? Ich brauche das in zwei Stunden!

4. ................................................ : Ich muss mal!

**2** Ratschläge mit *könnte, müsste, sollte.*
**Wer** gibt *welche* Ratschläge?
Kombinieren Sie.

*Katrins Mann findet, sie sollte Karriere machen.*

|  | Mutter | | | | zum Yogakurs gehen. |
|---|---|---|---|---|---|
| | Arzt | | | | Karriere machen. |
| | Kinder | | | könnte | öfter zu Besuch kommen. |
| Mein/e | Freundinnen | findet, finden, | ich | müsste | endlich ein Kind bekommen. |
| | Chef | | | sollte | ein bisschen abnehmen. |
| | Kollegen | | | | schneller arbeiten. |
| | Mann | | | | mehr kochen. |

 **3** Sprachschatten. Üben Sie mit den Beispielen aus Aufgabe 2 zu zweit.

**Beispiel**

- ■ Du könntest zum Yogakurs gehen.
- ◆ Zum Yogakurs?
- ■ Ja, du könntest zum Yogakurs gehen.
- ◆ Du könntest …

**4** Ratschläge üben. Wählen Sie eine Person aus.
Ü7 Geben Sie Ihr einen guten Rat.

**Redemittel**

**Ratschläge geben**

Du solltest mal wieder …
Du könntest …
Geh doch mal zum Friseur am Marktplatz.
Kannst du nicht mal ein paar Tage Urlaub machen?

Freund/in
Tochter/Sohn
Mutter/Vater
Kollege/Kollegin
Nachbar/in
…

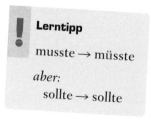

 **5** Konjunktiv II (Präsens). Präteritum als Lernhilfe. Ergänzen Sie die Tabelle.
22 Ü8

**Grammatik**

**können**

|  | *Präteritum* | *Konjunktiv* |
|---|---|---|
| ich | konnte | könnte |
| du | | |
| ihr | konntet | könntet |
| sie/Sie | | |

**!** **Lerntipp**

musste → müsste

*aber:*

sollte → sollte

**6** Zehn Dinge, die ich tun
sollte. Sammeln Sie und
schreiben Sie einen Text.

**Ich-Texte schreiben**

Meine Familie/… findet immer, ich sollte …
Meine Kolleginnen/… meinen, ich müsste …
Mein/e Freund/in … findet, ich könnte …
Ich denke, ich könnte …
Aber manchmal sollte ich wirklich …

**7** Gründe nennen mit *deshalb, darum, deswegen*
Ü9

| Ich habe ständig zu wenig Zeit, | deshalb darum deswegen | mache ich wenig Sport. gehe ich kaum ins Kino. treffe ich selten Freunde. sehe ich wenig fern. gehe ich selten tanzen. … |

> **Minimemo** *darum, deshalb, deswegen* – drei Wörter, eine Bedeutung

 **8** **Satzstruktur. Markieren Sie die Verben und vergleichen Sie. Ergänzen Sie die Regel.**
5  Ü10

Ich habe wenig Zeit, <u>weil</u> ich oft Überstunden mache.

Ich mache oft Überstunden, **darum/deshalb/deswegen** habe ich wenig Zeit.

> **Regel** Nach *weil* folgt ein ...................................satz, das Verb steht ............................... .
>
> Nach *darum/deshalb/deswegen* folgt ein ...........................satz,
>
> das Verb steht auf ........................... .

 **9** **Eine Aussage verstärken:** *sehr, besonders, ziemlich*
17  Ü11

 **a) Hören Sie und lesen Sie mit.**
1.18

■ Du siehst müde aus.
◆ Ja, heute war ein **besonders** anstrengender Tag. Es war **ziemlich** viel zu tun und dann waren gleich zwei Kolleginnen krank.
■ Du Arme! Na, dann … schönen Feierabend!

■ Was liest du denn da?
◆ Ein Buch von Donna Leon, das ist wirklich **sehr** spannend!
■ Aha, du bist wohl ein Krimi-Fan?
◆ Ja, Krimis finde ich **ziemlich** gut!

 **b) Lesen Sie die Dialoge zu zweit. Achten Sie auf die Betonung.**

**10** **Höfliche Intonation: Ratschläge geben**
Ü12–13

 **a) Lesen und vergleichen Sie. Welche Ratschläge finden Sie höflicher? Kreuzen Sie an.**

1. Wir gehen selten aus.
▨ Ihr solltet öfter mal ins Kino gehen.
▨ Geht doch öfter mal ins Kino!

2. Ich lebe ungesund.
▨ Du könntest doch mehr Obst essen.
▨ Iss doch mehr Obst!

3. Ich habe keine Kondition.
▨ Sie müssten Sport machen.
▨ Machen Sie doch Sport!

 **b) Welche Ratschläge klingen höflicher? Hören und vergleichen Sie.**
1.19

# 4 Lachen ist gesund!

## 1 Informationen aus einem Text suchen

Ü14

### a) Warum ist Lachen gesund? Lesen Sie und finden Sie die Antwort.

Jetzt haben Wissenschaftler bestätigt, was Menschen auf der ganzen Welt schon immer vermutet haben: Man sollte viel lachen, denn lachen macht glücklich und gesund. Nicht nur in Deutschland weiß man: „Lachen ist die beste Medizin". In Indien heißt es: „Der beste Arzt ist das Lachen" und in Italien sagt man: „Lachen macht gutes Blut". Nun liefern Studien den wissenschaftlichen Beweis, dass das Lachen im menschlichen Organismus verschiedene biochemische Prozesse auslöst, die den Körper und die Psyche positiv beeinflussen. Aber einmal lachen hilft nicht. Nur wenn man oft und herzlich lacht, kommt es zu diesem positiven Effekt. Man müsste also viel mehr lachen!

### b) Im Text werden Sprichwörter zum Thema Lachen genannt. Hier sehen Sie noch weitere. Aus welchen Ländern könnten diese Sprichwörter sein? Ordnen Sie zu.

**a** *Rir é o melhor Remédio*

Lachen ist die beste Medizin.

**b** *Il riso fa buon sangue.*

Lachen macht gutes Blut.

**c** *Môt nu cười bằng mười thang thuốc bổ*

Ein Lachen wirkt wie zehn Tabletten.

**d** 笑一笑，十年少。

Einmal lächeln macht zehn Jahre jünger.

**e** *Смех продлевает жизнь*

Lachen verlängert das Leben.

Syrien und Portugal
Griechenland
China
Russland
Italien
Vietnam

**f** *Το γέλιο είναι υγεία.*

Lachen ist gesund.

**g** الضحك هو أفضل علاج

Lachen ist die beste Medizin.

## 2 Vergessen?!

\* Kreißsaal: Zimmer im Krankenhaus, in dem Frauen Kinder bekommen

© Tom 2000
Touché
No 1001–2000

# Übungen 2

**1** **Alltagsprobleme. Wo sagt man das? Ordnen Sie die Fotos und die Antworten zu.**

| Haben Sie die Schuhe auch eine Nummer kleiner? | 1 | | a | Nein, leider nur in Rot. |
| Wie wäre der Gänsebraten? | 2 | | b | Das ist mir zu viel. Ich nehme doch lieber eine Kleinigkeit. |
| Auf welchem Gleis kommt der Zug aus Köln an? | 3 | | c | Um 16.35 Uhr. |
| Wann komme ich denn an? | 4 | | d | Nein, leider nur in Größe 37. |
| Haben Sie diese auch in Schwarz? | 5 | | e | Moment bitte, auf Gleis 3. |
| Zusammen oder getrennt? | 6 | | f | Alles auf eine Rechnung, bitte! |

**2** **Auf der Bank**

7

**a) Textkaraoke. Hören Sie und sprechen Sie die ∽-Rolle im Dialog.**

👂 …

∽ Ja, ich möchte ein Konto eröffnen.

👂 …

∽ Bitte, hier ist mein Reisepass.

👂 …

∽ Ja, die ist hinten im Reisepass.

👂 …

∽ Bekomme ich auch eine EC-Karte?

👂 …

8

**b) Hören Sie den Dialog zweimal. Ergänzen Sie das Antragsformular.**

**1. Kontoinhaber**

☒ Frau  ☐ Herr

Name  |Estévez-Martín                Vorname  |

Adresse
Straße, Nr.  |Vogelweg                PLZ/Ort  |

Geburtsdatum  |                Geburtsort  |Buenos Aires

Familienstand  ☐ ledig  ☐ verheiratet  ☐ geschieden

Nationalität  |                Beruf  |

Telefon
privat  |06 348–                geschäftlich  |

E-Mail  |

Datum  |                Unterschrift  |

**3** **Die Verbraucherzentrale.** Lesen Sie den Text. Welche Aussagen sind richtig?
Kreuzen Sie an.

1. ▨ Es gibt keine Telefonrechnungen ohne Fehler.
2. ▨ Die Telefongesellschaft schickt Ihnen eine Liste aller Anrufe.
3. ▨ Man sollte immer zuerst die ganze Rechnung bezahlen.
4. ▨ Die Verbraucherzentrale hilft Ihnen, wenn Sie Probleme mit der Telefongesellschaft haben.

Portal der Verbraucherzentralen in Deutschland - Übersicht

Datei  Bearbeiten  Ansicht  Favoriten  Extras  ?

Zurück ▸ ┃ ┃ ┃ ┃ Suchen ┃ Favoriten ┃ ┃ ┃ W ┃ ┃ ┃

Adresse ┃ http://www.verbraucherzentrale.info/index.php ┃ Wechseln zu ┃ Links »

**verbraucherzentrale** ┃ Übersicht ┃ Wir über uns ┃ Häufige Fragen (FAQ) ┃ Presse ┃ Impressum

**In Deutschland bieten die Verbraucher-
zentralen in den 16 Bundesländern Beratung
und Informationen zu Fragen der Verbraucher
und helfen bei Problemen.**

*Ärger mit der Telefonrechnung*

Immer wieder gibt es Probleme mit der Telefonrechnung. Sie ist zum Beispiel zu hoch,
weil die gleichen Anrufe zweimal auf der Rechnung stehen, oder die Summe der
Rechnung stimmt nicht. Was also tun?

- Auf jeden Fall brauchen Sie einen Einzelverbindungsnachweis*. Sie bekommen ihn
  von Ihrer Telefongesellschaft. Ein Anruf oder eine Mail reicht.
- Wenn Sie die Vermutung haben, dass mit Ihrer Rechnung etwas nicht stimmt,
  sollten Sie schriftlich Einspruch bei der Telefongesellschaft einlegen.
- Den Teil der Rechnung, der in Ordnung ist, sollten Sie auf jeden Fall bezahlen.
- Wenn die Telefongesellschaft Ihren Einspruch ablehnt, wenden Sie sich an die
  Verbraucherzentrale. Als letzter Schritt bleibt der Gang vor das Gericht.

Internet

\* Liste aller Anrufe

**4** **Anruf bei der Verbraucherzentrale**

**a) Ordnen Sie die Sätze.**

- ▨ Ja, was für ein Problem haben Sie?
- *1* Verbraucherzentrale, Beratungsservice, Petra Evers am Apparat. Guten Tag.
- ▨ Dann sollten Sie zuerst einen Einspruch an die Telefongesellschaft schicken.
  Sie können sich einen Musterbrief von unserer Internetseite ausdrucken.
- ▨ Ja. Bezahlen Sie aber trotzdem schon einen Teil der Rechnung.
- ▨ Nichts zu danken. Auf Wiederhören.
- ◆ ▨ Also, die Rechnung stimmt nicht! Drei oder vier Anrufe stehen dort zweimal.
- ◆ ▨ Auf Wiederhören.
- ◆ ▨ Guten Tag, Eva Kirchner hier. Ich habe eine Frage zu meiner Telefonrechnung.
- ◆ ▨ Und den Brief schicke ich an die Telefongesellschaft?
- ◆ ▨ Gut, das mache ich. Vielen Dank.

**b) Hören Sie und kontrollieren Sie mit der CD.**

**5** **Stressfaktoren und Strategien gegen den Stress.** Schreiben Sie *weil*-Sätze.

1. Sie musste im Büro viel telefonieren.

   Eva ist abends oft total kaputt, *weil sie im Büro viel telefonieren musste.*

2. Sie kümmert sich um ihre kranke 83-jährige Mutter.

   Frau Moll ist oft mit den Nerven am Ende, ...........................

3. Der Vater ist schon zwei Jahre arbeitslos.

   In der Familie Surmann gibt es oft Ärger, weil der Vater schon zwei Jahre arbeitslos ist

4. Sie steht auf dem Weg zur Arbeit fast jeden Tag im Stau.

   Sabine hat morgens oft Stress, ...........................

5. Viele Kunden sagen Termine kurzfristig ab.

   Herr Uhl ist Versicherungsagent und hat oft Ärger mit der Terminplanung, ...........................

6. Ihre Tochter will die Hausaufgaben nicht machen.

   Frau Bötner ist oft total gestresst, ...........................

7. Sein Chef weiß immer alles besser.

   Als Journalist hat Mark manchmal Stress, ...........................

**6** **Was machen die Personen aus Aufgabe 5 gegen Stress?** Schreiben Sie *wenn*-Sätze. Variieren Sie wie im Beispiel.

total fertig sein – gestresst sein – Ärger haben – müde sein – Stress haben

~~Eva sieht sich abends noch ein Video an.~~ – Frau Moll geht mit ihrem Mann ins Kino. – Frau Surmann geht mit den Kindern auf den Spielplatz. – Sabine hört eine schöne CD. – Herr Uhl entspannt sich mit einem Kreuzworträtsel. – Frau Bötner telefoniert mit ihrer Freundin, die die gleichen Probleme hat. – Mark geht nach der Arbeit ins Fitnessstudio.

1. Wenn Eva müde ist, sieht sie sich abends noch ein Video an.

**7** Keine Geschäfte an der Tür! Schreiben Sie Ratschläge wie im Beispiel.

> **Die Polizei gibt Ratschläge.**
>
> 1. Überlegen Sie zuerst!
> 2. Öffnen Sie die Wohnungstür nicht!
> 3. Unterschreiben Sie nichts!
> 4. Geben Sie kein Geld!
> 5. Informieren Sie die Polizei.
>
> Wir wollen, dass Sie sicher leben.
> Ihre Polizei

1. Ein Fremder klingelt an Ihrer Tür. *Sie sollten zuerst überlegen* , ob Sie einen Termin gemacht haben!

2. *Sie sollten* .............................................................................. !

3. .............................................................................................. !

4. .............................................................................................. !

5. .............................................................................................. !

**8** Gute Ratschläge. Schreiben Sie Sätze mit *könnt-*, *sollt-* und *müsst-* und ordnen Sie sie den Zeichnungen zu.

1. sich die Geheimzahl notieren

   *Sie sollten sich die Geheimzahl notieren.* .

2. früher zum Bahnhof gehen

   ............................................................................................... .

3. sich einen besseren Schreibtischstuhl kaufen

   ............................................................................................... .

4. endlich mal zum Frisör gehen

   ............................................................................................... .

5. den Wagen in die Werkstatt bringen

   ............................................................................................... .

**9** „Meine" Gründe. Verbinden und schreiben Sie Sätze mit *darum, deshalb* oder *deswegen.*

Ich bin müde. **1** ——— **a** Ich mache eine Diät.
Ich möchte einfach gar nichts machen. **2** ——— **b** Ich gehe gleich schlafen.
Ich will fit bleiben. **3** **c** Ich gehe oft ins Konzert.
Ich höre gern Musik. **4** **d** Ich mache viel Sport.
Ich möchte abnehmen. **5** **e** Ich bleibe heute zu Hause.

*1. Ich bin müde, darum gehe ich gleich schlafen.*

**10** Ergänzen Sie *weil* oder *darum, deshalb, deswegen.*

## Stress im Job?

———

*Lernen Sie,*

## nein

*zu sagen*

———

Haben Sie Stress, ............................... Sie für den Chef Aufgaben erledigen müssen, die nicht zu Ihrem Job gehören? Haben Sie viele Überstunden,

............................... die Kollegen ihre Arbeit nicht schaffen und

............................... Sie ihnen helfen wollen? Lernen Sie die Regeln für ein deutliches Nein!

• Sagen Sie klar, aber freundlich „Nein." Die Mimik ist dabei wichtig,

............................... sollten Sie dem Partner in die Augen sehen.

• Sie sollten nicht zeigen, dass Sie unsicher sind, ...............................
erklären Sie nicht lange „warum".

• Bleiben Sie bei Ihrem Nein, ............................... Ihnen das nächste Nein sonst niemand glaubt.

**11** *Sehr, besonders, ziemlich.* Hören Sie die Sätze und sprechen Sie nach.

1. Herr Koop ärgert sich ziemlich oft über die Kollegen.
2. Ich finde es sehr schön, dass ihr mich besuchen wollt.
3. Frau Meingärtner, mit Ihrer Arbeit bin ich besonders zufrieden. Weiter so!
4. Uns gefällt die neue Wohnung ziemlich gut.
5. Guten Morgen, Frau Klinger. Heute sind Sie ja besonders pünktlich.

**12** Ärger im Alltag

a) Was ist höflicher? Hören und markieren Sie.

1. a) ▨ Kaufen Sie sich doch vor der Fahrt eine Fahrkarte.
   b) ▨ Sie sollten sich vor der Fahrt eine Fahrkarte kaufen.
2. a) ▨ Bitte rauche hier nicht. Das ist doch verboten.
   b) ▨ Kannst du nicht lesen? Rauchen ist hier verboten!
3. a) ▨ Könntet ihr vielleicht etwas leiser sein?
   b) ▨ Jetzt seid doch bitte mal leise.
4. a) ▨ Stell dein Fahrrad nicht immer direkt vor die Tür!
   b) ▨ Könntest du das Fahrrad bitte nicht direkt vor die Tür stellen?

b) Hören Sie noch einmal und sprechen Sie nach.

**13** Ratschläge

**a) Was passt? Ergänzen Sie die Aussagen im Imperativ.**

ein Aspirin nehmen – ~~langsamer sprechen~~ – schon ohne mich anfangen –
die Gebrauchsanweisung lesen – Herrn Huber um 11.30 Uhr am Bahnhof abholen

1. Ich kann dich nicht verstehen. *Sprich langsamer!* ..........................................................

2. ..................................................................................................................... ,

   wenn du nicht weißt, wie das Gerät funktioniert!

3. Hast du Kopfschmerzen? ............................................................................. .

4. Hallo Mischa und Frank, ich komme gleich. .............................................

   ............................................................................................................ !

5. Frau Mohr, ich kann heute nicht zum Bahnhof fahren. .........................

   ............................................................................................. .

**b) Hören und korrigieren Sie Ihre Lösung. Markieren Sie die neuen Wörter.**

12

**14** **Warum ist Lachen gesund?** Ergänzen Sie die Verben.

beeinflussen – lachen – entspannen – schützen – verlängern

Minimemo **darum, deshalb, deswegen** – drei Wörter, eine Bedeutung

1. Man sollte viel ............................... , weil es glücklich

   macht.

2. „Lachen ist die beste Medizin", weil es
   den Körper und die Psyche positiv

   ................................... .

3. Beim Lachen bilden sich Antikörper, die

   uns vor Krankheiten ............................... .

4. Lachen ist auch eine Strategie gegen Stress,

   es kann sogar das Leben

   ............................... .

5. Man müsste deshalb viel öfter

   lachen, es tut gut und

   ............................... .

## Das kann ich auf Deutsch

### über Alltagsprobleme sprechen

Ein Strafzettel – warum? Ich steh' doch höchstens zwei Minuten hier!
Ich suche schon wieder mein Portemonnaie! Das macht mich nervös.

### Ratschläge geben

Mach doch mal Urlaub! Kannst du nicht mal Urlaub machen?
Ich finde, du müsstest abnehmen. Du solltest gesünder leben.

## Wortfelder

### Alltagsprobleme

der Stress, der Zeitdruck, die Verspätung,
die Wartezeiten, die Panne, stressig, nervös

### Bank

der Geldautomat, die EC-Karte,
die Geheimzahl, Geld abheben

## Grammatik

### Konjunktiv II (Präsens) der Modalverben

Sie **könnten** schneller arbeiten! Du **solltest** Karriere machen.
Du **müsstest** mehr Sport machen.

### etwas begründen: *darum, deswegen, deshalb*

Ich treffe mich nach der Arbeit mit einer Freundin, **darum/deshalb/deswegen**
komme ich heute später nach Hause.

### graduierende Adverbien: *ein bisschen, sehr, ziemlich, besonders*

Mach doch **ein bisschen** mehr Sport.
Der Tag war **ziemlich** lang und **sehr** anstrengend, aber auch **besonders** interessant.

### Wiederholung

Nebensätze mit *weil:* Ich komme später, **weil** ich noch einkaufen muss.
Imperativ: **Geh** mal wieder ins Kino!

## Aussprache

### höfliche Intonation

Könntest du bitte langsamer sprechen?

##  Laut lesen und lernen

Wo ist denn nur mein Schlüssel?! Können Sie mir das Geld in bar auszahlen?
Sie müssen eine neue EC-Karte beantragen. Könnten Sie mir ein bisschen helfen?
Du solltest mehr lachen. Lachen ist gesund!

# Zertifikatstraining

**Leseverstehen, Teil 3 (Selektives Verstehen)**

Lesen Sie zuerst die Situationen (1–8) und dann die Anzeigen (a–i). Welche Anzeige passt zu welcher Situation? Tragen Sie die richtige Antwort ein. Sie können jede Anzeige nur einmal verwenden. Es ist auch möglich, dass Sie *keine* passende Anzeige finden. In diesem Fall tragen Sie „x" ein. Sie haben ca. 10 Minuten Zeit.

1. ▨ Sie haben sich eine Jeans gekauft, die Ihnen zu lang ist. Sie wollen sie kürzer machen lassen.
2. ▨ Ihre Nachbarn sind jetzt in Rente und möchten lernen, mit Computer und Internet zu arbeiten.
3. ▨ Ihre 7-jährige Tochter tanzt gern und möchte eine Ballerina werden.
4. ▨ Sie wollen Deutsch am Computer lernen.
5. ▨ Ihre Freundin möchte schnell abnehmen.
6. ▨ Sie sind gerade erst nach Deutschland gekommen und möchten Deutsch nicht nur im Unterricht lernen.
7. ▨ Sie wollen günstig nach Italien fliegen.
8. ▨ Freunde von Ihnen wollen in Weimar heiraten.

## Vermischtes

**a) Neues Kursangebot!** Erste Schritte am Computer und im Internet für Senioren! Jeden Dienstagvormittag. Machen Sie mit! Seien Sie fit am PC! Achtung: Die Teilnehmerzahl ist begrenzt! Melden Sie sich an: Münchner Volkshochschule, www.mvhs.de, Tel: 089/48 34 15

**b) Stammtisch Deutsch.** Für alle, die Deutsch sprechen wollen. Jeden Dienstag um 18 Uhr im Café Immergrün. Für Studenten, Interessierte und Menschen aus aller Welt!

**c) Tanzakademie CIFUENTES** Das Programm „Kinderballett" wird von Horacio Cifuentes geleitet. Horacio war 8 Jahre lang als Solist im San Francisco Ballet tätig sowie im American Ballet Theatre in New York. Sie finden uns in der Kurfürstenstr. 3, 10785 Berlin, www.oriental-fantasy.com

**d) Änderungsschneiderei SCHULZE.** Schnelle, günstige Änderungen, Reparaturen und vieles mehr! Gute Qualität! Straßmannstraße 35, Köln Neustadt-Süd

**e) Finden Sie sich zu dick?** Dann sind Sie bei uns genau richtig! Ohne Diät, ohne dauerhaftes Sporttraining, ohne Chemikalien und Chirurgie! Kommen Sie einfach vorbei! Dorfstraße 44, 36179 Bebra

**f) Tanzschule für Erwachsene Weimar Nord.** Egal ob Single oder mit Partner, alt oder jung, Anfänger oder Fortgeschrittene! Gesellschaftstanz, latein-amerikanische Tänze, orientalischer Tanz, Bollywood, Tango Argentino, Showtanz, Steptanz, klassisches Ballett! Hier findet jeder das Richtige! Sonderangebote ab Frühling: Hochzeitskurse! Mit Kinderbetreuung. Brennerstr. 4, 99423 Weimar, Tel: 036 43/44 34 67

**g) Wäscherei & Reinigung PUTZE.** Wir waschen, reinigen und bügeln Hemden, Krawatten, Anzüge, Hosen, Jacken, Wolle, Pelz, Gardinen, Teppiche und vieles mehr! Schnell, gut und günstig! Stauffenbergallee 5, 70188 Stuttgart, Tel.: 0711/46 98 87

**h) Feiern Sie Ihre Hochzeit in der Kulturstadt Weimar!** Unsere Hochzeitsagentur macht Ihren schönsten Tag im Leben unvergesslich! Tel: 036 43-45 15 28

**i) Durch ganz Europa mit unserer Fluggesellschaft!** Lassen Sie sich von unserem tollen Service und unseren Billigpreisen überraschen! Schon ab € 29,–. www.airfrankfurt.de

## 1 Männer und Frauen

**1** **Was passt zu wem?** Sehen Sie sich die Collage an. Was verbinden Sie eher mit einem Mann, was eher mit einer Frau? Markieren Sie mit ♂ (männlich) oder mit ♀ (weiblich). Vergleichen Sie im Kurs.

> Ich denke, dass das Auto unbedingt zu einem Mann passt.

> Nein, das finde ich nicht. Frauen fahren auch gern schnelle Autos.

der Sportwagen

das Handy

der Kochtopf

der Putzeimer

das Parfüm und die Kosmetik

> Das stimmt.

> Ich glaube (nicht), ...

der Buggy

die Hantel

der Werkzeugkasten

der Korkenzieher

**2** **Männer sind anders. Frauen auch**

Ü 1–2

a) Sehen Sie sich die Fotos rechts an und lesen Sie die Texte auf Seite 47. Welches Foto passt zu welchen Zeilen?

### Hier lernen Sie

▸ über Männer, Frauen und Klischees sprechen
▸ Ihre Meinung sagen, zustimmen, widersprechen
▸ über Partnerschaftsprobleme sprechen
▸ Infinitiv mit *zu*
▸ Adjektive mit *un-* und *-los*
▸ lange und kurze Vokale erkennen
▸ Wdh.: Nebensätze mit *dass*

**b) Lesen Sie die Texte noch einmal und notieren Sie die Aussagen, die Sie richtig finden. Vergleichen Sie im Kurs.**

*Männer reden nicht viel. …*

*Frauen kaufen gern Schuhe. …*

## Typisch Mann **?** Typisch Frau

Er kommt müde von der Arbeit, setzt sich vor den Fernseher, zappt sich durch die Programme und spricht kein Wort. Gerade spielt Bayern München
5 gegen Schalke 04. Aber eigentlich ist es egal, ob Fußball, Boxen oder Formel 1 im Fernsehen kommt. Männer reden nicht viel. Das weiß jede Frau. Männer hören auch nicht zu. Auch das weiß
10 jede Frau. Und wenn Männer etwas sagen, dann sprechen sie nicht über ihre Gefühle. Das ist unmännlich. Karriere, Sport und Frauen sind gute Themen für Männer. Wenn Sie also
15 mit einem Mann reden wollen, dann fragen Sie ihn am besten, wie es in der Firma läuft oder ob er noch immer jeden Morgen um fünf Uhr Fahrrad fährt. Männer reden aber nicht nur
20 wenig, sie verstehen auch nie die weiblichen Botschaften. Sie sagt: „In der Wiesenstraße hat ein spanisches Restaurant aufgemacht." Er versteht: „In der Wiesenstraße hat ein spa-
25 nisches Restaurant aufgemacht." Sie meint: „Ich will heute Abend mit dir dort essen gehen." Es ist klar, dass der Abend in der Katastrophe endet. Aber Männer haben auch gute Sei-
30 ten: Sie bauen Regale, waschen das Auto und gehen zur Arbeit. Das ist doch toll!

Sie will ihren VW Fox vor dem Haus in eine fünf Meter lange Parklücke ein-
35 parken. Keine Chance! Frauen können nicht einparken. Das weiß jeder Mann. Frauen können sich auch nicht orientieren. In einer fremden Stadt finden sie jedes Schuhgeschäft, aber nicht ihr
40 eigenes Auto wieder. Auch das weiß jeder Mann. Dafür reden Frauen gern. Jedes noch so kleine Problem wird mit der Mutter, der besten Freundin – oft stundenlang am Telefon –, den ande-
45 ren Freundinnen, den Kolleginnen und natürlich mit dem Partner besprochen. Dass der Partner lieber Fußball schaut, kann eine Frau gar nicht verstehen. Frauen reden nicht nur stän-
50 dig, sie kaufen auch gern ein. Schuhe, Kleider, Kosmetik. Jeder Mann kennt den Satz: „Schatz, ich habe nichts zum Anziehen." Wenn Sie also eine Frau glücklich machen wollen, dann gehen
55 Sie mit ihr einkaufen. Ein wirkliches Problem ist, dass Frauen nie meinen, was sie sagen. Es ist zum Beispiel nicht in Ordnung, dass Sie sich mit Ihren Kumpels zum Bier treffen, auch
60 wenn sie gesagt hat, dass es kein Problem ist. Aber Frauen haben auch gute Seiten: Sie machen den Haushalt, erziehen die Kinder und gehen zur Arbeit. Das ist doch toll!

**c) Lesen Sie den Wörterbuch-auszug. Finden Sie Klischees in den Texten.**

**Klischee**, das; -s, -s *(franz.)*, eine ganz feste Vorstellung (↑ Vorurteil und ↑ Stereotyp), abgegriffene Redensart ⟨in Klischees denken⟩

**3** **Eine Talkrunde**

1.20 Ü3

Eine Gesprächsrunde zum Thema „Männer hören nicht zu und Frauen können nicht einparken" mit folgenden Teilnehmern: Ursula Birkner (Moderatorin), Emma Löscher (Neurologin) und Hans Ebert (Fahrlehrer)

**a) Hören Sie die Diskussion und ordnen Sie die Aussagen den Personen zu. Vergleichen Sie im Kurs.**

|  | Birkner | Löscher | Ebert |
|---|---|---|---|
| 1. Ich habe das Gefühl, Frauen fahren anders als Männer. | ▨ | ▨ | ▨ |
| 2. Es ist schwer, klare Aussagen zu dem Thema zu machen. | ▨ | ▨ | ▨ |
| 3. Wenn man Angst vor etwas hat, übt man es auch nicht. | ▨ | ▨ | ▨ |
| 4. Wir leben in Klischees und fühlen uns gut dabei. | ▨ | ▨ | ▨ |
| 5. Ich höre genau zu, um zu verstehen, was das Problem ist. | ▨ | ▨ | ▨ |

**b) Lesen Sie die Redemittel. Hören Sie das Gespräch noch einmal. Welche der Redemittel kommen im Dialog vor? Markieren Sie sie.**

**Redemittel**

**seine Meinung ausdrücken**

Ich denke/finde/glaube (nicht), dass ... / Meiner Meinung nach ... / Ich glaube (nicht), ... / Ich bin mir (nicht) sicher, ...

| **jemandem zustimmen** | **jemandem widersprechen** |
|---|---|
| Da bin ich ganz deiner/Ihrer Meinung. | Ich bin nicht deiner/Ihrer Meinung. |
| Das stimmt. | Das ist nicht ganz richtig. |
| Da hast du / haben Sie Recht. | Da stimme ich dir/Ihnen nicht zu. |
| Das sehe ich auch so. | Das sehe ich nicht so (wie du/Sie). |
| Ganz genau! / Na klar! | Das kann man so nicht sagen. |

**4** **Partnerspiel: Pro und Contra. „Männer sollten mehr im Haushalt tun."**

Ü4 Partner/in A hat die Pro-Karte, Partner/in B die Contra-Karte auf Seite 205. Lesen Sie die Argumente und sammeln Sie mindestens zwei weitere. Diskutieren Sie. Die Redemittel aus Aufgabe 3 b) helfen Ihnen.

Pro: Männer sollten mehr im Haushalt tun
- viele Frauen sind auch berufstätig
- Männer und Frauen sind gleichberechtigt – auch im Haushalt

Männer müssen mehr im Haushalt helfen.

Das sehe ich nicht so. Frauen arbeiten oft nur halbtags.

## 2  Paare erzählen

**1 Zwei Paare im Interview**

Ü5

### a) Lesen Sie die Interviews. Zu welchem Paar passen die Aussagen?

… haben in der gleichen Firma gearbeitet. – … möchten nicht heiraten. –
… sehen sich nur am Wochenende. – … wollen bald Kinder.

### b) Welche Interviewfragen wurden gestellt? Ergänzen Sie sie.

PARTNERSCHAFTEN HEUTE

*Wir haben gefragt – Sina und Ludovic Legrand
sowie Hanna Wickert und Peter Reincke
haben geantwortet.*

Peter und Hanna    Ludovic und Sina

**1. ...................................................?**

**Peter:** Das war bei der Arbeit. Sie war damals in der Firma, in der ich heute noch immer arbeite. Es ist mir ziemlich peinlich, das zu sagen, aber ich bin ihr wirklich drei Wochen lang hinterhergelaufen.
**Hanna:** Stimmt gar nicht, Peter. Wir haben uns auf einer Party kennen gelernt.
**Sina:** Wir haben uns im Sprachkurs in England kennen gelernt. Wir haben nur wenig Englisch gesprochen und mein Französisch war auch nicht so toll. Er konnte kein Deutsch.
**Ludovic:** Ich habe versucht, sie anzusprechen. Das war schwierig, aber auch lustig. Wir hatten am Anfang große Probleme mit der Sprache.

**2. ...................................................?**

**Ludovic:** Wir sind seit viereinhalb Jahren zusammen, oder?
**Sina:** Stimmt. Und seit zwei Jahren verheiratet.
**Hanna:** Wir sind jetzt seit acht Jahren zusammen, aber nicht verheiratet. Ich bleibe mit Peter zusammen, auch ohne Trauschein.
**Peter:** Heiraten ist für uns nicht wichtig.

**3. *Worüber* ...................................................?**

**Peter:** Es ärgert mich sehr, über Kleinigkeiten zu streiten. Zum Beispiel, wer den Müll runterbringt oder wer abwäscht.
**Hanna:** Ich mag es auch nicht, wegen jeder Sache zu streiten. Aber es ist wichtig, über wirkliche Probleme offen zu sprechen.
**Ludovic:** Wir streiten uns eigentlich sehr selten. Ich habe zum Beispiel keine Lust, über Geld zu streiten.
**Sina:** Manchmal gibt es Krach, weil Ludovic so viel arbeitet, sogar am Wochenende.

**4. ...................................................?**

**Peter:** Für uns ist es am schwierigsten, uns nur am Wochenende zu sehen.
**Hanna:** Ich arbeite seit drei Jahren in Basel. Peter ist hier in unserem Haus in Bern. Aber wir telefonieren in der Woche jeden Tag.
**Sina:** Schwierigkeiten und Probleme? Na ja, für Ludovic war es am Anfang schwierig, einen Job zu finden. Er ist von Beruf Ingenieur.
**Ludovic:** Ich habe erst mal ein Jahr einen Intensivsprachkurs gemacht. Danach habe ich 40 Bewerbungen geschrieben. Jetzt arbeite ich in einer großen Baufirma.

**5. ...................................................?**

**Hanna:** Ich hätte gern bald einen Jungen.
**Peter:** Und dann zwei Mädchen. Es wird sicherlich schwer, Hanna zu überreden, drei Kinder zu bekommen. Dass sie nicht meiner Meinung ist, kann ich natürlich verstehen.
**Hanna:** Ich habe keine Lust, die nächsten 20 Jahre Hausfrau und Mutter zu sein.
**Ludovic:** Über Kinder denken wir nach, ja.
**Sina:** Vielleicht in ein paar Jahren. Wer weiß.

**6. ...................................................?**

**Ludovic:** Klar, ich vermisse besonders meine Freunde. Ich versuche aber, offen zu sein und mich anzupassen.
**Sina:** Am Anfang habe ich versucht, ihm zu helfen, aber das war eigentlich nicht nötig. Er hatte ja seine Kontakte im Sprachkurs. Problematisch war aber, dass er am Anfang sehr große Angst hatte, Fehler zu machen. Er hat sehr wenig gesprochen.
**Hanna:** Ich vermisse das Gefühl, Zeit für mich ganz alleine zu haben.

### c) Vergleichen Sie die Paare und finden Sie Unterschiede und Gemeinsamkeiten.

*Wo haben sie sich kennen gelernt?*

*Peter und Hanna …*

## 3 Infinitiv mit *zu*

**1** **Hast du Lust …? Fragen Sie im Kurs.**

Hast du Lust, ins Kino zu gehen?

Nein. Hast du Lust, schwimmen zu gehen?

Sehr gern. Hast du …

| Haben Sie Lust, Hast du Lust, | heute Abend am Wochenende morgen am Sonntag | fernzusehen? einen Salsakurs zu machen? eine Wanderung zu machen? ins Theater zu gehen? schwimmen zu gehen? |
|---|---|---|

**2** **Infinitiv mit *zu* erkennen**

Ü6

**a) Ergänzen Sie die Sätze mit dem Text auf Seite 49.**

1. Für Hanna ist es wichtig, über wirkliche Probleme *offen zu sprechen*. .

2. Für Peter und Hanna ist es am schwierigsten, ............................................... .

3. Hanna hat keine Lust, die nächsten 20 Jahre ............................................... .

4. Ludovic versucht aber, offen ............................................... .

5. Ludovic hatte am Anfang große Angst, ............................................... .

**b) Markieren Sie den Infinitiv mit *zu* in den Sätzen von a) und ergänzen Sie die Regel.**

**Regel** Der Infinitiv mit *zu* steht oft ............................................... .

Bei ............................................... Verben steht *zu* zwischen dem trennbaren Verbteil und dem Verbstamm.

**3** **Was Paare oft sagen. Üben Sie zu zweit Dialoge wie im Beispiel.**

Ü7-8

Frau: Vergiss nicht, die Blumen zu gießen!
Mann: Aber ich habe sie schon gegossen.
Frau: Vergiss nicht …

<del>Blumen gießen</del> – staubsaugen – die Betten machen – die Wäsche waschen – das Bad putzen – das Auto sauber machen – den Müll runterbringen – die Flaschen wegbringen – den Abwasch machen

# 4 Paare streiten

## 1 Beziehungsprobleme

a) Sehen Sie sich das Foto an und beschreiben Sie die Situation.

b) Lesen Sie den Text und ordnen Sie die Überschriften den entsprechenden Zeilen zu.

*Zeitmangel:* Zeile 20–23    *Keine Kommunikation:* ..........................

*Routine:* ..........................    *Negative Kritik:* ..........................

„Mein Mann war immer so unromantisch, manchmal fast gefühllos und schrecklich kompliziert", erzählt Jutta M. auf die Frage nach
5 dem Grund ihrer Scheidung. Thomas P., ein junger Mann mit freundlichem Gesicht, ist seit zwei Monaten Single. „Meine Freundin war manchmal unehrlich und ich war viel zu unkritisch. Nach drei Jahren
10 war Schluss." So mancher schaut den Partner an und fragt sich, wo denn die damals so sympathische, aufgeschlossene und humorvolle Person geblieben ist.

In einer Studie hat das Institut für Psychologie der Universität Göttingen über 50 000 Männer und Frauen im Alter zwischen 20 und 69 Jahren über die Probleme in ihrer Partnerschaft befragt. Hier sind vier Faktoren, an denen Beziehungen zerbrechen:
20 Viele haben den Traumpartner gefunden, aber sie sehen sich viel zu selten und sind unglücklich. Beide haben einen Job, einen großen Freundeskreis oder ein intensives Hobby und kaum Zeit für den anderen. Das kann oft zu
25 einem Problem werden. Auch Routine kann dazu führen, dass eine Beziehung einschläft. Um zehn Uhr geht man ins Bett, dienstags ins Kino und am Wochenende trifft man sich mit den Eltern zu Kaffee und Kuchen. Das ist praktisch
30 und bequem, aber gefährlich. Aber Routine ist nur ein Grund für das Scheitern einer Beziehung. Wenn es nur noch darum geht, besser zu sein als der Partner, wird die Partnerschaft zu einem Machtkampf. Für viele ist sinnlose Kritik
35 ein Grund, die Partnerschaft zu beenden. Noch schlimmer als negatives Feedback ist es aber, wenn gar nichts mehr vom Partner kommt. Man redet entweder nicht mehr miteinander oder aneinander vorbei. Das hält keine Bezie-
40 hung lange aus.

## 2 Adjektive in Gegensatzpaaren. Ergänzen Sie das Gegenteil aus dem Text.

10.6 Ü9-10

1. .......................... ≠ unkompliziert

2. gefühlvoll ≠ ..........................

3. ehrlich ≠ ..........................

4. kritisch ≠ ..........................

5. .......................... ≠ unsympathisch

6. .......................... ≠ humorlos

7. romantisch ≠ ..........................

8. glücklich ≠ ..........................

9. .......................... ≠ ungefährlich

10. sinnvoll ≠ ..........................

**3** **Lea, die Nudeln sind zu weich.** Hören Sie den Dialog. Achten Sie auf die Betonung.

1.21

Lorenz: Lea, die Nudeln sind zu weich.

Lea: Ach Quatsch, Lorenz. Die sind genau richtig. Bissfest, wie immer.

Lorenz: Lea, wenn ich sage, dass die Nudeln zu weich sind, dann sind die Nudeln zu weich.

Lea: Und wenn ich dir sage, dass sie bissfest sind, dann sind sie bissfest.

Lorenz: Lea, ich finde, die Nudeln sind zu weich. Verstehst du, zu weich.

Lea: Also ich denke, die Nudeln sind genau richtig. Bissfest, al dente, va bene.

Lorenz: Nein, die Nudeln sind nicht bissfest. Man braucht keine Zähne für diese Nudeln.

Lea: Jetzt spinnst du aber, Lorenz. Die sind bissfest. Basta.

Lorenz: Wie lange hast du sie denn gekocht, Lea?

Lea: Sieben Minuten, Lorenz. Sieben! Wie es auf der Packung steht. Sieben kurze Minuten.

Lorenz: Hast du auf die Uhr geschaut?

Lea: Ich schaue nicht auf die Uhr, Lorenz. Das weißt du. Ich habe das im Gefühl.

Lorenz: Gefühl hin oder her. Bissfeste Nudeln kleben nicht. Diese hier kleben aber.

Lea: Okay. Sie kleben. Und jetzt gib Ruhe.

**4** **Lange und kurze Vokale**

Ü12

 **a)** Hören und markieren Sie.

1.22

Nudeln – Quatsch – Lorenz – bissfest – immer – verstehen – spinnen – lang – kochen – wie – Packung – sieben – kurz – Minuten – Gefühl – kleben

 **b)** Hören Sie die Sätze und sprechen Sie nach.

1.23

**c)** Lesen Sie den Dialog zu zweit und variieren Sie Ihren Ton: Spielen Sie Lorenz schüchtern oder nervös und Lea energisch oder naiv, oder …

**5** **Kreatives Schreiben**

**a)** Sehen Sie sich das Bild an und schreiben Sie eine Geschichte. Beantworten Sie dabei die W-Fragen. Geben Sie der Geschichte einen Titel.

– Wer?
– Wann?
– Wo?
– Was?
– Warum?

**b)** Lesen Sie Ihre Geschichte im Kurs vor.

# 5 Verliebt …?

**1.24** **1** **Aurélie.** Hören Sie das Lied und lesen Sie den Text. Beantworten Sie die Fragen.

1. Wo kommt Aurélie her?
2. Worauf wartet sie?
3. Warum klappt das mit den Männern nicht?

## AURÉLIE

Aurélies Akzent ist ohne Frage sehr charmant
Auch wenn sie schweigt, wird sie als wunderbar erkannt
Sie braucht mit Reizen nicht zu geizen
denn ihr Haar ist Meer und Weizen[1]
Noch mit Glatze[2] fräß[3] ihr jeder aus der Hand

Doch Aurélie kapiert[4] das nie
Jeden Abend fragt sie sich
wann nur verliebt sich wer in mich

**Aurélie, so klappt das nie**
**Du erwartest viel zu viel**
**Die Deutschen flirten sehr subtil**

Aurélie, die Männer mögen dich hier sehr
Schau, auf der Straße schaut dir jeder hinterher
Doch du merkst nichts, weil sie nicht pfeifen
und, pfeifst du selbst, die Flucht ergreifen
Du mußt wissen, hier ist weniger oft mehr

Ach Aurélie, in Deutschland braucht die Liebe Zeit
Hier ist man nach Tagen erst zum ersten Schritt bereit
Die nächsten Wochen wird gesprochen
sich auf's Gründlichste berochen[5]
und erst dann trifft man sich irgendwo zu zweit

**Aurélie, so klappt das nie …**

Aurélie, so einfach ist das eben nicht
Hier haben andre Worte ein ganz anderes Gewicht
All die Jungs zu deinen Füßen
wollen dich küssen, auch die Süßen
aber du du merkst das nicht
wenn er dabei von Fußball spricht

…

**Aurélie, so klappt das nie …**

Musik: J. Holofernes, J.-M. Tourette, P. Roy / Text: J. Holofernes

1 ein gelbes Getreide – 2 keine Haare auf dem Kopf –
3 aus der Hand fressen = ganz lieb sein – 4 kapieren = verstehen –
5 beriechen = beschnuppern, riechen

**Landeskunde**

Die junge Berliner Pop-Band *Wir sind Helden*, bestehend aus Judith Holofernes, Pola Roy, Mark Tavassol und Jean-Michel Tourette, verkauften 2002 ein selbst hergestelltes Mini-Album bei Konzerten. Einige Radiosender wurden aufmerksam und spielten das Lied „Guten Tag". Ein Video wurde produziert und die Band kam ins Fernsehen. Das Debütalbum der Band, „Die Reklamation", an dem die großen Plattenfirmen eigentlich kein Interesse hatten, wurde bisher 500 000-mal verkauft. Im Jahr 2004 bekam die Band gleich drei Echo-Preise. 2006 erschien das zweite Album „Von Hier An Blind".

**2** **Ihr Lied.** Gibt es ein Liebeslied, das Sie besonders mögen? Recherchieren Sie und stellen Sie es im Kurs vor.

**3** **Liebe ist …**

a) Lesen Sie die Meinungen über die Liebe. Welche Aussage gefällt Ihnen besonders gut, welche nicht?

b) Und was ist Liebe für Sie?

… ein großes Wort, das die meisten falsch verstehen …

… ein ICH, das ein DU braucht, um ein WIR zu werden!

… der Wunsch, etwas zu geben.

… heißer als die Sonne.

… ein chemischer Vorgang. Aber es macht Spaß, nach der Formel zu suchen.

# Übungen 3

**1** Frauensache oder Männersache – Ländervergleich

**a)** Suchen Sie in der Statistik Wörter, die zu den Erklärungen passen, und notieren Sie sie.

1. einen Job haben                                      *Erwerbstätigkeit*

2. sich um die Kinder kümmern                           .....................................

3. Informationen über die Situation in den Familien     .....................................

4. z. B. die Wohnung sauber machen, kochen              .....................................

**b)** Sehen Sie sich die Grafik an. Welche Aussagen sind richtig? Kreuzen Sie an und korrigieren Sie die falschen Sätze.

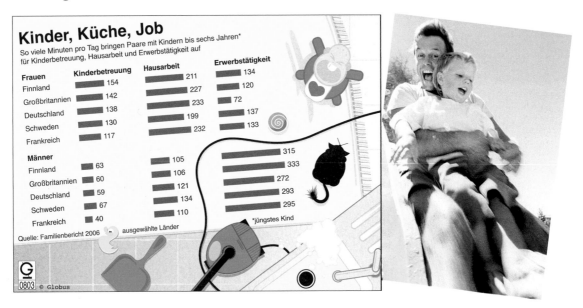

**Kinder, Küche, Job**
So viele Minuten pro Tag bringen Paare mit Kindern bis sechs Jahren*
für Kinderbetreuung, Hausarbeit und Erwerbstätigkeit auf

| | Kinderbetreuung | Hausarbeit | Erwerbstätigkeit |
|---|---|---|---|
| **Frauen** | | | |
| Finnland | 154 | 211 | 134 |
| Großbritannien | 142 | 227 | 120 |
| | | 233 | 72 |
| Deutschland | 138 | 199 | 137 |
| Schweden | 130 | 232 | 133 |
| Frankreich | 117 | | |
| **Männer** | | | |
| Finnland | 63 | 105 | 315 |
| Großbritannien | 60 | 106 | 333 |
| Deutschland | 59 | 121 | 272 |
| Schweden | 67 | 134 | 293 |
| Frankreich | 40 | 110 | 295 |

Quelle: Familienbericht 2006    ausgewählte Länder    *jüngstes Kind

0803 © Globus

1. ▢ Die Grafik zeigt, wie viele Minuten Frauen und Männer pro Tag mit Kindern, Küche und Job verbringen.

2. ▢ Der Familienbericht ist aus dem Jahr 2006.

3. ▢ Britische Frauen verbringen weniger Zeit mit ihren Kindern als finnische Männer.

4. ▢ Französische Männer verbringen mit 295 Minuten die meiste Zeit im Job.

5. ▢ Deutsche Frauen arbeiten mehr als doppelt so lange im Haushalt als französische Männer.

6. ▢ Finnische Frauen verbringen mehr Zeit mit Erwerbstätigkeit als schwedische Frauen.

7. ▢ Schwedische Männer sind am fleißigsten im Haushalt.

8. ▢ Männer verbringen mehr Zeit im Haushalt als mit ihren Kindern.

**c)** Lesen Sie den Text und ergänzen Sie ihn. Die Grafik aus Aufgabe b) hilft Ihnen.

weniger – mehr – am meisten – am wenigsten – viel

Wir alle haben es gewusst: Männer verbringen ........................... Zeit mit der Erwerbstätigkeit als mit Hausarbeit und Kinderbetreuung. Frauen verbringen zwar

........................... Zeit im Job als Männer, machen aber ...........................
im Haushalt. Was der Ländervergleich auch zeigt: Frauen beschäftigen sich

........................... mit den Kindern, die Männer leider ........................... .

## 2 Männer und Frauen – der kleine Unterschied?

**a) Diese Wörter stehen im Text. Was bedeuten sie?**

Umgebung – Himmelsrichtungen – Geschlechter – ~~Strategie~~ – Orientierungssinn – Wissenschaftler/in

1. Jemand sucht in einer Stadt etwas und orientiert sich dabei z. B. an Häusern. Das ist eine ...... *Strategie* .......... .

2. Norden, Süden, Osten und Westen sind die vier ........................................... .

3. Das Gebiet um einen Ort nennt man auch ........................................... .

4. Wenn man den Weg leicht findet, hat man einen guten ........................................... .

5. „Männlich und weiblich", das sind die beiden ........................................... .

6. Eine Person, die in der Forschung arbeitet, ist ein/e ........................................... .

**b) Lesen Sie den Text. Welche Überschrift passt am besten? Kreuzen Sie an.**

☐ **Warum haben Männer den besseren Orientierungssinn?**

☐ **Männer und Frauen haben unterschiedliche Orientierungsstrategien**

☐ **Frauen haben den besseren Orientierungssinn!**

**dpa.** Wissenschaftliche Studien zur Orientierungsfähigkeit zeigen, dass Frauen sich in einer fremden Umgebung genauso gut orientieren wie Männer. In einer Untersuchung
5 sollten Männer und Frauen die Himmelsrichtungen in einem fensterlosen Raum angeben. Das Ergebnis: Beide Geschlechter hatten Probleme. Es ist ein Klischee, dass Frauen sich nicht in der Stadt orientieren
10 können. Beide Geschlechter haben genauso oft Probleme, das Auto in einer fremden Stadt zu finden. Einen Unterschied gibt es aber doch: Männer orientieren sich anders als Frauen. Man hat untersucht, welche Stra-
15 tegien Männer und Frauen wählen. Frauen erinnern sich meistens an Objekte, das heißt, sie achten auf Punkte in der Landschaft wie zum Beispiel Häuser. Männer orientieren sich oft an abstrakten Informationen, also
20 zum Beispiel an den Himmelsrichtungen. „Der vielleicht klarste Unterschied zwischen Männern und Frauen ist also die Art und Weise, wie sie Orientierungsprobleme lösen", sagen die Wissenschaftler.

**c) Ordnen Sie die Informationen nach der Reihenfolge im Text in Aufgabe b).**

☐ Bei einem Orientierungstest hatten Männer und Frauen die gleichen Probleme.
☐ Frauen orientieren sich an Objekten, Männer an den Himmelsrichtungen.
☐ *1* Untersuchungen zeigen, dass Männer und Frauen sich gleich gut orientieren können.
☐ Zwischen Männern und Frauen gibt es aber trotzdem einen kleinen Unterschied.
☐ Sie wählen unterschiedliche Strategien, um sich zu orientieren.
☐ Es ist also falsch, dass Männer nie ihr Auto suchen.

**3** Diskussion Single-Leben

14

**a)** Hören Sie die Radiosendung. Wer findet das Single-Leben toll (+), wer nicht (−)? Markieren Sie.

☐ Susan (27) und
☐ Roman (29)

☐ Siri (21)

☐ Wolfgang (69) und
☐ Herta (63)

☐ Paul (34)

**b)** Hören Sie die Sendung noch einmal. Ordnen Sie die Aussagen zu.

a  endlich einen tollen Mann zu finden.

b  dass man als Single viel mehr Freiheiten hat.

Paul meint,  **1**

Wolfgang ist der Meinung,  **2**

Herta ist sich sicher,  **3**

Siri hofft,  **4**

Roman findet,  **5**

Susan glaubt,  **6**

c  dass jeder nach zwei, drei Single-Jahren einen Partner will.

d  dass es viele Singles gibt, die keine Lust auf Beziehung haben.

e  dass man auch mit einem Partner Hobbys haben kann.

f  dass Singles eigentlich nur einsam und auf der Suche sind.

**4** Vier Meinungen – Zustimmung und Widerspruch

**a)** Ordnen Sie die Redemittel zu.

Da stimme ich dir nicht zu. – Das kann man so nicht sehen. – Na klar! – Das stimmt doch nicht. – Da haben Sie Recht. – ~~Ganz genau!~~ – Da bin ich mir nicht sicher. – Ich bin ganz Ihrer Meinung. – Finde ich auch. – Das ist nicht richtig.

| Zustimmung ☺ | Widerspruch ☹ |
|---|---|
| Ganz genau! | |

**b)** Stimmt das? Schreiben Sie mit den Redemitteln aus Aufgabe a) Kommentare.

Jeder möchte einen Partner haben.

Frauen leben gesünder als Männer.

Männer sind klüger als Frauen.

Frauen sind lustiger als Männer.

Es stimmt doch nicht, dass ...

**5** Ingeborg und Gerthold erzählen

15

**a) Hören Sie das Gespräch. Welche Aussagen sind richtig? Kreuzen Sie an.**

1. ☐ Ingeborg und Gerthold sind fast 20 Jahre verheiratet.
2. ☐ Gerthold und Ingeborg haben fünf Kinder.
3. ☐ Ursula, die älteste Tochter, ist Physiotherapeutin.
4. ☐ Gerthold hat bis zur Rente als Elektriker gearbeitet.
5. ☐ Ingeborg war Hausfrau und Schneiderin.
6. ☐ Gerthold kocht oft für seine Frau.

**b) Hören Sie das Gespräch noch einmal und korrigieren Sie die falschen Aussagen.**

*1. Ingeborg und Gerthold sind fast 50 Jahre verheiratet.*

**6** Was Männer alles versuchen, um den Frauen zu gefallen

**a) Lesen Sie. Was passt zu den Bildern? Ordnen Sie zu.**

im Haushalt helfen  1

Karriere machen  2

den Wocheneinkauf erledigen  3

täglich trainieren  4

auf die Kinder aufpassen  5

bei der Geburt helfen  6

Gefühle zeigen  7

ein leckeres Menü kochen  8

a

b

c

d

**b) Schreiben Sie Sätze wie im Beispiel.**

*1. Männer versuchen, im Haushalt zu helfen.*
*2. Männer versuchen, ...*

**7** **Beim Eheberater.**

**Was sagt Petra über Carlos?**
**Was sagt Carlos über Petra?**
**Schreiben Sie mindestens**
**vier Sätze für jede Person.**

(keine/nie) Lust haben –
(keine/nie) Zeit haben –
(kein/nie) Interesse haben –
oft/ständig vergessen

abwaschen – den Müll wegbringen – das Kind
zum Klavierunterricht fahren – mir zuhören –
offen reden – Sport machen – abends weggehen –
mir im Haushalt helfen

*Er vergisst ständig, den Müll wegzubringen.*

*Sie hat nie Lust, abends wegzugehen.*

*Carlos: Petra hat nie Lust, abends wegzugehen.*

**8** **Was ist langweilig, schwer, gefährlich ...? Bilden Sie Sätze mit dem Infinitiv mit *zu*.**

1. Es ist langweilig, (den ganzen Tag fernsehen).
2. Es ist schwer, (in eine neue Stadt umziehen und neue Leute kennen lernen).
3. Es ist unmöglich, (alles wissen).
4. Es ist gefährlich, (pro Tag 20 Zigaretten rauchen).
5. Es ist leicht, (einen Termin per SMS vereinbaren).
6. Es ist interessant, (eine neue Sprache lernen).

*1. Es ist langweilig, den ganzen Tag fernzusehen.*

**9** **Tamara sucht einen Partner**

**a) Lesen Sie, was Tamara über sich sagt.**
**Was ist richtig? Kreuzen Sie an.**

*Hallo,
ich heiße Tamara und bin
31 Jahre alt. Ich bin ein humorvoller
Mensch. Ich lache gern. Und romantisch bin
ich auch, sehr sogar. Ein Abendessen bei Kerzenlicht, mit schöner Musik – das finde ich klasse. Ich
arbeite sehr viel. Aber am Wochenende unternehme ich
mit meinen Freunden immer etwas. Und wenn sie Probleme
haben, versuche ich, für sie da zu sein. Meine Freunde
sagen, ich bin ein gefühlvoller und netter Mensch.
Mein Freund muss auf jeden Fall ehrlich sein und
nicht über 40. Und unsportlich wie ich!
Ich liebe mein Auto und
hasse Sport!*

1. ▨ Sie versteht Spaß, lacht gern und ist ein humorvoller Mensch.
2. ▨ Tamara denkt, dass sie ziemlich unromantisch ist.
3. ▨ Sie arbeitet auch am Wochenende.
4. ▨ Sie ist ein gefühlvoller Mensch.
5. ▨ Es ist ihr wichtig, dass ihr Freund ehrlich ist.
6. ▨ Sie liebt Sport und hasst Autos.

**b) Was sagt Tamara über sich?**
**Schreiben Sie Sätze mit *dass*.**

*Tamara sagt, dass sie 31 Jahre alt ist.
Sie denkt, dass sie ...*

## 10 Die Flirt-Homepage

**a) Tamara findet drei interessante Anzeigen auf der Flirt-Homepage. Lesen Sie die Anzeigen. Wer passt am besten zu ihr? Kreuzen Sie an.**

**b) Unterstreichen Sie alle Adjektive in den Anzeigen und ergänzen Sie das Gegenteil.**

sportlich – unsportlich
humorvoll – ...

## 11 Das bin ich. Schreiben Sie Ihren Namen und finden Sie für jeden Buchstaben ein Adjektiv, das zu Ihnen passt.

netT
romAntisch
huMorvoll
prAktisch
unspoRtlich
      Attraktiv

## 12 Lange und kurze Vokale

16

**a) Hören Sie und markieren Sie: lang (_) oder kurz (.).**

| a | e | i | o | u |
|---|---|---|---|---|
| sympathisch | bequem | sicher | erfolgreich | ruhig |
| romantisch | nett | effektiv | humorvoll | unruhig |

| ä | ö | ü |
|---|---|---|
| zärtlich | fröhlich | gefühlvoll |
| hässlich | östlich | glücklich |

17

**b) Hören Sie und sprechen Sie nach.**

Mein Traummann? Er ist zärtlich und gefühlvoll, erfolgreich und romantisch.
Meine Traumfrau? Sie ist ruhig und sympathisch, humorvoll und erfolgreich.

## Das kann ich auf Deutsch

**über Männer, Frauen und Klischees sprechen**

Männer reden nicht viel. Frauen können nicht einparken. Ich denke, das ist ein Klischee. Frauen fahren auch gern schnelle Autos.

**seine Meinung sagen, zustimmen, widersprechen**

Da bin ich ganz deiner Meinung. Da hast du Recht.
Das kann man so nicht sehen.

**über Partnerschaftsprobleme sprechen**

Wir hatten am Anfang große Probleme mit der Sprache.
Meistens streiten wir darüber, wer den Haushalt macht.
Ein Grund für das Scheitern einer Beziehung ist Routine.

## Wortfelder

**Partnerschaft, Streit**

der Trauschein, verheiratet sein, ehrlich, romantisch
der Zeitmangel, die Routine, die negative Kritik, kompliziert
über Geld/Haushalt/Kleinigkeiten streiten

## Grammatik

**Infinitiv mit *zu***

Es wird schwer, sie **zu überreden**.
Hast du Lust, am Wochenende ins Theater
**zu gehen**?
Vergiss nicht **staubzusaugen**!

**Adjektive in Gegensatzpaaren mit *un-* und *-los***

gefühlvoll – gefühl**los**
sympatisch – **un**sympatisch

**Wiederholung**

Nebensätze mit *dass:* Ich meine, **dass** die Nudeln zu weich sind.

## Aussprache

**lange und kurze Vokale**

Wie lange hast du denn die Nudeln gekocht? Sieben kurze Minuten.
Bissfeste Nudeln kleben nicht.

##  Laut lesen und lernen

Typisch Mann! Da stimme ich Ihnen nicht zu. Ganz genau! Jetzt spinnst du aber!
Hast du Lust, ins Kino zu gehen? Nein, aber hast du Lust …? Vergiss nicht, die Blumen zu gießen!

# Zertifikatstraining

## Leseverstehen, Teil 1 (Globalverstehen)

Lesen Sie zuerst die vier Texte und dann die acht Überschriften. Welche Überschrift (a–h) passt am besten zu welchem Text (1–4)? Zu jedem Text passt nur eine Überschrift! Sie haben ca. 15 Minuten Zeit.

a) **Immer öfter: spätes Mutterglück**

b) **Neu: Das Handy nur zum Telefonieren!**

c) **Nachts günstig durch ganz Deutschland!**

d) **Mit einem Lächeln gewonnen**

e) **Billig durch zwei Bundesländer!**

f) **Neue Misswahl in Österreich**

g) **Frauen, die studiert haben, wollen keine Kinder**

h) **Der Computer für die Handtasche**

**Technik.** Sie wollen mit Ihrem Handy einfach nur telefonieren? Oh nein! Mit den neuen Mobiltelefonen kann man auch fotografieren, filmen, Musik oder Radio hören, Videos ansehen, Gespräche aufnehmen, E-Mails checken und sogar im Internet surfen. Die sogenannten Smartphones sind Mobiltelefon, MP3-Player und Mini-Notebook in einem.

**1**

**Kultur.** Léontine Vallade wurde in Genf zur „Miss Altersheim" gewählt. Sie ist die erste Schweizerin, die diesen Titel bekommen hat. Neun Frauen aus sechs Senioren-Wohnheimen nahmen an der Misswahl teil. Léontine Vallade überzeugte die Jury durch ihr herzliches Lächeln. Alle Teilnehmerinnen mussten älter als 70 Jahre sein und noch ohne Hilfe gehen können. Sie stellten sich zuerst vor, dann erzählten sie von ihren Hobbys und ihrer Familie, ihrem verrücktesten Wunsch und ihrer Lieblingsblume. Die Siegerin gewann ein Essen in einem Luxusrestaurant.

**2**

**Reisen.** Mit dem Hopper-Ticket können Sie in Thüringen und Sachsen-Anhalt von jedem Bahnhof bis zu 50 Kilometer weit hin- und zurückfahren. Das Ticket gilt für eine Person und kostet online oder aus dem Automaten sechs Euro, am Schalter sieben Euro. Das Hopper-Ticket gilt für eine Hin- und Rückfahrt am gleichen Tag, Montag bis Freitag von 9.00 bis 3.00 Uhr, Samstag, Sonn- und Feiertag ganztägig und nur in der 2. Klasse der Nahverkehrszüge.

**3**

**Statistik.** Noch Anfang der 80er-Jahre waren Frauen selten über 30, wenn sie das erste Kind bekamen. Heute ist ein Viertel aller Schwangeren über 35 Jahre alt. Besonders bei Frauen mit Hochschulabschluss ist die Zahl der über 40-Jährigen, die zum ersten Mal schwanger sind, besonders hoch. Eine gute Ausbildung und finanzielle Unabhängigkeit sind die wichtigsten Bedingungen für das Ja zum Kind. Wenn die medizinische Versorgung stimmt, ist die Chance, ein gesundes Kind zur Welt zu bringen, fast genauso groß wie bei jüngeren Frauen.

**4**

## 1 Industrieregionen früher und heute – das Ruhrgebiet

**1** **Landeskunde Ruhrgebiet.** Sehen Sie sich die Collage an. Was erfahren Sie über das Ruhrgebiet? Woher kommt der Name?

Taubenzüchter

Technologiezentrum Dortmund

Lange Nacht der Industriekultur 2006

*Die Karte zeigt ...*

*Im Ruhrgebiet gibt es ...*

*Auf dem Bild (c) sieht man ...*

## Hier lernen Sie

▷ die Geschichte einer Region kennen
▷ Regionen und Orte beschreiben
▷ über Arbeitsunfälle/Versicherungen sprechen
▷ Adjektive vor dem Nomen
▷ Wörter im Dialekt verstehen
▷ Verkleinerungsformen: *Haus – Häuschen*
▷ Adjektivendungen durch Sprechen lernen
▷ Wdh.: Adjektive ohne Artikel (Nom. + Akk.)

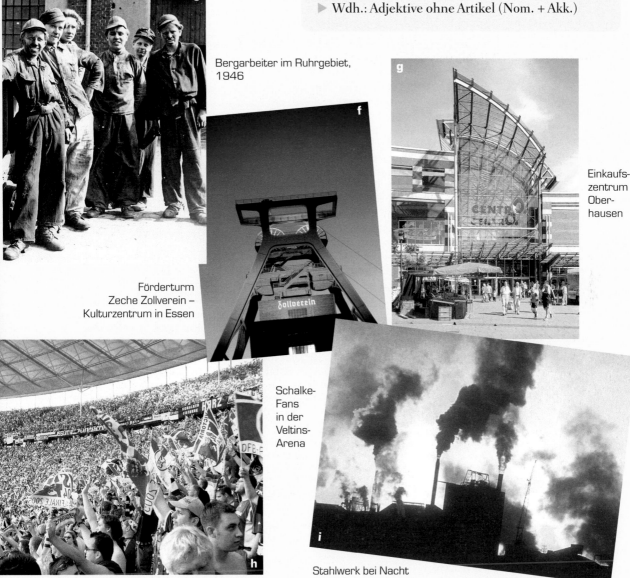

Bergarbeiter im Ruhrgebiet, 1946

Förderturm
Zeche Zollverein –
Kulturzentrum in Essen

Einkaufs-
zentrum
Ober-
hausen

Schalke-
Fans
in der
Veltins-
Arena

Stahlwerk bei Nacht

**2** **Wörter aus dem Ruhrgebiet.** Welche Wörter können Sie den Fotos zuordnen?

Ü1

**1 das Revier, der Pott:** Name für das Ruhrgebiet, hier wird Kohle „abgebaut", das heißt: man holt Kohle aus der Erde
**2 unter Tage arbeiten:** in einem Bergwerk, unter der Erde arbeiten
**3 die Zeche / das Bergwerk:** hier baut man Kohle, Metall oder Mineralien ab

**4 der Kumpel:** 1. Bergmann: jemand, der in einem Bergwerk arbeitet, 2. Kamerad, Freund
**5 malochen, der Malocher:** schwer arbeiten, der Schwerarbeiter
**6 der Schrebergarten:** Kleingarten in einer Gartenkolonie
**7 das Rennpferd des kleinen Mannes:** Name für Brieftaube
**8 auf Schalke gehen:** ein Fußballspiel vom FC Schalke 04 im Stadion sehen

 **3** **Erlebte Geschichte.** Andrea Kowalski spricht über ihre Familie. Welche Bilder passen dazu?

1.25

**4** **Industrieregionen früher und heute.** Kennen Sie Beispiele in Ihrem Land?

# 2 Entstehung und Wandel einer Industrieregion

**1** Einen Informationstext bearbeiten

**a)** Lesen Sie den Text. Markieren Sie fünf unbekannte Wörter. Suchen Sie nach Informationen, die Ihnen helfen, die Wörter zu erklären.

Das Ruhrgebiet

## Entwicklung einer Industrieregion

**Vom Dorf zur Stadt –
die größte Industrieregion
Deutschlands entsteht**

Das Ruhrgebiet ist eine der größ-
5 ten Industrieregionen Europas.
Es liegt zwischen den kleinen
Flüssen Ruhr und Lippe östlich
des Rheins. Zum Ruhrgebiet gehören u. a. die Städte Bochum,
10 Duisburg, Essen, Oberhausen
und Dortmund. Insgesamt hat
das Ruhrgebiet heute fast sechs
Millionen Einwohner. Das heißt:
Fast 10 % der Bevölkerung
15 Deutschlands leben hier.

Deutsch-polnische Belegschaft der Zeche „Graf Schwerin"

Die Geschichte des Ruhrgebiets
ist auch die Geschichte der Industrialisierung Deutschlands.
Im 19. Jahrhundert begann sie
20 mit dem Abbau der Kohle, des
„schwarzen Goldes". 1850 hatte
Dortmund 4000 Einwohner, um
1900 waren es 143 000. Aus dem

Städtchen war eine Großstadt ge-
25 worden. Die Geschichte des Ruhrgebiets ist auch eine Geschichte
der Arbeitsmigration. In den
großen Zechen und für die Stahlproduktion brauchte man Arbeits-
30 kräfte. Sie kamen vom Land oder
aus dem Ausland und zogen in
die kleinen Häuschen in den
Bergarbeitersiedlungen, die von
den Firmen gebaut wurden. Bis
35 1914 waren schon 700 000 Menschen aus dem europäischen Ausland, vor allem aus Polen, aber
auch aus den Niederlanden, Öster-
reich/Ungarn und aus Italien an
40 die Ruhr ge-
kommen. Sie
wollten bei den
großen Kohle-
und Stahlkon-
45 zernen, zum
Beispiel bei
Krupp und
Thyssen, Arbeit
finden und ein
50 neues Leben
beginnen. In
den 60er und
70er Jahren des 20. Jahrhunderts
kamen noch einmal über eine
55 Million Arbeitsmigranten hinzu –
jetzt vor allem aus der Türkei und
aus Südeuropa.
Die Arbeit in der Stahlindustrie
und „unter Tage" war anstren-
60 gend, ungesund und schmutzig.

Noch bis 1859 dauerte der Arbeitstag auch für Kinder mindestens 12 Stunden. Bis zur Sozialgesetzgebung Bismarcks (1883)
65 gab es keine Sozialversicherun-
gen, aber
jeden Tag
schwere Ar-
beitsunfälle.
70 Mit 40 waren
die meisten
Malocher
krank und
verbraucht.
75 Freizeit war
für sie ein
Fremdwort.
Ein paar
Bierchen am
80 Feierabend in der Stammkneipe,
das war's. Ein beliebtes Hobby
waren die Brieftauben – die
„Rennpferde des kleinen Mannes". Die wenigen freien Tage
85 verbrachte man in der Gartenkolonie. Das Schrebergärtchen
war für die ganze Familie wichtig:
Die Kinder hatten einen Platz
zum Spielen und in schlechten
90 Zeiten gab es genug Kartoffeln
und Gemüse. Samstagnach-
mittags ging man „auf Schalke",
das heißt ins Stadion. Fußball
war und ist schon immer etwas
95 Besonderes im Revier. Die
Kumpel waren treue Fans ihrer
Vereine.

Kinderarbeit im
Bergbau, 1908

**b)** In welcher Reihenfolge informiert der Text über die folgenden Themen?

a) die Arbeitsmigration
b) Freizeit im Ruhrgebiet
c) die geografische Lage des Ruhrgebiets
d) die Arbeitsbedingungen im Bergbau

**c)** In welchen Zeilen finden Sie die Informationen?          Zeile(n)

1. Durch das Ruhrgebiet fließen mehrere Flüsse. .........................

2. Schon Anfang des 20. Jahrhunderts gab es viele ausländische
   Arbeiter im Ruhrgebiet. .........................

3. Die Arbeitszeiten waren für Kinder und Erwachsene gleich lang. .........................

**2** Eine Region geografisch beschreiben. Sehen Sie sich die Karte auf Seite 62 an.
Ü2 Beschreiben Sie die Lage von Duisburg, Dortmund und Gelsenkirchen.

| Redemittel | | |
|---|---|---|
| Die Stadt | liegt zwischen den Flüssen … / an der Ruhr / am … / (20) km östlich von … / in der Nähe von … / südlich von … / nordwestlich von Düsseldorf / bei Bochum. liegt im Bundesland Nordrhein-Westfalen / im Rheintal. | |

**3** Wortschatzarbeit. Ordnen Sie die Definitionen Wörtern im Text zu.

a) vor 65 mit der Arbeit aufhören – b) der Wirtschaft geht es besser, Gegenteil von Krise – c) hier wird Stahl produziert – d) der Dienstleistungsbereich – e) die Bundesliga

VON DER STAHLFABRIK ZUR TRAUMFABRIK

### Krieg und Nachkriegszeit im Revier

Im 2. Weltkrieg wurde das Ruhrgebiet schwer bombardiert und viele Städte wurden fast komplett zerstört. Nach 1945 kam der wirtschaftliche Aufschwung. Doch schon Mitte der 6oer Jahre begann die Wirtschaftskrise. Kohle und Stahl aus Asien und Südamerika waren jetzt billiger als die deutschen Produkte. Viele Zechen und Stahlwerke mussten schließen. Die Arbeitslosigkeit stieg. Viele Kumpel schulten um oder mussten in Frührente gehen.

### Das neue Ruhrgebiet

Viele Industrieanlagen wurden Museen und Kulturzentren, z. B. die Zeche Zollverein. Es entstanden auch neue Berufe, vor allem in den Bereichen Medien, Bildung und Handel. Medienfirmen produzierten z. B. Filme in ehemaligen Stahlwerken. In Bochum, Essen, Duisburg und Dortmund wurden in den 7oer Jahren neue Universitäten gegründet. Heute arbeiten über 60 Prozent der Menschen im Ruhrgebiet im Dienstleistungsbereich.

### Freizeit im Revier heute

Mit dem Ende der Schwerindustrie ist die Region sauberer geworden und das Ruhrgebiet ist ein attraktives Reiseziel: Es gibt überall Badeseen und neue Freizeitparks, Fußgängerzonen und große Kinozentren und – mehr Fußballmannschaften in der 1. Bundesliga als in jeder anderen Region Deutschlands! In den großen Fußballstadien in Dortmund und Gelsenkirchen-Schalke finden aber auch immer mehr Popkonzerte und andere Veranstaltungen statt.

**4** Zusammenfassung. Sammeln Sie Informationen aus den Texten auf den Seiten 64
Ü3–4 und 65. Schreiben Sie eine kurze Zusammenfassung zu den Veränderungen des Ruhrgebiets.

| | Bevölkerung | Arbeit | Freizeit |
|---|---|---|---|
| früher | | | |
| heute | | | |

**5** Landeskunderecherche. Wählen Sie ein Stichwort und
Ü5 suchen Sie im Internet Informationen. Berichten Sie.

Internettipp

www.ruhr-guide.de

FC Schalke 04 und die Arena – die Zeche Zollverein – die Brieftaubenzucht – der Schrebergarten

# 3 Arbeitsunfälle

**1** **Zwei Arbeitsunfälle.**
Sehen Sie sich die
Zeichnungen an.
Was ist passiert?

Tanja

Marco

**2** **Warnhinweise.**
Welche Schilder
passen zu den Un-
fällen von Tanja
und Marco?

a Achtung: Gift!

b Feuerlöscher

c Achtung: glatt!

d Stolpergefahr!

e Achtung: Strom!

**3** **Berufsgenossenschaften**

Ü6

**a) Lesen Sie den Text. Beantworten Sie die Frage in der Überschrift.**

### Berufsgenossenschaft – was ist denn das?

**Mit dieser Frage mussten sich Tanja und Marco beschäftigen. Und das kam so:**
**Tanja, 17,** lernt Bürokauffrau in einem kleinen Betrieb. Mit schweren Akten auf dem Arm stolpert sie auf einer steilen Treppe und bricht sich das linke Bein. Wochenlang Gips und jede Menge Frust. **Marco, 21,** ist KFZ-Mechaniker und fährt jeden Tag mit seinem alten Motorrad in die Werkstatt, auch im Winter. Als er auf der glatten Straße bremsen muss, rutscht ihm die schwere Maschine weg. Er verletzt sich die Wirbelsäule und muss mehrere Monate in eine teure Spezialklinik.

Weil beide Unfälle am Arbeitsplatz bzw. auf dem Weg dorthin passiert sind, kümmert sich die Berufsgenossenschaft, die gesetzliche Unfallversicherung für Arbeitnehmer, um alles: Sie sorgt für eine optimale Behandlung und übernimmt die Kosten. Wenn nötig, zahlt sie sogar Umschulungen oder Renten. *nach: www.hvbg.de*

**b) Beschreiben Sie die Unfälle aus der Sicht von Tanja und Marco.**

**4** **Eine Pressemeldung. Lesen Sie den Text. Zwei Aussagen sind richtig. Kreuzen Sie an.**

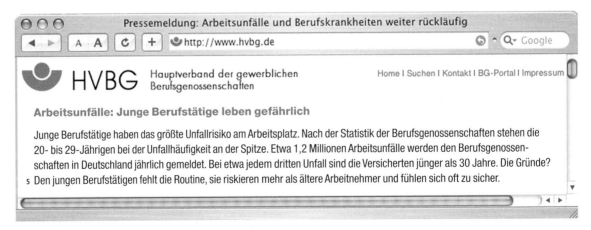

Pressemeldung: Arbeitsunfälle und Berufskrankheiten weiter rückläufig

http://www.hvbg.de

Home I Suchen I Kontakt I BG-Portal I Impressum

**HVBG** Hauptverband der gewerblichen Berufsgenossenschaften

**Arbeitsunfälle: Junge Berufstätige leben gefährlich**

Junge Berufstätige haben das größte Unfallrisiko am Arbeitsplatz. Nach der Statistik der Berufsgenossenschaften stehen die 20- bis 29-Jährigen bei der Unfallhäufigkeit an der Spitze. Etwa 1,2 Millionen Arbeitsunfälle werden den Berufsgenossenschaften in Deutschland jährlich gemeldet. Bei etwa jedem dritten Unfall sind die Versicherten jünger als 30 Jahre. Die Gründe?
5 Den jungen Berufstätigen fehlt die Routine, sie riskieren mehr als ältere Arbeitnehmer und fühlen sich oft zu sicher.

1. ☐ 50 % aller Unfälle im Beruf passieren den 20- bis 29-jährigen Arbeitnehmern.
2. ☐ Die beruflichen Unfallversicherungen (Berufsgenossenschaften) registrieren in jedem Jahr über eine Million Unfälle am Arbeitsplatz.
3. ☐ Junge Arbeitnehmer haben häufiger Arbeitsunfälle als ältere.

# 4  Adjektive – Nomen näher beschreiben

**1** **Adjektive nach bestimmten Artikeln.** Wie viele verschiedene Endungen gibt es in der Tabelle? Welche Endung sehen Sie am häufigsten?

15.1

| Singular | *der* | *das* | *die* |
|---|---|---|---|
| *Nominativ* | der kleine Betrieb | das alte Motorrad | die glatte Straße |
| *Akkusativ* | den kleinen Betrieb | das alte Motorrad | die glatte Straße |
| *Dativ* | dem kleinen Betrieb | dem alten Motorrad | der glatten Straße |
| *Genitiv* | des kleinen Betriebs | des alten Motorrads | der glatten Straße |

**Plural**

| | |
|---|---|
| *Nominativ/Akkusativ* | die kleinen Betriebe/Motorräder/Straßen |
| *Dativ* | den kleinen Betrieben/Motorrädern/Straßen |
| *Genitiv* | der kleinen Betriebe/Motorräder/Straßen |

(Grammatik)

**2** **Wiederholung: Adjektive ohne Artikel**

15.3

a) Typisch Arbeit? Ergänzen Sie die Endungen und finden Sie weitere Beispiele.

1. freundlich...... Kollege – 2. sonnig...... Wochenende – 3. lang...... Arbeitszeit – 4. …

b) Sehen Sie sich die Tabelle an und finden Sie weitere Beispiele.

**Plural**

| | |
|---|---|
| *Nominativ* | kleine Betriebe/Motorräder/Straßen |
| *Akkusativ* | kleine Betriebe/Motorräder/Straßen |
| *Dativ* | kleinen Betrieben/Motorrädern/Straßen |
| *Genitiv* | kleiner Betriebe/Motorräder/Straßen |

(Grammatik)

**3** **Adjektivendungen bestimmen.** Unterstreichen Sie die Adjektive und machen Sie eine Tabelle wie im Beispiel.

1. Es gab oft <u>schwere</u> Arbeitsunfälle.
2. Den freien Tag verbrachte man gern im Schrebergarten.
3. Der Schrebergarten war wichtig für die ganze Familie.
4. Das beliebteste Hobby im Ruhrgebiet war die Brieftaubenzucht.
5. Man nannte die Brieftaube „das Rennpferd des kleinen Mannes".
6. Er fährt mit dem alten Auto in die Werkstatt.
7. Unfall auf der A10 verursacht langen Stau.

| | Zahl | | Geschlecht | | | Fall | | | Artikel | |
|---|---|---|---|---|---|---|---|---|---|---|
| | Sg. | Pl. | m. | n. | f. | Akk. | Dat. | Gen. | best. | ohne |
| 1. schwere | | X | X | | | X | | | | X |
| 2. … | | | | | | | | | | |

 **4** Eine Grammatiktabelle ergänzen: Adjektive nach dem unbestimmten Artikel.

15.2 Ü7-9 Lesen Sie den Text. Ergänzen Sie dann die fehlenden Endungen in der Tabelle.

### Arbeitsunfall auf einer Party – ja gibt's denn so was?

Im Prinzip ja, sagt die Berufsgenossenschaft in Castrop-Rauxel und nennt ein Beispiel aus den Protokollen eines aktuellen Falls. Die Auszubildende Mara K. rutschte auf einem fröhlichen Sommerfest ihrer neuen Firma an einem Getränkebuffet aus und schnitt sich mit einem kaputten Glas tief in ihren rechten Arm. Sie konnte den Arm zwei volle Monate nicht bewegen. Die BG bezahlte eine hohe Krankenhausrechnung und eine ergotherapeutische Behandlung. Die BG zahlt aber nur dann, wenn die Party ein dienstlicher Termin ist und der Chef auch dabei ist.

**Grammatik**

| Singular | *der* | *das* |
|---|---|---|
| *Nominativ* | ein aktuell........ Fall | ein fröhliches Fest |
| *Akkusativ* | ein**en** aktuell........ Fall | ein fröhliches Fest |
| *Dativ* | (in) ein**em** aktuell........ Fall | (bei) ein**em** fröhlich........ Fest |
| *Genitiv* | ein**es** aktuell........ Falls | eines fröhlich........ Festes |

| | *die* |
|---|---|
| *Nominativ* | eine hohe Rechnung |
| *Akkusativ* | eine hoh........ Rechnung |
| *Dativ* | (mit) einer hoh........ Rechnung |
| *Genitiv* | einer hohen Rechnung |

**! Lerntipp**

Nach den Possessiva *mein, dein, sein, ihr, unser, euer, ihr* dekliniert man die Adjektive wie nach *ein/eine* und *kein/keine*.

 **5** Adjektivendungen durch Nachsprechen lernen

1.26 Ü10 **a)** Hören Sie und sprechen Sie nach.

1. ein schöner Mann → der schöne Mann → Hey, schöner Mann!
2. ein schönes Kind → das schöne Kind → Hey, schönes Kind!
3. eine schöne Frau → die schöne Frau → Hey, schöne Frau!

**b)** Machen Sie weitere Ketten. Sprechen Sie laut.

 **6** Sprache im Ruhrgebiet. Welche Wörter hören Sie? Kreuzen Sie an.

1.27 Was fällt Ihnen auf?

| | | |
|---|---|---|
| Dortmund | weg | groß |
| Gurken | Kirche | Bude |
| Vater | Bergbau | Freund |
| Samstag | gefallen | Horst |
| Kirsche | Mutter | kriegte |
| täglich | Cola | |

**7** Verkleinerungsformen. Finden Sie andere Beispiele im Text auf Seite 64.

10.5  Ü11

die Suppe – das Süppchen
der Baum – das Bäumchen

*die Stadt – das Städtchen*

....................................................

....................................................

....................................................

**Landeskunde**

Es gibt in einigen Regionen Unterschiede in den Verkleinerungsformen, z. B.: Häusken (Ruhrgebiet), Häusle (Südwestdeutschland), Häusli (CH), Häuserl (Bayern)

**8** Bochum

a) Herbert Grönemeyer hat ein Lied über seine Heimatstadt geschrieben. Was glauben Sie, was könnte er über seine Stadt sagen?

## Bochum

Tief im Westen
wo die Sonne verstaubt[1]
ist es besser
viel besser, als man glaubt
tief im Westen
tief im Westen

Du bist keine Schönheit
vor Arbeit ganz grau
du liebst dich ohne Schminke[2]
bist 'ne ehrliche Haut
leider total verbaut
aber grade das macht dich aus

Du hast 'n Pulsschlag aus Stahl
man hört ihn laut in der Nacht
du bist einfach zu bescheiden
dein Grubengold[3]
hat uns wieder hochgeholt
du Blume im Revier

Bochum
ich komm aus dir
Bochum
ich häng an dir
oh, Glück auf[4], Bochum

Du bist keine Weltstadt
auf deiner Königsallee[5]
finden keine Modenschau'n statt
hier, wo das Herz noch zählt
nicht das große Geld
wer wohnt schon in Düsseldorf

1 Staub: feiner Dreck, „alles ist verstaubt"
2 Schminke: Make up
3 das Grubengold: Ausdruck für Kohle
4 Glück auf!: Gruß der Bergarbeiter
5 Königsallee: berühmte Luxus-Einkaufsstraße in Düsseldorf

Text und Musik: Herbert Grönemeyer. Mit freundlicher Genehmigung von © Grönland Musikverlag administriert von Kobalt Music Ltd

1.28

b) Hören Sie das Lied. Was sagt der Sänger über seine Heimatstadt? Nennen Sie positive und negative Aspekte.

c) Schreiben Sie einen Text über Ihre Stadt.

# Übungen 4

**1** **Wörter aus dem Ruhrgebiet.**
Ergänzen Sie die richtigen Wörter.
Welches Foto passt wozu?

1. ▨ Schwarzes Gold        *die Kohle*

2. ▨ Kurzer Name für das Ruhrgebiet

3. ▨ Hier wird unter Tage gearbeitet

4. ▨ Arbeitskollege aus dem Bergwerk

5. ▨ Garten in einer Gartenkolonie

**Landeskunde**

Wussten Sie eigentlich schon, dass es im Ruhrgebiet Bergbau, Bergwerke und Bergarbeiter, aber keine Berge gibt?

**2** **Städte und Kultur im Ruhrgebiet**

**a)** Lesen Sie die Texte. Wie heißen die Städte? Die Karte auf Seite 62 hilft Ihnen.

liegt nördlich der Ruhr zwischen den Städten Essen im Südwesten und Dortmund im Nordosten. In dieser Stadt leben 382 000 Menschen. Am Hauptbahnhof halten hier täglich rund 60 Intercitys und seit 1996 auch ICE-Züge. In einer extra für diesen Zweck 1988 gebauten Theaterhalle wird in dieser Stadt seit über 18 Jahren das Musical „Starlight Express" auf Deutsch gezeigt. In dieser Stadt kann man auch das Deutsche Bergbau-Museum besuchen. Es ist das bekannteste Bergbau-Museum der Welt.

hat über 120 000 Einwohner und liegt im Norden des Industriegebiets nördlich von Herne zwischen dem Rhein-Herne-Kanal und dem Wesel-Datteln-Kanal. Im

Südwesten der Stadt treffen sich zwei der wichtigsten Autobahnen Deutschlands. Seit 1946 finden hier jedes Jahr die Ruhrfestspiele statt, die heute zu den wichtigsten europäischen Theaterfestspielen gehören.

**b) Sammeln Sie Informationen zu den beiden Orten.**

| Name | | |
|---|---|---|
| Einwohner | | |
| Lage | | |
| Verkehr | | |
| Kultur | | |

## 3 Dr. Schreber kannte keinen Schrebergarten

**a) Lesen Sie den Text. Was bedeuten die markierten Wörter? Ordnen Sie sie den Erklärungen zu.**

☐ ein Mensch, der nicht reich ist
☐ ein kleines Häuschen im Garten
☐ ein Stück Land

*1* ein Treffen der Eltern von Schulkindern
☐ Essen und Trinken

Der Leipziger Arzt und Hochschullehrer Daniel Gottlob Schreber (1808–1861) sorgte sich um die Gesundheit und Entwicklung der Kinder von Industriearbeitern, die in den kleinen Wohnungen und Straßen keinen Platz zum Spielen hatten. Drei Jahre nach seinem Tod, 1864, forderte der Schuldirektor Ernst Hauschild auf einer Eltern-
5 versammlung[1] einen Ort zum Spielen für die Kinder der Stadt. Die Eltern gründeten den „Schreberverein".
Der Verein mietete ein Grundstück[2] für einen Spielplatz, den „Schreberplatz". Die Eltern bauten dort auch Obst und Gemüse an. Dieses war in schlechten Zeiten oft wichtig für die Ernährung[3]. So wurden auf dem „Schreberplatz" die ersten „Schreber-
10 gärten" gegründet. Hier erholte sich im späten 19. und frühen 20. Jahrhundert der kleine Mann[4] vom Alltag der grauen Industriestädte.

Bis in unsere Zeit sind die jährlichen Kosten für einen Schrebergarten nicht hoch und deshalb sind sie sehr beliebt. Manche Familien verbringen dort den ganzen Sommer und übernachten sogar in der kleinen Laube[5], die zu jedem Schrebergarten gehört.

**b) Zu welchen Zeilen passen die Fotos? Notieren Sie die Zeilen.**

Foto a: ......................   Foto b: ......................   Foto c: ......................

**c) Einen Text zusammenfassen. Ordnen Sie die Informationen nach der Reihenfolge im Text aus Aufgabe a).**

☐ 1864 gründeten Eltern in Leipzig einen Verein, der Land für einen Spielplatz suchte.

*1* Der Arzt Schreber meinte, dass Arbeiterkinder aus der Stadt Platz zum Spielen in der Natur brauchten.

☐ Weil die Eltern am Schreberplatz kleine Gärten anlegten, hatten sie bald auch in schlechten Zeiten Obst und Gemüse.

☐ In jedem Schrebergarten steht auch eine Laube.

☐ So wurde aus dem Platz für die Kinder langsam ein Platz im Grünen für die ganze Familie.

**4** Das Ruhrgebiet früher und heute

**a) Was war früher? Was ist heute? Kreuzen Sie an.**
Die Texte auf den Seiten 64 und 65 helfen Ihnen.

|  | früher | heute |
|---|---|---|
| 1. Ein Arbeitstag dauert zwölf Stunden. | X |  |
| 2. Dortmund ist eine Großstadt. |  |  |
| 3. Kinderarbeit ist verboten. |  |  |
| 4. Es gibt nur noch wenige aktive Zechen. |  |  |
| 5. Jeden Tag passieren schwere Unfälle. |  |  |
| 6. Die Arbeiter in der Stahlindustrie haben eine 35-Stunden-Woche. |  |  |
| 7. Im Ruhrgebiet wird viel Kohle abgebaut. |  |  |
| 8. Dortmund ist ein kleines Dörfchen. |  |  |
| 9. Über 60 % der Menschen arbeiten im Dienstleistungsbereich. |  |  |
| 10. Kinder arbeiten im Bergbau. |  |  |
| 11. Es wird viel für die Gesundheit der Arbeiter getan. |  |  |
| 12. Fast alle Menschen im Pott arbeiten im Bergbau oder in der Stahlindustrie. |  |  |

**b) Vergleichen Sie früher und heute. Was passt zusammen? Schreiben Sie.**

*1. Früher dauerte ein Arbeitstag zwölf Stunden. Heute haben die Arbeiter in der Stahlindustrie eine 35-Stunden-Woche.*

*2. …*

**5** Thema heute: Fußball im Ruhrgebiet

**a) Sehen Sie sich die Fotos an. Welche Wörter passen zu welchem Foto?**
Ordnen Sie zu.

- die Fans
- das Stadion
- der Schal
- der Fußballspieler
- die Fahne
- der Rasen

19

**b) Hören Sie das Interview. Über welche Themen wird gesprochen?**
Kreuzen Sie an.

- die Gewalt im Fußballstadion
- die Vereinsmitglieder
- die Einwanderer im Ruhrgebiet
- die Bundesliga
- die Nationalität der Spieler des FC Schalke 04
- die Rolle der Ehefrauen der Spieler

**c) Lesen Sie die Aussagen und hören Sie das Interview noch einmal. Welche Aussagen sind richtig? Kreuzen Sie an.**

1. ▨ Fußball spielt in der Geschichte des Ruhrgebiets eine große Rolle.

2. ▨ Die Väter und Großväter vieler Menschen kamen im 19. Jahrhundert in den Ruhrpott, um als Bergarbeiter zu arbeiten.

3. ▨ Bei einem Fußballspiel kann man die Probleme des Alltags vergessen.

4. ▨ Im Verein ist es wichtig, woher man kommt oder wie viel man verdient.

5. ▨ Der FC Schalke 04 trainiert in Polen, Italien und der Türkei.

6. ▨ Der FC Schalke 04 ist der größte Fußballverein in Deutschland.

7. ▨ Die Vereinsmitglieder vom FC Schalke 04 sind besonders stolz auf ihr modernes Stadion, die neue Veltins-Arena.

**6 Textkaraoke. Einen Unfall melden**

**a) Hören Sie und sprechen Sie die ☞-Rolle im Dialog.**

🔊 …

☞ Hallo, mein Name ist … Ich möchte einen Unfall melden.

🔊 …

☞ Im Mikado. Das ist ein japanisches Restaurant in der Ulmenstraße 5.

🔊 …

☞ Mein Chef ist auf der Treppe ausgerutscht und kann nicht mehr aufstehen.

🔊 …

☞ Er kann das rechte Bein nicht bewegen und hat starke Schmerzen im Rücken.

🔊 …

☞ Ja, er hat mich ja selbst gerufen.

🔊 …

☞ Ja, das ist richtig.

🔊 …

☞ Vielen Dank. Hoffentlich dauert es nicht so lange!

| Landeskunde | Notrufnummern in Deutschland: Polizei 110 Feuerwehr 112 Notruf 112 |
| --- | --- |

**b) Welche Angaben gehören zu einer Unfallmeldung? Kreuzen Sie an.**

✘ Name ▨ Alter ▨ Adresse
▨ Beruf ▨ Geschlecht ▨ Zahl der Verletzten
▨ Unfallort ▨ Telefonnummer ▨ Art der Verletzung

**7 Adjektive in Paaren lernen. Wie heißt das Gegenteil? Ergänzen Sie die Adjektive.**

1. wenig ≠ ...................
2. stark ≠ ...................
3. oft ≠ ...................
4. wichtig ≠ ...................
5. billig ≠ ...................

6. gesund ≠ ...................
7. leicht ≠ ...................
8. früh ≠ ...................
9. klein ≠ ...................
10. schön ≠ ...................

**8** **Zeitungsmeldungen.** Ergänzen Sie die Adjektivendungen.

**a) Adjektive nach bestimmten Artikeln**

**Mühlheim.** Der 34-jährig....... Fahrlehrer Markus M. aus Duisburg wurde gestern auf der Autobahn 44 bei Mühlheim auf dem täglich....... Weg zur Arbeit schwer verletzt. Er war mit dem neu....... Dienstwagen unterwegs, als der tragisch....... Unfall passierte. Der jung....... Fahrer des ander....... Wagens musste mit dem Rettungshub- schrauber in die 180 km entfernt....... Klinik in Bochum geflogen werden.

**b) Adjektive nach unbestimmten Artikeln**

**Essen.** Eine 47-jährig....... Verkäuferin wollte gestern gegen 15 Uhr in einem groß....... Supermarkt in der Marktstraße einer alt....... Dame helfen und ist über ih- ren Gehstock gestolpert. Sie fiel gegen ein schwer....... Regal mit Salatsoßen. Sie wurde mit einer leicht....... Kopfverletzung und einer tief....... Schnittwunde am Arm ins Krankenhaus ge- bracht.

**9** **Eine Region verändert sich.** Ergänzen Sie die Adjektive. Achten Sie auf die Endungen.

schlecht – grün – lang – ungesund – viel – modern – ~~grau~~ – schwer – breit – aktiv

........*Graue*........ ¹ Städte, ........................ ² Luft und ........................ ³ Arbeits-

bedingungen waren ........................ ⁴ Zeit typisch für das Ruhrgebiet. Heute gibt

es in ........................ ⁵ Städten der Industrieregion ........................ ⁶ Parkanlagen,

Radwege, ein ........................ ⁷ Kultur- und Freizeitangebot und nur noch wenige

........................ ⁸ Zechen und Stahlwerke. Es hat sich sehr viel verändert!

In der ........................ ⁹ Stahlindustrie werden heute weniger Arbeiter gebraucht.

........................ ¹⁰ Arbeitsunfälle passieren heute auch nur noch selten, und Kinder

dürfen nicht arbeiten.

## 10 Adjektivendungen

**a) Welches Wort hören Sie? Kreuzen Sie an.**

1. ☐ nette  ☐ netter
2. ☐ 26-jährige  ☐ 26-jähriger
3. ☐ verrückte  ☐ verrückten
4. ☐ überraschte  ☐ überraschten
5. ☐ junge  ☐ jungen
6. ☐ letzte  ☐ letzten
7. ☐ kleine  ☐ kleinen
8. ☐ große  ☐ großes

**b) Ergänzen Sie die Adjektive aus Aufgabe a).**

Ein ............................¹Angestellter wurde schwer verletzt, als er vor den Augen der

............................² Kollegen ein ............................³ Bierglas essen wollte. Man

weiß nocht nicht, was den ............................⁴ Mann zu dieser ............................⁵

Idee führte. Wie der Geschäftsführer der ............................⁶ Firma unserer Zeitung

sagte, fiel der sonst immer ............................⁷ Mann in der ............................⁸ Zeit

nicht durch sein Verhalten auf.

**c) Hören Sie den Text und überprüfen Sie Ihre Lösung.**

## 11 Wörter mit -chen. Schreiben Sie den Text mit Nomen in der Grundform.

In einem Häuschen am Wäldchen wohnt ein Männchen. Es hat ein Gärtchen mit einem Apfelbäumchen, in dem ein Täubchen wohnt. Und es hat ein Kätzchen, das gerne mit Mäuschen spielt. Abends sitzt das Männchen an seinem Gartentischchen und trinkt ein oder zwei Bierchen. Samstags kommt sein Mütterchen und kocht ihm ein Süppchen.

*In einem Haus* ............................

............................

............................

............................

............................

............................

............................

............................

## Das kann ich auf Deutsch

### Regionen und Orte beschreiben

Die Region liegt östlich von Düsseldorf an der Ruhr. Früher arbeiteten die Menschen hier in der Industrie, heute arbeiten sie im Dienstleistungsbereich.

### über Arbeitsunfälle und Versicherungen sprechen

Was ist passiert? Sie hat sich das Bein gebrochen. Sie musste in eine teure Spezialklinik. Die Berufsgenossenschaft übernimmt die Kosten.

## Wortfelder

### Industrie

das Bergwerk, der Kumpel, das Stahlwerk, die Stahlproduktion, die Zeche, die Bergarbeitersiedlung

### Arbeitsunfall und Versicherung

der Gips, die Wirbelsäule, sich das Bein brechen, sich verletzen, stolpern, wegrutschen, die Unfallversicherung, die Kosten, der/die Versicherte

## Grammatik

### Adjektive vor dem Nomen

ein aktuell**er** Fall, der klein**e** Betrieb in Bochum, schwer**er** Unfall auf der A2, fröhlich**e** Feste am Wochenende

### Verkleinerungsformen

das Haus – das Häus**chen**,
die Suppe – das Süpp**chen**

### Wiederholung

Adjektive ohne Artikel: nett**er** Mann – nett**e** Frau – nett**es** Kind

## Aussprache

### Wörter im Dialekt verstehen

der Kumpel, der Malocher / Ich bin in Dortmund groß geworden.

### Adjektivendungen durch Sprechen lernen

ein schöner Mann – der schöne Mann – Hey, schöner Mann!

## Laut lesen und lernen

Tanja lernt Bürokauffrau. Wie ist denn das passiert? Ich habe einen Arbeitsunfall gehabt. Ich habe mir das Bein gebrochen. Übernimmt die Versicherung die Kosten? Die Versicherung zahlt die Umschulung.

# Zertifikatstraining

**Sprachbausteine, Teil 2**

Lesen Sie den Brief und entscheiden Sie, welches Wort (a–o) in welche Lücke (1–10) passt. Sie können jedes Wort nur einmal verwenden. Nicht alle Wörter passen in den Brief. Sie haben ca. 10 Minuten Zeit.

Liebe Familie Neumann,

ich möchte bei Ihnen als Au-Pair-Mädchen arbeiten. Ich heiße Svetlana und bin 21 Jahre alt. Ich komme aus Russland, aus Jekaterinburg. Ich studiere zurzeit Wirtschaft und ich spreche Englisch und Deutsch. Ich __1__ in Deutschland meine Deutschkenntnisse verbessern und die deutsche Kultur und den Alltag kennen lernen. Ich interessiere mich __2__ Deutschland, weil die Eltern meiner Großmutter Deutsche waren. Ich __3__ Klavier und mag klassische Musik. __4__ ich frei habe, spiele ich gerne mit meinen kleinen Geschwistern oder koche für meine Familie. In den __5__ arbeite ich oft in einem Ferienlager __6__ Erzieherin. Wir machen Wanderungen, baden im See, __7__ in der Sonne, basteln, __8__ Lieder, malen und wir spielen viel. Ich __9__ Kinder sehr. Ich freue mich __10__ Ihre Antwort und hoffe, dass wir uns bald persönlich kennen lernen.

Mit freundlichen Grüßen

Svetlana Maslowa

| | | | |
|---|---|---|---|
| a) ....... auf | d) ....... Urlaub | g) ....... singen | j) ....... Ferien | m) ....... früh |
| b) ....... über | e) ....... Lust | h) ....... Wenn | k) ....... liegen | n) ....... mag |
| c) ....... möchte | f) ....... spiele | i) ....... als | l) ....... für | o) ....... darf |

# 5 Schule und lernen

## 1 Schule in Deutschland

**1**
**Ü1** **Das Schulsystem.** Beschreiben Sie die Grafik. Ergänzen Sie dann die Zahlen im Text.

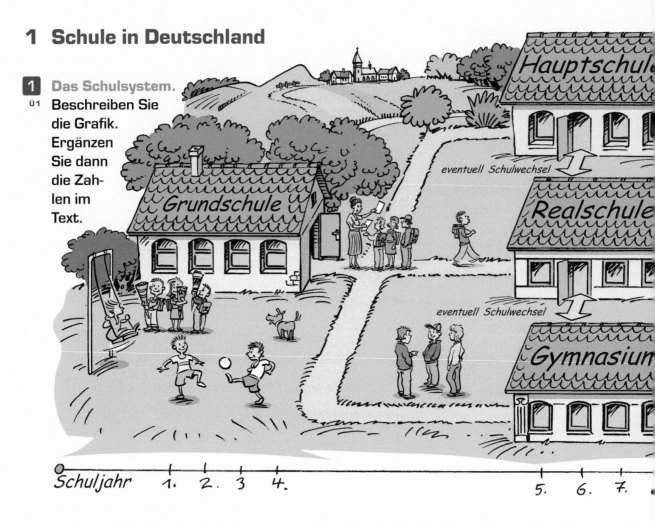

In Deutschland ist das Schulsystem in jedem Bundesland ein bisschen anders.

Alle Kinder kommen mit ___6___ Jahren in die Grundschule, die in der Regel ............. Jahre dauert. Danach entscheiden die Leistungen der Kinder, ob sie auf die Haupt-

schule, die Realschule oder das Gymnasium gehen. Nach der ............. Klasse kann man die Schule eventuell wechseln. Eine Alternative zu diesem dreigliedrigen System ist die Gesamtschule. In manchen Bundesländern werden auch die Haupt- und Realschulen zusammengelegt und heißen dann Regional- oder Stadtteilschulen.

Einige Hauptschüler verlassen die Schule nach der ............. Klasse und suchen einen Ausbildungsplatz. Manche gehen weiter zur Schule und machen ihren Realschul-

abschluss. Die Realschüler gehen ............. Jahre zur Schule. Danach haben sie mehrere Möglichkeiten. Sie machen eine Ausbildung und lernen drei Jahre lang einen Beruf in Betrieben und in der Berufsschule. Manche Realschüler gehen auch weiter zur Fachoberschule und machen das Fachabitur oder sie gehen auf das Gymnasium.

Dort ist die Schulzeit am längsten. Am Ende der ............. Klasse machen die Gymnasiasten ihr Abitur. Damit bewerben sie sich um einen Studienplatz an der Universität oder der Fachhochschule oder auch um einen Ausbildungsplatz.

**Hier lernen Sie**

▷ über Schule und Berufe an der Schule sprechen
▷ über Wünsche oder etwas Irreales sprechen
▷ Konjunktiv II (Präsens): *wäre, würde; hätte, könnte*
▷ Laute hören: *a – ä, u – ü, o – ö*
▷ Wdh.: Relativsätze

**Landeskunde**

Am ersten Schultag bekommen die Kinder von ihren Eltern eine Schultüte. In der bunten Tüte aus Pappe sind Süßigkeiten und Spielzeug, oder auch Sachen, die die Kinder in der Schule brauchen, versteckt. In vielen Familien wird der erste Schultag mit Freunden und Verwandten gefeiert.

**2** **Schulbiografien.** Wir haben Karina Seeger interviewt. Hören Sie das Interview. Wann war Karina auf welcher Schule und in welcher Klasse?

1.29  Ü2

*3 Jahre alt: Kindergarten*

**3** **Und Sie?** Sprechen Sie mit Ihrem Partner / Ihrer Partnerin über Ihre Schulbiografie.

**Redemittel**

Ich bin mit … Jahren in die Schule gekommen.
Von … bis … bin ich zur/zum … gegangen. / Danach bin ich auf … gegangen. / Wann hast du deinen Schulabschluss gemacht? /
Bei uns kann man … / Bei uns gibt es (k)ein(e) … / Nach der Schule …

# 2 Die Gesamtschule Geistal in Bad Hersfeld

**1** Schule. **Was fällt Ihnen in 30 Sekunden zum Thema ein?**

**2** Der Schulalltag von Lennart, 14

Ü3–4

a) Welche Fächer kennen Sie aus Ihrer Schulzeit, welche nicht?

### Stundenplan

| Zeit | Montag | Dienstag | Mittwoch | Donnerstag | Freitag |
|---|---|---|---|---|---|
| 8:15– 9:00 | Musik | Mathe | Sport | Deutsch | Mathe |
| 9:05– 9:50 | Latein | Latein | Sport | Musik | Mathe |
| 10:05–10:50 | Mathe | Englisch | Chemie | Latein | Englisch |
| 10:55–11:40 | Englisch | Geschichte | Religion | Geschichte | Religion |
| 12:00–12:45 | Chemie | Politik | Physik | Wahlfach Bio | Deutsch |
| 12:50–13:35 | Deutsch | Politik | Physik | Wahlfach Bio | Deutsch |
| 13:45–15:15 | | Handball AG | Ethik | Physik (zweiwöchig) | |

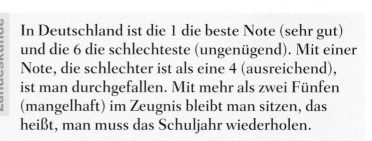

1.30

b) Lennart geht in die 8. Klasse der Geistal-schule. Er erzählt über seinen Schulalltag. Hören Sie das Inter-view und sammeln Sie die Informationen in einer Tabelle.

**Landeskunde**

In Deutschland ist die 1 die beste Note (sehr gut) und die 6 die schlechteste (ungenügend). Mit einer Note, die schlechter ist als eine 4 (ausreichend), ist man durchgefallen. Mit mehr als zwei Fünfen (mangelhaft) im Zeugnis bleibt man sitzen, das heißt, man muss das Schuljahr wiederholen.

| Schulbeginn | Lieblingsfach | unbeliebtes Fach | Noten |
|---|---|---|---|
| ................... | ................... | ................... | ................... |

c) Wie sah Ihr Klassenzimmer aus? Um wie viel Uhr fängt die Schule bei Ihnen an? Kann man bei Ihnen sitzenbleiben? Wie lang sind die Ferien? Machen Sie sich Notizen wie in Aufgabe b) und vergleichen Sie im Kurs.

**3** „Schulerinnerungen". Ihre Lieblingsfächer, Lieblingslehrer …

Ü5

Ich-Texte schreiben

Ich war … Jahre auf der/dem …
Meine Lieblingsfächer waren …, weil …
… mochte ich nicht, denn … / Mein(e) Lieblingslehrer(in) war …
Ich erinnere mich an … / Unser Mathematiklehrer war …

## 4 Berufe an der Schule

**Ü6**

**a) Sehen Sie sich die Fotos an. Welche Berufe kennen Sie?**

c) *der Sozial-arbeiter*

a) ...................................

b) ...................................

d) ...................................

**b) Arbeiten Sie zu zweit. Jede/r liest einen Text und notiert die Tätigkeiten. Welches Bild passt zu Ihrem Text?**

**c) Berichten Sie Ihrem Partner / Ihrer Partnerin über Ihren Text.**

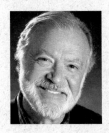

**Paul Hübchen, 62, Hausmeister**

Ich bin seit 26 Jahren Hausmeister an der
5 *Geistal*schule. Ei-
gentlich habe ich
Schlosser gelernt.
Aber als Hausmeister muss man nicht
nur mit Metall arbeiten. Ich überwache
10 z. B. die Heizung, wechsle Glühbirnen
aus, repariere kaputte Stühle und kümmere mich um die Kopiergeräte. Mittags
verkaufe ich Brötchen und Getränke im
Kiosk. Im Winter räume ich Schnee und
15 zu Weihnachten stelle ich den Weihnachtsbaum auf. Wenn ich einen Wunsch
frei hätte, würde ich einen Ordnungsdienst für Schüler einführen. Die Schüler
würden dann ihre Klassenräume selbst
20 sauber halten. Vielleicht würde dann
nicht mehr überall so viel Müll herumliegen.

**Cornelia Altmann, 31, Schulsozialarbeiterin**

Ich bin seit 2003 an der
Schillerschule. Mit 14
5 oder 15 sind viele
Schüler „schulmüde".
Manche haben auch
Probleme zu Hause. Es gibt Elfjährige, mit
denen die Eltern und Lehrer nicht mehr
10 klarkommen. Diese Schüler berate ich und
suche mit ihnen, ihren Lehrern und Eltern
nach Lösungen. Ich helfe den Schülern auch
bei der Berufswahl. Und ich leite verschiedene Arbeitsgemeinschaften, in denen die
15 Schüler mitarbeiten. Montags trifft sich die
Streitschlichter-Gruppe. Streitschlichter
helfen anderen Schülern, Konflikte ohne
Gewalt zu lösen. Mittwochs ist die Schule-
und-Leben-AG, in der die Schüler lernen,
20 ein Thema zu präsentieren und im Team
zu arbeiten. Ich wünschte, manche Eltern
würden sich mehr um ihre Kinder kümmern. Und es wäre schön, wenn ich noch
einen Kollegen hätte, dann könnten wir
25 uns die Arbeit teilen. Mein Job macht mir
Spaß, besonders dann, wenn ein Schüler,
dem ich geholfen habe, auch mal Danke
sagt.

## 5 Wörter ohne Wörterbuch verstehen. Erklären Sie Ihrem Partner / Ihrer Partnerin die Wörter.

Hausmeister – Ordnungsdienst – Sozialarbeiter/in – schulmüde – Berufswahl

## 3 Von Schule träumen – Schule verändern

**1** **Wunsch und Realität.** **Wie ist es wirklich in der Schule? Schreiben Sie Sätze.**

| Wunsch | Realität |
|---|---|
| Ich wünschte, manche Eltern würden sich mehr um ihre Kinder kümmern. | Manche Eltern kümmern sich zu wenig um ihre Kinder. |
| Ich wünschte, ich hätte einen Kollegen in der Klasse. | |
| Ich wünschte, die Schüler würden ihre Klassenräume selbst sauber halten. | |
| Ich wünschte, die Schüler würden die Hausaufgaben machen. | |

**2** **Wünsche äußern.** **Sprechen Sie schnell.**

Ich wünschte,  ich hätte mehr Zeit / weniger Hausaufgaben / …
ich könnte besser Deutsch / schneller lesen / …

**3** **„Sprachschatten": Wünsche üben.** **Ihr/e Partner/in äußert Wünsche.**
Ü7 **Spielen Sie Echo.**

- ■ Ich hätte gerne drei Monate Sommerferien.
- ◆ Oh ja, ich hätte auch gerne drei Monate Sommerferien.
- ■ Ich würde am liebsten nach Italien fahren.
- ◆ Gute Idee, ich …

- – Ich würde jeden Tag Pizza und Eis essen.
- – Ich würde gern die ganze Zeit am Strand liegen.
- – Ich wäre jeden Nachmittag im Café.

**4** **Der Konjunktiv II (Präsens)**
6, 23

Mit dem Konjunktiv II kann man über Wünsche, Träume und etwas, das nicht real ist, sprechen.

**a) Ergänzen Sie die Regel.**

- ■ Schule, nein danke! Ich (würde) jetzt am liebsten in den Urlaub (fahren).
  Und du?
- ◆ Ich (würde) am liebsten (mitkommen)!

**Regel** Den Konjunktiv II (Präsens) der meisten Verben bildet man

mit ...................................... + ...................................... .

**b) Das Präteritum als Lernhilfe:** *wurde/würde – war/wäre.* **Ergänzen Sie die Tabelle. Kontrollieren Sie mit der Grammatik im Anhang.**

| Grammatik | | | | | | | | |
|---|---|---|---|---|---|---|---|---|
| ich | wurde | ............ | würde | ............ | war | ............ | wäre | ............ |
| du | wurdest | ............ | | ............ | warst | ............ | | ............ |
| er/es/sie | | ............ | | ............ | | ............ | | ............ |

 **5** 
6, 23

**Bei manchen Verben benutzt man** *würde* **nicht. Lesen Sie das Minimemo und ergänzen Sie die Sätze.**

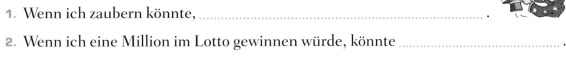

**Minimemo**
sein – wäre
haben – hätte
wissen – wüsste
können – könnte

1. Ich ........................... gern mehr Zeit. (haben)

2. Wenn ich doch nach Berlin ziehen ........................... ! (können)

3. Wenn ich nur ........................... , was ich ihm schenken soll! (wissen)

4. Wenn doch endlich Ferien ........................... ! (sein)

5. Drei Wochen Ferien? Das ........................... (sein) mir zu kurz.

**Regel** *Sein,* haben und Modalverben immer ohne *würde.*

**6** **Und Sie? Wählen Sie drei Satzanfänge aus und ergänzen Sie.**
Ü8–11

1. Wenn ich zaubern könnte, ........................................... .

2. Wenn ich eine Million im Lotto gewinnen würde, könnte ........................................... .

3. Wenn ich drei Monate Urlaub hätte, ........................................... .

4. Wenn ich die deutsche Sprache verändern könnte, ........................................... .

5. Wenn ich 20 Jahre jünger wäre, würde ich ........................................... .

6. Wenn ich König/in wäre, ........................................... .

**7** **Konjunktiv II (Präsens) hören**
1.31  Ü12

**a) Hören Sie die Mini-Dialoge. Kreuzen Sie an, was Sie hören.**

2. Oma besuchen?
   Ich ▢ werde / ▢ würde sie besuchen.

3. Computerprogramm installieren?
   Ich ▢ wusste / ▢ wüsste nicht, wie es geht.

4. Prüfung?
   Ich ▢ hatte / ▢ hätte echt Stress vor der Prüfung.

5. Klaus?
   Er ▢ konnte / ▢ könnte mir sofort helfen.

1. Urlaub in den Bergen?
   Das ▢ war / ▢ wäre mir zu langweilig.

6. Zeugnis?
   Sie ▢ musste / ▢ müsste die Klasse wiederholen.

**b) Hören Sie und sprechen Sie nach.**

# 4 Wortschatz systematisch

**1** **24 Wörter – 4 Kategorien. Ordnen Sie die Wörter in vier Gruppen und geben Sie jeder Gruppe einen Namen.**

| | | | |
|---|---|---|---|
| Biologie | Wörterbuch | Sport | Landkarte |
| Schüler | Englisch | Mathematiklehrerin | Schulsekretärin |
| Musiklehrer | Realschule | Putzfrau | Physik |
| Berufsschule | Sozialarbeiterin | Deutsch | Gymnasium |
| Hauptschule | Kunst | Latein | Grundschule |
| Chemiebuch | Overheadprojektor | Computer | Hausmeister |

**2** **Begriffe rund um Schule**

Ü 13–14

**a) Wiederholung Relativpronomen. Ergänzen Sie.**

1. Schule: Ein Haus, in ......*dem*...... Schüler lernen.

2. Eltern: Menschen, .................. Kinder haben.

3. Schüler: Ein Kind, .................. die Lehrer etwas beibringen.

4. Computer: Ein Gerät, .................. im Unterricht sehr nützlich sein kann.

5. Lernpartner: Personen, mit .................. es Spaß macht, Aufgaben zu lösen.

6. Schulfreund/in: Ein Mensch, .................. ich in der Schule kennen gelernt habe, .................. ich gerne helfe und mit .................. ich gerne zusammen bin.

7. Schulzahnärztin: Eine Frau, .................. alle Schüler lieben.

**b) Ergänzen Sie die Tabelle mit den Relativpronomen.**

| Grammatik | | Nominativ | Akkusativ | Dativ |
|---|---|---|---|---|
| | der/ein | *der* | .......... | .......... |
| | das/ein | .......... | .......... | .......... |
| | die/eine | .......... | .......... | *der* |
| | die (Pl.) | .......... | *die* | .......... |

**3** **Wortfeld Schule**

**a) Was ist das? Raten Sie.**

**b) Finden Sie weitere Wörter.**

Einheit 5

84

vierundachtzig

14.2

# 5 Schule interkulturell

**1** Dänemark und Honduras. Arbeiten Sie zu zweit. Sie lesen einen Text, Ihre Partnerin / Ihr Partner den anderen. Markieren Sie die wichtigsten Informationen und stellen Sie Ihren Text vor.

### Honduras

*María Gabriela aus einem Dorf im Nordwesten von Honduras*

Die 11-jährige María besucht die vierte Klasse der Grundschule. Sie ist sehr klug und fleißig und sie möchte Ärztin werden. Zu ihren Lieblingsfächern zählen Biologie und Spanisch. Aber viel Zeit zum Lernen bleibt ihr nicht. Maria ist das einzige Mädchen in der Familie, sie hat drei Brüder. Der älteste ist 17 und arbeitet als Maurer, die anderen beiden gehen noch in die Schule. María hilft ihrer Mutter im Haushalt, holt das Brennholz und kümmert sich um die Tiere.

a

*Kajakbau im Werkunterricht*

Grönland ist die größte Insel unserer Erde und gehört als autonomer Teil zum Königreich Dänemark. Die meisten Bewohner Grönlands sind Inuit. Die Inuit sind auch die Erfinder der Kajaks. Sie benutzen diese kleinen Boote schon seit Jahrhunderten als Verkehrsmittel oder zur Jagd. Deshalb ist es auf Grönland auch ganz normal, dass man in der Schule nicht nur Rechnen und Schreiben lernt, sondern auch das Kajakbauen!

b

**Dänemark**

**2** Über Schule lachen

a) Lesen Sie die Sprüche und Witze über Schule. Welcher gefällt Ihnen am besten?

b) Kennen Sie auch einen Schulwitz? Erzählen Sie ihn.

> Unser Lehrer hat keine Ahnung. Darum fragt er uns!

> Wenn alles schläft und einer spricht, dann nennt man das den Unterricht!

> Wir gehen nur wegen der Pausen in die Schule.

> Wörter, die mit der Vorsilbe un- beginnen, drücken meist etwas Schlechtes oder Unangenehmes aus", erklärt der Lehrer. „Wer kann so ein Wort nennen?" Darauf Sascha schlagfertig: „Unterricht!"

**3** Bildung ist ...

# Übungen 5

**1** Schule in Deutschland

**a) Sehen Sie sich die Fotos an. Zu welchen Fragen aus Aufgabe b) passen sie?**

**b) Ordnen Sie den Fragen die Antworten zu.**

1. ▨ Ist das Schulsystem in Deutschland überall gleich?
2. ▨ Mit wie viel Jahren kommen die Kinder in die Schule?
3. ▨ Wann ist ein Wechsel von der Hauptschule zur Realschule möglich?
4. ▨ Wer kann nach dem Schulabschluss die Berufsschule besuchen?
5. ▨ Wann machen Gymnasiasten in der Regel das Abitur?
6. ▨ Welche Ausbildungsmöglichkeiten haben Schüler mit Realschulabschluss?
7. ▨ Welche Schüler besuchen in manchen Bundesländern eine Regional- oder Stadtteilschule?

a) Haupt- und Realschüler.
b) Hauptschüler, Realschüler und Gymnasiasten.
c) Nein. In jedem Bundesland ist es ein bisschen anders.
d) Sie können eine Ausbildung, das Fachabitur oder das Abitur machen.
e) Mit sechs Jahren.
f) Nach dem sechsten und nach dem neunten Schuljahr.
g) Am Ende des zwölften Schuljahrs.

**c) Vergleichen Sie Ihre Antworten mit dem Text auf Seite 78.**

 **2** Drei Schüler erzählen

24

**a) Welche Schulabschlüsse machen sie in diesem Jahr? Hören und notieren Sie.**

Michaela                   Cemal                   Jan

**b) Hören Sie die Interviews noch einmal und ergänzen Sie die Namen.**

1. ............................................ möchte eine Ausbildung zur Optikerin machen.

2. Als ........................................ nach Berlin kam, konnte er schon ziemlich gut Deutsch.

3. Weil ........................................ eine Sechs hatte, musste er die vierte Klasse wiederholen.

4. ........................................ hatte in der Grundschule gute Leistungen, deshalb ging er aufs Gymnasium.

5. ........................................ will Möbeltischler werden.

6. ........................................ ist in Hannover in die Grundschule gegangen.

**3** **Schulfächer.** Schreiben Sie zu jeder Frage ein Schulfach.

1. In welchem Jahr begann der 2. Weltkrieg?     *Geschichte* .........

2. Was braucht ein Baum zum Leben? .........................

3. Welcher Komponist aus Salzburg hat „Eine kleine Nachtmusik" geschrieben? .........................

4. Sie haben acht Pullover und wollen zwei in den Urlaub mitnehmen. Wie viele Kombinationsmöglichkeiten haben Sie? .........................

5. Welcher deutsche Autor hat den Roman „Die Leiden des jungen Werther" geschrieben? .........................

**4** **Lennarts Stundenplan.** Arbeiten Sie mit dem Stundenplan auf Seite 80. Schreiben Sie sechs Fragen und Antworten.

*1. Wann hat Lennart Deutsch? – Am Montag in der sechsten und am Donnerstag in der ersten Stunde.*

**5** **Klangbilder**

**a) Was hören Sie? Wo ist das? Ordnen Sie zu.**

in der Pause – beim Sport – in der Mathestunde – im Chemieunterricht

1. ......................................     3. ......................................

2. ......................................     4. ......................................

**b) Finden und schreiben Sie Wörter und Aktivitäten.**

*in der Pause: Brötchen kaufen, spielen, ...*

**6** Das Magazin *Aktuell* im Gespräch mit einem Lehrer

**a)** Lesen Sie den Text und ordnen Sie die Interviewfragen zu.

1. Wie gut kennen Sie Ihre Schüler?
2. Wie kommt das?
3. Was machen Sie eigentlich in den Osterferien?
4. Macht Ihnen Ihr Beruf Spaß?
5. Was machen Sie in so einer Situation?
6. Können Sie uns ein Beispiel geben?

# Traumberuf Lehrer?

„Lehrer haben es doch gut! Sie arbeiten meistens nur ein paar Stunden am Vormittag und haben oft Ferien." Das denken viele, aber ist das wirklich so? *Aktuell* hat ein Interview mit Herrn Möller geführt. Er unterrichtet seit über zehn Jahren Deutsch und Geschichte an einer Realschule in Gelsenkirchen.

**Aktuell:** 4
**Möller:** Ja, eigentlich schon. Manchmal habe ich aber auch schlechte Tage und bin unzufrieden oder gestresst, wenn ich nach Hause komme.

**Aktuell:** ■
**Möller:** Das kann unterschiedliche Gründe haben. Oft sind die Schüler nicht vorbereitet, ganz einfach müde oder interessieren sich nicht für das Thema.

**Aktuell:** ■
**Möller:** Sicher. Zum Beispiel gestern habe ich zwei Stunden eine Deutschstunde für eine 10. Klasse vorbereitet. Gleich am Anfang der Stunde musste ich heute feststellen, dass nur etwa die Hälfte der Klasse das Buch mitgebracht hat. Von 26 Schülern konnten nur zehn bis zwölf meine Fragen zu den beiden Texten beantworten, die sie zu Hause lesen sollten.

**Aktuell:** ■
**Möller:** Ich lasse einen der Schüler, die die Texte gelesen haben, den Inhalt zusammenfassen und mache dann mit dem Unterricht weiter. Na ja, leider passiert so was öfter.

**Aktuell:** ■
**Möller:** Bei so vielen Schülern kann man nicht jeden gut kennen. Aber wenn ich merke, dass die Leistungen eines Schülers schlechter werden, frage ich, ob es ein Problem gibt, oder ich spreche mit unserer Sozialarbeiterin.

**Aktuell:** ■
**Möller:** Ich ruhe mich erst einmal vom Stress in der Schule aus. Aber ich brauche die Zeit auch, um drei Klassenarbeiten zu korrigieren und den Unterricht der nächsten Wochen vorzubereiten. Und dann fahre ich für fünf Tage mit meiner Frau in den Urlaub.

**b) Was sagt Herr Möller? Kreuzen Sie an und korrigieren Sie die falschen Aussagen.**

1. ☐ Der Beruf macht mir meistens Spaß.
2. ☐ Die Schüler sind immer gut vorbereitet.
3. ☐ Die Deutschstunde lief nicht gut, weil ich schlecht vorbereitet war.
4. ☐ Wir lesen die Texte gemeinsam in der Klasse, wenn viele Schüler sie nicht zu Hause gelesen haben.
5. ☐ Ich versuche, meinen Schülern zu helfen, wenn sie Probleme haben.
6. ☐ An den Nachmittagen und in den Ferien arbeite ich auch für die Schule.

**7** Träume von einer anderen Schule

**a) Wer sagt was? Notieren Sie „S" für „Schüler/in" oder „L" für „Lehrer/in".**

S̶ m̶e̶h̶r̶ ̶S̶p̶o̶r̶t̶u̶n̶t̶e̶r̶r̶i̶c̶h̶t̶ ̶h̶a̶b̶e̶n̶ – ☐ keine Hausaufgaben haben – ☐ in den Klassenzimmern ruhiger sein – ☐ Eltern mehr mit der Schule zusammenarbeiten – ☐ lustigere Lehrer haben – ☐ mehr Zeit für die einzelnen Schüler haben – ☐ nur gute Noten haben – ☐ nettere Kollegen haben – L n̶i̶c̶h̶t̶ ̶s̶o̶ ̶v̶i̶e̶l̶e̶ ̶S̶c̶h̶ü̶l̶e̶r̶ ̶i̶n̶ ̶d̶e̶n̶ ̶K̶l̶a̶s̶s̶e̶n̶ ̶s̶e̶i̶n̶ – ☐ nettere Mitschüler haben – ☐ weniger Korrekturen haben

**b) Schreiben Sie Sätze im Konjunktiv II (Präsens).**

| Das sagt eine Schülerin: | Das sagt ein Lehrer: |
|---|---|
| Ich wünschte, wir hätten mehr Sportunterricht. | Ich wünschte, in den Klassen wären nicht so viele Schüler. |

**c) Schreiben Sie die Sätze aus Aufgabe b) wie im Beispiel um.**

Ich wünschte, wir hätten mehr Sportunterricht. – Es wäre schön, wenn wir mehr Sportunterricht hätten.

**8** Wer weiß das schon? Schreiben Sie Sätze wie im Beispiel.

Wie wird das Wetter morgen? – Wo sind meine Autoschlüssel? – Wer kommt morgen zu meiner Party? – Was soll ich nach der Schule machen? – Woher soll ich das Geld für die Telefonrechnung nehmen?

Wenn ich nur wüsste, wie das Wetter morgen wird!

Wenn ich nur …

?

?

**9** Wenn ich doch …! Schreiben Sie mindestens fünf Sätze.

fliegen können – ein Auto haben – reich sein –
im Lotto gewinnen – mehr Zeit haben –
(nicht) verheiratet sein – (keine) Kinder haben –
…

Wenn ich doch Königin wäre!

**10** Was wäre, wenn ...? Ergänzen Sie *würde, wäre* oder *hätte.*

Ich bin jetzt 32 Jahre alt. Ich habe zwei kleine Kinder, die schon bald in die Schule gehen, und arbeite als Sekretärin. Ich denke oft darüber nach, was ich anders machen ..............................¹, wenn ich jetzt noch einmal die Chance ..............................², in die Schule zu gehen. Ich glaube, ich ..............................³ versuchen, besser Englisch zu lernen. Ich ..............................⁴ oft im Internet surfen und mit Menschen aus der ganzen Welt auf Englisch chatten. Nach dem Schulabschluss ..............................⁵ ich ein Jahr durch Australien reisen. Ich ..............................⁶ die ganze Zeit unterwegs und ..............................⁷ viele neue Leute kennen lernen. Das ..............................⁸ toll! Wahrscheinlich ..............................⁹ ich jetzt nicht Sekretärin. Mein Beruf macht mir wirklich nicht besonders viel Spaß. Aber Kinder ..............................¹⁰ ich auf jeden Fall!

**11** Immer nur „wenn". Schreiben Sie Sätze im Konjunktiv II (Präsens).

1. einen Ausbildungsplatz haben – glücklich sein

   *Wenn ich einen Ausbildungsplatz hätte, wäre ich glücklich.*

2. einen interessanten Beruf haben – gern zur Arbeit gehen

   ....................................................................................................

3. mehr Zeit haben – in den Urlaub fahren

   ....................................................................................................

4. mehr lernen – weniger Probleme in der Schule haben

   ....................................................................................................

5. einen guten Schulabschluss haben – einen guten Job bekommen

   ....................................................................................................

## 26

**12** **Umlaut oder nicht?** Hören Sie und ergänzen Sie die Vokale.

der K*o*ch          die __rztin          das D__rf          der B_____er

die K*ö*chin         der __rzt           die D__rfer         die B_____erin


__ngstlich          die Nat__r          gef__hrlich         die W__t

die __ngst           nat__rlich          die Gef__hr         w__tend


der B__cker          der Schm__ck        k__ssen            der T__nzer

b__cken             schm__cken          der K__ss           t__nzen


**13** **Wortschatz „Schule".** Finden Sie zu jedem Buchstaben ein Nomen mit Artikel.

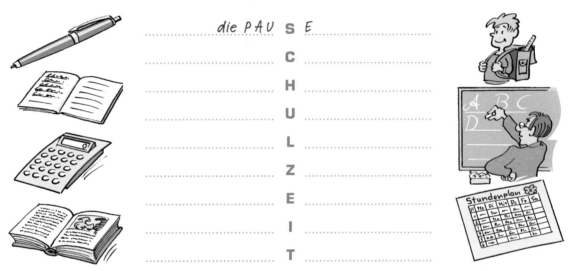

die PAU**S** E

**C** ........................

**H** ........................

**U** ........................

**L** ........................

**Z** ........................

**E** ........................

**I** ........................

**T** ........................

**14** **Erinnerungen.** Schreiben Sie Relativsätze.

1. Wir hatten in der Grundschule einen Hausmeister. Er war immer sehr nett.

   *Wir hatten in der Grundschule einen Hausmeister, der immer* ........................

2. Musik und Sport waren die Schulfächer. Ich mochte sie am liebsten.

   ........................................................................

3. Kannst du dich noch an Christiane erinnern? Sie saß in der 7. Klasse neben dir.

   ........................................................................

4. Herr Schumann war unser Musiklehrer. Ich habe ihm einmal Salz in seinen Kaffee getan.

   ........................................................................

5. Das ist mein Tagebuch. Ich schreibe mein Tagebuch seit der 5. Klasse.

   ........................................................................

6. Pilot ist ein Beruf. Alle Kinder träumen von dem Beruf.

   ........................................................................

## Das kann ich auf Deutsch

**über Schule und Berufe an der Schule sprechen**

Ich bin zwölf Jahre zur Schule gegangen. Meine Lieblingsfächer waren Sport und Geschichte. In Deutschland ist die Eins die beste Note. Bei uns dauern die Sommerferien sechs Wochen.
Schulsozialarbeiter beraten Schüler, Lehrer und Eltern. Als Hausmeister hat man viel zu tun. Viele Lehrer arbeiten auch am Wochenende.

**über Wünsche oder etwas Irreales sprechen**

Ich hätte gern mehr Zeit und weniger Arbeit. Wenn ich doch nach Berlin ziehen könnte!

## Wortfelder

### Schule

die Musiklehrerin, der Hausmeister, die Schulsozialarbeiterin, die Hauptschule, die Realschule, das Gymnasium, der Schulabschluss, die Schulfreunde, die Schulzeit, die Mathematik, die Biologie, die Pause

## Grammatik

### Konjunktiv II (Präsens): *wäre, würde, hätte, könnte*

Ich **wäre** gerne am Meer. Ich **würde** gerne am Strand **liegen**.
Wenn ich Zeit zum Kochen **hätte**, **würde** ich euch zum Essen **einladen**.
Ich wünschte, ich **hätte** nettere Kollegen.
Er **könnte** dir helfen.

### Wiederholung

Relativsätze:
Die Schulsozialarbeiterin ist eine Frau, **die** Schülern bei Problemen hilft.
Eine Schulfreundin ist eine Person, **mit der** man in der Schule viel Spaß hatte.

## Aussprache

### Laute hören: *a – ä, u – ü, o – ö*

Wir waren zwei Wochen am Meer. Urlaub am Meer wäre mir zu langweilig!
Er konnte mir leider nicht helfen. Könntest du es nicht versuchen?

##  Laut lesen und lernen

27

Wenn ich doch wüsste, was sie sich zum Geburtstag wünscht! Ich habe keine Lust mehr, ich würde jetzt am liebsten nach Hause gehen! Wenn er jetzt nur hier wäre! Ich wünschte, ich hätte mehr Zeit.

# Zertifikatstraining

### Hörverstehen Teil 1 (Globales Verstehen)

Sie hören fünf kurze Texte. Sie hören diese Texte nur einmal. Entscheiden Sie beim Hören, ob die Aussagen 1 bis 5 richtig oder falsch sind. Markieren Sie Ihre Lösungen auf dem Antwortbogen unten. Markieren Sie (R) gleich richtig oder (F) gleich falsch.

**Lesen Sie jetzt die Aussagen 1 bis 5. Sie haben 30 Sekunden Zeit.**

1. Der Mann hat seine Schulfreundin geheiratet.

2. Der Sprecher hatte in der Schule einen schweren Unfall.

3. Die Sprecherin hatte keine Freunde in der Schule.

4. Der Sprecher hat einen Golfkurs erfolgreich absolviert.

5. Die Leistungen der Frau in der Schule waren sehr gut.

 **Hören Sie nun die Interviews.**

28

### Hörverstehen Teil 3 (Selektives Verstehen)

Sie hören fünf kurze Texte. Sie hören jeden Text zweimal. Entscheiden Sie beim Hören, ob die Aussagen 6 bis 10 richtig oder falsch sind. Markieren Sie Ihre Lösungen auf dem Antwortbogen unten. Markieren Sie (R) gleich richtig oder (F) gleich falsch.

6. Es gibt einen Stau in Ihrer Richtung.

7. Frau Michael hat am Dienstagvormittag keine Sprechzeiten.

8. Sie müssen in Frankfurt in den Zug am Gleis 7 umsteigen.

9. Der Apfelsaft kostet heute € 1,29.

10. Am Wochenende wird es leicht regnen.

 **Hören Sie nun die Texte.**

29

---

**Zertifikat Deutsch**

ANTWORTBOGEN

**Hörverstehen
Teil 1 und 3**

| | | |
|---|---|---|
| 1. R  F | 5. R  F | 9.  R  F |
| 2. R  F | 6. R  F | 10.  R  F |
| 3. R  F | 7. R  F | |
| 4. R  F | 8. R  F | |

# 1 Training für den Beruf: Eine Präsentation vorbereiten und durchführen

**1** Zwei Präsentationen

a) Sehen Sie sich die Fotos an. Was denken Sie: Welche Berufe haben die Leute? Worüber sprechen sie?

b) Ordnen Sie die Sätze den Fotos zu und bringen Sie sie in die richtige Reihenfolge.

1. *b* Meine Damen und Herren, ich stelle Ihnen heute den Prototyp unserer neuen Espressomaschine vor.
2. ☐ Danach kontrollieren wir die Stromleitungen in der Küche.
3. ☐ So, Kollegen. Hier ist unser Arbeitsplan für diese Woche. Und das ist die Materialliste.
4. ☐ Sie ist praktischer und außerdem leiser und schneller als das alte Modell.
5. ☐ Zuerst müssen wir die Wasserleitungen verlegen.
6. ☐ Deshalb starten wir noch vor Weihnachten eine große Werbeaktion in den Medien.
7. ☐ Zum Schluss bauen wir die Küche ein und schließen die Geräte an.
8. ☐ Leider ist sie auch etwas teurer geworden, aber die Qualität ist besser.

**2** Über Präsentationen sprechen. Lesen und ergänzen Sie die Tipps.

In vielen Berufen muss man etwas präsentieren und vor anderen Menschen über ein Thema sprechen. Zum Beispiel über eine Statistik, über ein Produkt, das andere noch nicht kennen, oder über einen Arbeitsplan.

 **Präsentationstipps**

1. Man muss die Zuhörer direkt und freundlich anschauen.
2. Eine Präsentation soll eine klare Gliederung haben. Der erste und der letzte Satz sind besonders wichtig: Der erste Satz muss Interesse wecken.
3. Eine Präsentation darf nicht zu lang sein.

**3** Eine Produktpräsentation in Gruppen vorbereiten

**a)** Bringen Sie einen Gegenstand mit, den Sie sehr
praktisch finden oder den Sie besonders mögen.

die Brille

die Handtasche

die Kaffeetasse

die Zahnbürste

das Taschenmesser

die Glühbirne

die Teekanne

**b)** Notieren Sie wichtige Redemittel und Sätze für Ihre Präsentation.

**Einleitung:** Meine Damen und Herren, ich begrüße Sie ganz herzlich.
Heute zeige/präsentiere ich Ihnen den/die/das …
Ich möchte Ihnen … vorstellen.

**Hauptteil:** Ich beginne mit / komme jetzt zu den Vorteilen / zum wichtigsten Punkt.
Das Produkt (diese Zahnbürste / diese Tasche / …) ist praktisch / billig /
köstlich / besonders hell / schnell / sehr nützlich / hat eine schöne Form.
Deshalb kann ich ihn / sie / es / dieses Produkt sehr empfehlen …

**Schluss:** Ich hoffe, ich habe Ihr Interesse geweckt.
Ich bedanke mich / darf mich für Ihre Aufmerksamkeit bedanken.
Ich beantworte jetzt gerne Ihre Fragen.

**c)** Bereiten Sie die Präsentation vor. Sie soll nicht länger sein als sechs Sätze.

**d)** Führen Sie Ihre Präsentation durch. Fragen Sie danach im Kurs:
Was war (sehr) gut? Was kann man noch besser machen?

**4** Projektvorschlag. Bereiten Sie zu Hause eine kurze Präsentation vor und stellen
Sie sie im Kurs vor.

Beispiele

– eine Stadt, in der ich gern wohnen möchte
– ein Film, den ich gerade gesehen habe und gut finde
– eine Person, die ich interessant finde und gerne treffen möchte
– ein Buch, das ich gerade gelesen habe und empfehlen möchte

## 2 Wörter – Spiele – Training

**1** Eine Talkrunde: Noten in der Schule – ja oder nein?

**a) Lesen Sie den Text und wählen Sie eine Rollenkarte aus. Was könnte „Ihre" Person in der Diskussion sagen? Notieren Sie mindestens vier Argumente.**

Sie sind im Fernsehen zu Gast in der Sendung „Sieben Köpfe – sechs Meinungen", die von Sina Stressig, einer bekannten Moderatorin, geleitet wird. Heute geht es um die Frage: „Noten in der Schule – ja oder nein?" Schüler, Eltern und Lehrer diskutieren.

Noten sind wichtig!

Ernst Energisch
62 Jahre
korrekt, energisch
Mathematiklehrer

Noten sind dumm!

Leni Lustig
28 Jahre
fröhlich, tolerant
Sportlehrerin

Ich will nur Einsen!

Theresa Tüchtig
12 Jahre
sehr fleißig
Schülerin

Noten sind Stress für Kinder!

Herta Tüchtig
37 Jahre
gemütlich, ruhig
Sekretärin

Ich will, dass meine Tochter nur Einsen hat!

Hans Tüchtig
45 Jahre
fleißig, energisch
Bankangestellter

Ich will Zuschauer!

Sina Stressig
45 Jahre
karrierebewusst
Moderatorin

Noten? Egal!

Flori Faul
11 Jahre
ziemlich faul
Schüler

**b) Ergänzen Sie die Redemittel im Heft. Sammeln Sie in den Einheiten 1 bis 5.**

| seine Meinung ausdrücken | jmdm. zustimmen | jmdm. widersprechen | Wünsche äußern |
|---|---|---|---|
| Ich denke, dass … … | Das sehe ich auch so! | | |

**c) Spielen Sie die Talkrunde.**

**2** **Flüsterdiktat.** Diktieren Sie den Text Ihrem/Ihrer Partner/in. Sie dürfen nicht laut sprechen, sondern müssen flüstern. Dann wechseln Sie und Ihr/Ihre Partner/in diktiert Ihnen den Text auf Seite 205.

Rüdiger Schmitz ist verliebt, aber nicht in seine Ehefrau! Er hat die Neue im Internet kennen gelernt. Eine tolle Frau: sie kocht, schreibt wunderschöne Gedichte und spielt Klavier. Während seine Frau in der Küche steht, geht er zum Computer, um sich mit der Neuen zu verabreden. Morgen will er sie das erste Mal treffen! Er schreibt: 14 Uhr im Cafe „Zum Glück". Ich warte dort auf dich! Wolfgang.

**3** Testen Sie sich. Kreuzen Sie an. Tauschen Sie dann Ihr Buch mit einem/einer Kursteilnehmer/in. Gehen Sie zur Seite 206, zählen Sie jeweils die Punkte zusammen und lesen Sie ihm/ihr das Profil vor.

# TEST  Welcher Beziehungstyp sind Sie?

**1** Sie haben keine Lust abzuwaschen. Ihr/e Partner/in hat sie aber darum gebeten. Wie lösen Sie das Problem?

a Ich gehe ins Kino und komme spät zurück.

b Ich wasche ab.

c Ich suche bei Ebay nach einer Spülmaschine.

**2** Sie sind mit Ihrem/Ihrer Partner/in zum Konzert verabredet. Sie müssen noch arbeiten. Was tun Sie?

a Ich gehe zum Konzert und arbeite dann.

b Ich arbeite weiter und sage per SMS ab.

c Ich gehe natürlich zum Konzert.

**3** Ihr/e Partner/in hat Lust nach Spanien zu reisen. Sie wollen lieber in Schweden Urlaub machen. Wo fahren Sie hin?

a Wir fahren getrennt.

b Wir fahren nacheinander in beide Länder.

c Wir fahren natürlich nach Spanien.

**4** Ihr/e Partner/in hasst Sport. Sie sind sehr aktiv. Wie verbringen Sie den Sonntagvormittag?

a Allein mit meinem Mountainbike.

b Ich treibe zwei Stunden Sport und bin dann zu Hause.

c Ich überrede sie/ihn mitzukommen.

**5** Sie mögen Ihre/n Ex. Das findet Ihr/e neue/r Partner/in gar nicht witzig. Treffen Sie sich trotzdem?

a Ich breche den Kontakt vollständig ab.

b Ich rede vorher mit beiden Seiten.

c Ich treffe mich mit der/dem Ex.

**6** Ihr/e Partner/in ist knapp bei Kasse und bittet Sie um Geld. Wie reagieren Sie?

a Ich versuche mit ihr/ihm eine andere Lösung zu finden.

b Das ist ihr/sein eigenes Problem. Nix da!

c Ich gebe ihm/ihr sofort das Geld.

**4** **Was man gleichzeitig tun kann.** Bilden Sie zwei Gruppen. Jede Gruppe schreibt mindestens 20 Tätigkeiten auf verschiedene Zettel. Die Zettel werden zwischen den Gruppen ausgetauscht. Jede Gruppe kombiniert zwei Tätigkeiten, die man gleichzeitig tun kann. Die Gruppe, die in zwei Minuten die meisten Zettelpaare findet und aufhängt, gewinnt.

# 3 Grammatik und Evaluation

**1** Nebensätze mit *während*.
**Wer macht was gleichzeitig?
Schreiben Sie so viele Sätze
mit *während* wie möglich.**

> Während er isst, hört er Musik.
> Während sie schläft, passt er
> auf das Kind auf.
> Während Bello ...

**2** Ein großer Pädagoge. **Ergänzen Sie die Verben im Präteritum.**

Johann Heinrich Pestalozzi, 1746 in Zürich geboren,

.................................. [1] (sein) ein berühmter Schweizer

Pädagoge. Er .................................. [2] (studieren) zuerst in

Zürich, .................................. [3] (abbrechen) sein Studium

aber .......... [3] und .................................. [4] (gehen) in eine

landwirtschaftliche Lehre. Pestalozzi .................................. [5] (heiraten) Anna Schulthess

im Jahre 1769. Die beiden .................................. [6] (holen) 1771 fast 40 Kinder auf

ihr Landgut und .................................. [7] (geben) ihnen Schulunterricht. Pestalozzi

.................................. [8] (finden) es wichtig, den Menschen zu stärken. Seine Ideen

.................................. [9] (beschreiben) er in fast 45 Büchern. Er .................................. [10]

(sterben) 1827 in Brugg.

**3** Ratschläge geben. **Ordnen Sie zu und geben Sie passende Ratschläge.**

Eine gute Bekannte ist erkältet. **1**        **a** Zeitschrift *PC-Welt* kaufen
Ihr Bruder möchte einen Computer kaufen. **2**        **b** mehr Obst und Gemüse
Ihre Mutter möchte einen Yogakurs machen. **3**         essen
Ihre ältere Schwester findet sich zu dick. **4**        **c** sich ins Bett legen
                                                        **d** bei der Volkshochschule
                                                         anrufen

> Du solltest/könntest/müsstest dich ins Bett legen.

**4** Alltagsprobleme: *darum, deshalb, deswegen*. **Verbinden Sie die Sätze wie im
Beispiel und schreiben Sie die Geschichte zu Ende.**

1. Ich bin todmüde. – Ich gehe heute früher ins Bett.
2. Ich liege früher im Bett. – Ich höre das Telefon nicht.
3. Ich höre das Telefon nicht. – Meine Freundin Rita erreicht mich nicht.
4. Rita erreicht mich nicht. – ...

*Und nun?*

> Ich bin todmüde, deswegen gehe ich heute früher ins Bett. Ich liege früher im Bett,
> darum ...

**5** Über Geschmack kann man streiten. **Ergänzen Sie die Endungen der Adjektive nach dem bestimmten Artikel und lesen Sie dann den Dialog zu zweit.**

- ■ Schau dir doch mal den jung.......... Mann in diesem schön..........Anzug an.

- ◆ Ich mag die braun.......... Farbe nicht und die schwarz.......... Schuhe passen überhaupt nicht dazu.

- ■ Aber die pinkfarben..........

  Krawatte und das grün..........
  Hemd sind fantastisch.

- ◆ Entschuldige, aber die

  blond..........Haare sind in
  Kombination mit dem

  grün..........Hemd und die-

  sem wirklich hässlich..........

  braun..........Anzug die

  perfekt..........Katastrophe.

- ■ Verstehe. Du würdest also das grün.......... Hemd mit einem langweiligen schwarzen

  Anzug tragen und dazu die schwarz.......... Schuhe anziehen. Also ich mag die

  bunt..........Variante lieber!

---

**6** Was für ein Tag!

**a)** Notieren Sie zehn Adjektive      *1. schön, 2. ...*
auf einem Zettel.

**b)** Schreiben Sie den Text in Ihr Heft und ergänzen Sie dabei die Adjektive in der Reihenfolge, wie sie in Ihrer Liste stehen. Achten Sie auf die Endungen.

Ein **1** Tag! Um sieben Uhr stehe ich auf und mache mir einen **2** Kaffee. Dann geht es zur Arbeit. Oft ist schon ein **3** Kollege oder eine **4** Kollegin da. Spätestens gegen zehn Uhr kommt der Chef und wünscht uns allen einen **5** Tag. Immer hat er eine **6** Frage, die ich beantworten soll. Gegen 13 Uhr gehe ich meistens in ein **7** Restaurant oder in ein **8** Café. Spätestens um 18 Uhr verlasse ich mein Büro und bummle gern auch einmal durch eine **9** Einkaufsstraße. Was für ein **10** Tag!

**c)** Lesen Sie Ihren Text im Kurs vor.

---

**7** Systematisch wiederholen – Selbstevaluation. **Wiederholen Sie die Übungen. Was meinen Sie: ☺ oder ☹?**

| Das kann ich auf Deutsch | Einheit | Übung | ☺ gut | ☹ nicht so gut |
|---|---|---|---|---|
| **1.** sagen, wofür Sie wie viel Zeit am Tag brauchen | 1 | 2.2 | ■ | ■ |
| **2.** sagen, was Sie im Alltag stresst | 2 | 1.3 | ■ | ■ |
| **3.** einen Ratschlag geben | 2 | 3.4 | ■ | ■ |
| **4.** jemandem zustimmen oder etwas ablehnen | 3 | 1.4 | ■ | ■ |
| **5.** über einen Arbeitsunfall berichten | 4 | 3.3b | ■ | ■ |
| **6.** über Ihre Schulbiografie sprechen | 5 | 1.3 | ■ | ■ |

## 4 Videostation 1

**1** **Konflikte im Büro**

**a)** Sprechen Sie über die Fotos und beantworten Sie die Fragen.

**1.** Wer sind die Personen? – **2.** Wo sind sie? – **3.** Was ist das Problem? –
**4.** Auf welche Person passen die Adjektive: wütend, sauer, ängstlich, aggressiv?

**b)** Ergänzen Sie
den Dialog.

**c)** Vergleichen Sie Ihren Dialog mit dem Film.

**2** **Die Beraterin gibt Tipps.** Sehen Sie sich die Szene an und machen Sie Notizen.
Schreiben Sie einen Text.

**3** Eine Messe für Schüler und Schülerinnen. **Lesen Sie die Aussagen und sehen Sie den Filmausschnitt über die Messe. Korrigieren Sie die Aussagen.**

1. 30 000 Schüler/innen besuchen diese Kölner Messe an vier Tagen.

2. Auf dieser Messe informieren Unternehmen, Verbände, FHs und Schulen über Berufe.

3. Die großen Firmen haben keine Probleme, die richtigen Bewerber/innen für ihre Ausbildungsplätze zu finden.

4. Alle Schüler/innen wissen schon genau, was sie wollen.

1. ...................................................................................................................................

2. ...................................................................................................................................

3. ...................................................................................................................................

4. ...................................................................................................................................

**4** Eine Textzusammenfassung ergänzen. **Sehen Sie sich das Messeinterview an und ergänzen Sie den Text.**

Die Firma Bayer hat ............................. ¹ Mitarbeiter in allen Teilen der Welt.

In Deutschland sind es ............................. ². Jedes Jahr beginnen hier fast

............................. ³ Auszubildende in über ............................. ⁴ Ausbildungsberufen

in den Feldern Naturwissenschaften und Technik. Mit der Kombination von Berufs-

ausbildung und Studium kann man eine ganz normale ............................. ⁵ mit

einem ............................. – ⁶ oder Bachelorstudium kombinieren. Das „duale"

Studium verbindet zum Beispiel den ............................. – ⁷ oder Diplomkaufmann

mit einem Bachelorabschluss. Mit diesem Abschluss landet man im mittleren

............................. ⁸, zum Beispiel im Marketingbereich. Für diesen Karriereweg

muss man ............................. ⁹ haben. Für Gesamtschüler in Klasse

............................. ¹⁰ gibt es aber auch Berufe, für die man kein Abitur braucht.

Auf der Bayer-Internetseite gibt es genauere Informationen.

# Die Welt zu Gast bei Freunden

Sommer 2006: Deutschland feiert mit der Welt – in den Stadien, auf den Straßen und Plätzen der Städte. Euphorie und gute Laune überall. Wenn der Ball rollt, bleibt niemand zu Hause. Tausende Deutsche sitzen zusammen mit Menschen aller Welt in den Cafés und Kneipen, stehen auf den Marktplätzen oder gehen zur Fanmeile, um die Spiele zu sehen. Die Stimmung wird immer fröhlicher. Schwarz-rot-goldene Flaggen wehen im ganzen Land. Deutschland ist in Partylaune.

Aber der Traum vom Weltmeistertitel endet am 4. Juli nach 119 Minuten. Doch die Party geht weiter.

Während dieser Zeit ist Filmregisseur Sönke Wortmann mit seiner Kamera dabei, nein – er ist mittendrin. Er folgt den Jungs der Nationalmannschaft Tag und Nacht, sieht sie lachen und weinen, feiern und arbeiten. Er folgt ihnen bis in die Kabine, er filmt Klinsmann, den Trainer der Mannschaft, er filmt die Freudenfeiern und die Enttäuschung nach dem verlorenen Halbfinale gegen Italien: 2:0 – nicht nur die Jungs weinen. Der Film „Deutschland – Ein Sommermärchen" zeigt, was man nicht auf dem Rasen zu sehen bekam und fängt sie ein – die Sommermärchenstimmung.

---

**Was kann man mit einer Fußballseite machen** **?!**

- über Fußball diskutieren
- über Fußball im eigenen Land berichten
- sich über ein Spielergebnis informieren
- Fußballwörter lernen, weitere sammeln und ein Wortfeld zum Thema Fußball machen
- die Lieblingsmannschaft vorstellen

# Fußball in Deutschland: Der Ball ist rund!

In Deutschland sind sechs Millionen Menschen in über 27 000 Fußballvereinen aktiv. Hinzu kommen noch etwa vier Millionen Menschen, die als sogenannte Hobbykicker in ihrer Freizeit in Hobby- und Betriebsmannschaften regelmäßig Fußball spielen. Es gibt eine Bundesliga (1. Liga), in der 18 Vereine um den Titel kämpfen und eine 2. Liga, in der 40 Vereine um den Aufstieg in die Bundesliga spielen.

## Der 34. Spieltag 1. Bundesliga am 19.05.2007

| HEIM | | GAST | ERGEBNIS |
|------|---|------|---------|
| Bayern München | : | 1. FSV Mainz 05 | 5:2 |
| Hamburger SV | : | Alemannia Aachen | 4:0 |
| FC Schalke 04 | : | Arminia Bielefeld | 2:1 |
| Bayer Leverkusen | : | Borussia Dortmund | 2:1 |
| VfB Stuttgart | : | Energie Cottbus | 2:1 |

Kopfball

Freistoß

Abseits

## Fußball-Drama

„Ich sage nicht, ich hätte den Ball besser links oder rechts oben ins Eck schießen sollen. Ich sage: Ich hätte diesen Ball überhaupt nicht anrühren dürfen! Es war nicht meine Aufgabe, Elfmeter zu schießen, aber keiner hatte den Mut, es zu machen, auch nicht der Kapitän, also habe ich es getan.

Ja, ich habe verschossen, und ja, das war für 1860 München der Abstieg in die zweite Liga. Noch heute, drei Jahre später, werde ich darauf angesprochen. Die Medien haben so getan, als ob ich ganz allein Schuld am Abstieg hätte, der ‚FC Francis Kioyo'. Aber wir hatten 34 Punktspiele, nicht nur das eine, oder? Ich habe seitdem nie mehr einen Elfmeter geschossen." *Francis Kioyo, 27, ist heute Stürmer des FC Energie Cottbus.*

## FUSSBALL-LIED

Der Theodor, der Theodor,
Der steht bei uns im Fußballtor.
Wie der Ball auch kommt,
Wie der Schuss auch fällt,
Der Theodor, der hält!

Die Männeraugen werden wach,
Die Mädchenherzen werden schwach,
Wie der Ball auch kommt,
Wie der Schuss auch fällt.
Der Theodor, der hält!

## Was kann man mit einer Fußballseite machen ?!

- ein Fußballlied hören  1.32 und (mit)singen
- sich einen Fußballfilm anschauen
- Vereine recherchieren und vorstellen
- den persönlichen Lieblingsspieler vorstellen
- nichts, wenn man Fußball nicht mag ☺

## 1 Unwetter oder Klimakatastrophe?

**1** **Zwei Tage im Januar.** Ordnen Sie die Zeitungsartikel den Rubriken zu.

Das Thema Wetter und Klima fand man am 18. und 19. Januar 2007 in allen Rubriken deutschsprachiger Zeitungen: auf Seite 1, im Lokalteil, im Sportteil, auf den politischen Seiten und im Feuilleton*.

* Das Feuilleton berichtet über Kultur, Kunst, Musik und Literatur.

**2** **Thema Wetter in der Zeitung.** Überfliegen Sie die Artikel und beantworten Sie die Fragen.

**1.** Wer oder was ist Kyrill? **2.** Was ist der Vivaldi-Effekt?

**a**

BERICHT: KAMPF UM ...

### Meteorologen warnen

# Super-Orkan heute über Deutschland

Hamburg – Vom Winter noch immer keine Spur – aber die Meteorologen warnen jetzt vor einem Super-Sturm!

Mit voller Wucht fegt heute Orkan „Kyrill" mit Windgeschwindigkeiten von über 150 km/h über Deutschland hinweg. Es ist der stärkste Sturm seit über vier Jahren, warnt der deutsche Wetterdienst. Zunächst trifft „Kyrill" mit voller Wucht auf die deutsche Nordseeküste. Die Behörden gaben eine Sturmflutwarnung heraus. Dann zieht der Monstersturm weiter nach Südosten.

**b**

### Selten weiß

Dieses Bild ist kein Archivfoto aus einer Zeit, als es im europäischen Winter noch Schnee gab. Es ist auch nicht aus Sibirien oder aus der Antarktis. Es zeigt Amelie Kober während der Snowboard-Weltmeisterschaft in Arosa (Schweiz). Arosa liegt 1800 m hoch über dem Meer. Wegen der Höhenlage ist das Schneeproblem dort nicht so groß wie in den tiefer gelegenen Wintersportgebieten der Alpen.

**3** **Zeitungen.** Sehen Sie sich die Titel an. Welche Zeitungen sind aus der Schweiz oder aus Österreich?

die tageszeitung

JANUAR 2007 → SPORT DEG bangt um Kreutzer Seite D 4 | → REGION Neu auf der Ratinger Seite C 8
DÜSSELDORFER STADTPOST
DÜSSELDORFS GRÖSSTE ZEITUNG

Neue Zürcher Zeitung
INTERNATIONALE AUSGABE

BER LINER KURIER

**Hier lernen Sie**

▶ über Wetter und Klima sprechen
▶ Umwelt und Umweltprobleme beschreiben
▶ Prognosen: Futur mit *werden* + Infinitiv
▶ Doppelkonjunktionen: *je ..., desto ...;*
*nicht ..., sondern ...*
▶ Gründe nennen mit *wegen* + Genitiv
▶ Kontrastakzente
▶ Wdh.: Wetterwörter, Zeitangaben

# Orkan Kyrill legte Düsseldorf lahm

c

Am Nachmittag fegte das Sturmtief Kyrill mit 120 km/h Windgeschwindigkeit durch die Stadt. Die Polizei registrierte 175 Einsätze. Der Zirkus am Staufenplatz musste seine Tiere in die Transportcontainer bringen. Die Oberkasseler Brücke wurde gesperrt. Umgestürzte Bäume blockierten viele Straßenbahnschienen. Der Flughafen war zeitweise geschlossen. 110 Flüge wurden gestrichen. Die Züge standen fast in ganz Norddeutschland still: Bahnchef Hartmut Mehdorn sagte: „Selbst die ältesten Mitarbeiter haben so einen Orkan noch nicht erlebt." Die meisten Düsseldorfer Schüler konnten mittags nach Hause gehen. Viele Kaufhäuser schlossen wegen des Sturms am frühen Nachmittag.

## Der Vivaldi*-Effekt

d

Wer jetzt im Januar mit dem Fahrrad zur Arbeit fährt, fragt sich oft: Ist da nicht etwas in der Luft, das nach Frühling schmeckt? Herbstwinde und Frühlingsluft im Januar? Man könnte das den Vivaldi-Effekt nennen – alle vier Jahreszeiten an einem Tag. Die Jahreszeiten haben ihre speziellen Merkmale verloren. Man fragt sich immer öfter: Ist der

Camper im Winter

warme Winter noch ein ganz normales Wetterphänomen oder schon ein Anzeichen für die globale Klimaveränderung? Beides, sagen die Meteorologen. Einerseits ist eine Serie von Nordatlantiktiefs, die im Januar warme Luft nach Europa bringen, ganz normal. Andererseits waren die letzten 10 Jahre praktisch die wärmsten seit 100 Jahren.

etwa 0,8 Grad gestiegen. Das

* Vivaldi: Komponist der „Vier Jahreszeiten"

**Textaussagen. Ordnen Sie die Sätze einem der Zeitungsartikel auf den Seiten 104/105 zu.**

1. ▦ In Deutschland wird das Wetter im Herbst und im Winter immer ähnlicher.
2. ▦ Der Klimawandel ist auch ein Problem für den Wintersport und für den Tourismus in den Alpen.
3. ▦ Die letzten zehn Jahre waren weltweit viel wärmer als die 90 Jahre vorher.
4. ▦ Wegen des Sturms war der öffentliche Nahverkehr stark gestört und auch der Fernverkehr wurde fast völlig eingestellt.
5. ▦ Für die Menschen an den Küsten sind Orkane eine besondere Gefahr.

**5** **Informationen sammeln. Lesen Sie Text c**
Ü1 **noch einmal. Notieren Sie: Was waren die Folgen des Sturms? Berichten Sie im Kurs.**

*Zirkus: Tiere in Container bringen; Brücke gesperrt*

*Wegen des Sturms musste der Zirkus ...*

*Die Polizei ...*

*Der Fughafen war geschlossen und es ...*

**6** **Nachrichten im Radio**
Ü2

**a) Diese Verben hört und liest man oft in den Nachrichten. Notieren Sie die Partizipien.**

1. abreißen – *abgerissen*
2. anrichten – ...........................
3. streichen – ...........................

4. einstellen – ...........................
5. umstürzen – ...........................
6. stranden – ...........................

1.33

**b) Hören Sie und ordnen Sie die Verben zu.**

a) **1** Oberleitungen    d) ▦ Schäden

b) ▦ Bäume    e) ▦ Reisende

c) ▦ Flüge    f) ▦ Zugverbindungen

**c) Hören Sie noch einmal und sammeln Sie Informationen in einer Tabelle.**

| Länder | Schäden | Verkehr |
|--------|---------|---------|
| ............... | ............... | ............... |

**7** **Über Wetter-Erfahrungen berichten. Woran erinnern Sie sich?**
Ü3

**Redemittel**

**über Wetter-Erfahrungen berichten**

Vor Gewitter habe ich große Angst.
Ich habe mal einen Sturm / ein Erdbeben / ... erlebt. Das war im Jahr ...
Ich erinnere mich an einen trockenen Sommer / an ein Hochwasser ...
Einmal bin ich in einen Schneesturm gekommen.

# 2 Der 4. UN-Klimareport – Prognosen und Ursachen

**1** Schnelles Lesen. Welche Wörter im Text passen zu den Fotos?
Markieren Sie mit drei Farben.

Es war sicher nur ein Zufall:
Der Januar 2007, in dem die UN
ihren Klimareport in Paris
veröffentlichte, war der wärmste

# Der Klimawandel und seine Folgen

5 Januar seit Beginn der systematischen Wetterbeobachtung,
also seit 128 Jahren.

▲ *Hochwasser an der Elbe, 2006*

Schon 1980 sagten Experten in der Studie *Global 2000* voraus, dass 10 die Temperaturen auf der Erde steigen werden, weil die Menschen zu viel $CO_2$ produzieren. Lange Zeit ignorierte die Politik diese Entwicklung. Die Weltklimakonferenzen in Rio und 15 Kyoto brachten kaum Ergebnisse. Seit dem UN-Klimareport im Januar 2007 ist aber klar: Die Menschen sind selbst schuld an der Entwicklung. Und so sieht die Prognose jetzt aus: Die Tempe- 20 raturen auf der Welt werden bis zum Ende des Jahrhunderts zwischen zwei und sechs Grad steigen. Tropenstürme, wie z. B. Hurrikans, werden in Zukunft nicht nur häufiger, sondern auch stär- 25 ker sein. In Deutschland werden kalte Winter seltener. Fakt ist: Deutschland ist wärmer und sonniger geworden. Und der Trend verstärkt sich. Das wäre für die Ostseeregion kein Problem. 30 Dort gibt es schon heute die meisten Sonnentage und in Zukunft werden es noch mehr. Umso besser für die beliebte Ferienregion!

*Morteratsch-gletscher in der Schweiz* ▶

Für andere Teile Deutschlands und 35 seine Nachbarländer sind die Klimaprognosen problematischer. Zum Beispiel für die Alpen. Die Gletscher werden schmelzen. Unwetter und Lawinen sind die Folgen. Winter-sporttouristen werden wegen des Kli- 40 mawandels nur noch in Skigebieten über 1000 m Schnee finden. Das ist das „Aus" für viele Wintersportorte. Die Zahl der Arbeitsplätze im Tourismus 45 sinkt. Das ist allerdings ein ziemlich

▲ *Dürre in Süd-spanien*

kleines Problem im Vergleich zu anderen Folgen der globalen Erwärmung: Der Klimaforscher Eberhard Faust meint zum Beispiel, dass Wasser auch 50 in Deutschland knapp werden kann. Er sagt voraus, dass es im Jahr 2050 in Brandenburg 40 % weniger Wasser geben wird als heute.

Je wärmer es wird, desto mehr Eis 55 wird am Nordpol und am Südpol schmelzen. Und je mehr Eis schmilzt, desto höher steigt der Meeresspiegel. Viele Küstenregionen und tiefer liegende Städte am Meer werden 60 dann von Sturmfluten und Hochwasser bedroht. Dagegen wird es in Südeuropa weniger Regen geben. Hitzewellen und Perioden der Trockenheit werden dort immer länger dauern. In Südspanien 65 ist das jetzt schon ein Problem wegen des Wasserverbrauchs der Landwirtschaft. Ökonomen und einige Politiker behaupteten, dass Klimaschutz zu teuer wäre. Heute ist sicher: Nichtstun 70 wird teurer als Handeln. Denn der UN-Klimareport macht klar: Wir haben nur noch 13 Jahre Zeit, um den Trend umzukehren!

**2** Wortschatzarbeit: Wörter aus dem Kontext verstehen

Ü4

**a) Finden Sie die passenden Wörter im Text und vergleichen Sie im Kurs.**

1. Abschnitt    1. ein Bericht über Wetter und Klima: *der Klimareport* ........................

                   2. starker Wind und Regen in warmen Ländern: ....................................

                   3. ein Tag ohne Regen und Wolken: ....................................

2. Abschnitt    4. wenn sich das Klima verändert: ....................................

3. Abschnitt    5. die Höhe des Meerwassers: ....................................

                   6. wenn es sehr lange sehr heiß ist: ....................................

**b) Finden Sie die Gegensätze im Text.**

sinken – *steigen* ........................        kälter – ........................

seltener – ........................        tiefer – ........................

schwächer – ........................        billiger – ........................

**c) Finden Sie die Wörter im Text. Markieren Sie: Was nimmt zu (+), was nimmt ab (−)?**

1. die Tropenstürme ☒ + – 2. die Zahl der Arbeitsplätze im Wintersport ☐ –
3. die Hitzewellen ☐ – 4. die Sturmfluten ☐ – 5. die Regenmenge in Südeuropa ☐ –
6. das Eis am Nordpol ☐ – 7. die Probleme für die Landwirtschaft ☐ – 8. die Zahl der
kalten Winter in Deutschland ☐ – 9. die Höhe des Meeresspiegels ☐

**d) Schreiben Sie Prognosen mit den Stichwörtern aus Aufgabe c).**

*1. Die Tropenstürme werden zunehmen.*
*2. Die Zahl der Arbeitsplätze wird abnehmen.*

**3** Eine Textgrafik ergänzen. Notieren Sie Informationen aus dem Text.

*die Prognose von 1980:*
Die Temperaturen werden …

*der Grund:* …

*die Reaktionen:* Die Politik …

*der 4. UN-Klimareport im Januar 2007:*
Die Menschen sind …

*die Prognosen:*

**weltweit**
Die Temperaturen: …
Wind und Wetter: …
…

**für die Regionen**
Ostseeregion: …
Alpen: …
…

# 3 Prognosen machen und Gründe nennen

**1** **Aussagen und Prognosen vergleichen.** Lesen Sie die Aussagen und ergänzen Sie
die passenden Prognosen. Dann vergleichen Sie die Sätze.

1. Die Temperaturen steigen. *Die Temperaturen werden steigen.*

2. Die Gletscher schmelzen. ......................................................................

3. Es gibt weniger Wasser. ......................................................................

4. Je wärmer es wird, desto mehr Eis schmilzt an den Polen. ......................................

.............................................................................................

**2** **Drei Möglichkeiten über Zukunft zu sprechen.** Lesen Sie und ordnen Sie
die Antworten zu.

21

a) Futur: *werden* + Infinitiv – b) Präsens– c) Präsens mit Zeitangabe

■ Was machst du am   1. ◆ ▯ Ich besuche meine Eltern.
Wochenende?   2. ◆ ▯ Am Wochenende besuche ich meine Eltern.
  3. ◆ ▯ Ich werde meine Eltern besuchen.

│ Regel │ Das Futur (*werden* + Infinitiv) verwendet man meistens für Prognosen.

**3** **Persönliche Prognosen.** Schreiben Sie eine Prognose auf einen Zettel. Mischen Sie
die Zettel. Lesen Sie im Kurs vor und raten Sie, wer was geschrieben hat.

Ü5

Ich – meine Freundin / mein Freund – mein Sohn / meine Tochter – meine Eltern –
nächstes Jahr – in zehn Jahren – …

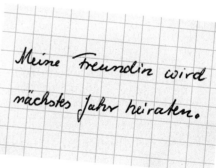

Meine Freundin wird nächstes Jahr heiraten.

**4** **Gründe nennen:** *weil, deshalb, wegen* + Genitiv

11   Ü6

a) Vergleichen Sie die Sätze. Was ist anders?

**Weil** sich das Klima verändert, gibt es mehr Umweltkatastrophen.
Das Klima verändert sich. **Deshalb** (deswegen, darum) gibt es mehr
Umweltkatastrophen.
**Wegen** des Klimawandels gibt es mehr Umweltkatastrophen.
**Wegen** der Sturmfluten sind Städte am Meer in Gefahr.

b) Suchen Sie Beispiele in den Texten von Seite 104, 105 und 107.

# 4 Informationen verbinden

### 1 Umweltprobleme
Ü7

**a) Lesen Sie den Text. Welche Informationen verbinden Sie mit den Zahlen?**

1 – 10 – 25 – 30 – 50 – 80

## *Klimakiller Kuh?*

Im warmen Winter 2007 schockierte der UN-Klimareport die Menschen weltweit, weil er klar machte: Wir sind selbst schuld an der Erwärmung der Erde. Kohlendioxid ($CO_2$) und Methangas haben Luft und Wasser auf der Erde um 1°C wärmer gemacht. Wir verbrennen jeden Tag 10 Millionen Tonnen Öl, 12,5 Millionen Tonnen Kohle und 7,5 Millionen Kubikmeter Gas. Je mehr Energie wir verbrauchen, desto mehr Energie müssen wir produzieren. Je mehr Kohle und Öl wir dafür verbrennen, desto mehr $CO_2$ entsteht und desto wärmer wird die Erde. Deshalb ist es so wichtig, Energie zu sparen.

Die Medien konzentrieren sich oft auf die Energieproduktion und auf den Autoverkehr. Falsch, sagen viele Experten. Nicht die Kraftwerke, sondern die Kühe sind das Klimaproblem Nummer eins. Problematischer als $CO_2$ ist Methangas. 1,5 Milliarden Kühe und Rinder produzieren weltweit 80 Millionen Tonnen Methangas im Jahr. Die Käse- und Fleischproduktion ist in den letzten 50 Jahren stark gestiegen. Ihr Anteil an der Erwärmung der Erde beträgt rund 30 %. Der Anteil der Energieproduktion liegt bei rund 25 %. Sind Vegetarier also die besten Klimaschützer?

**b) Hier sind Antworten aus dem Text. Ergänzen Sie die Fragen wie im Beispiel.**

1. Problematischer als $CO_2$ ist Methangas.
2. Der Anteil der Käse- und Fleischproduktion an der Erderwärmung beträgt 30 %.
3. Tiere in der Landwirtschaft produzieren Methangas.

> *1. Was ist problematischer als $CO_2$?*

> **!** **Lerntipp**
> In den Fragen findet man oft den ersten Teil des Antwortsatzes.

**c) Fragen beantworten – Gründe nennen**

1. Warum hat der Klimareport die Menschen schockiert?
2. Was ist der Grund für die Entstehung von $CO_2$?
3. Warum werden 80 Mio. Tonnen Methangas jährlich produziert?

### 2 Widersprüche im Satz ausdrücken mit *nicht ..., sondern ...*

7.2 Ü8

**a) Vergleichen Sie die Sätze.**

Die Kraftwerke sind nicht das Klimaproblem Nr. 1. Die Kühe sind das größte Problem.
**Nicht** die Kraftwerke, **sondern** die Kühe sind das Klimaproblem Nr. 1.

**b) Verbinden Sie die Widersprüche in einem Satz.**

1. Der Flugverkehr ist nicht das größte Umweltproblem.
   Der Straßenverkehr ist das größte Umweltproblem.
2. Der Winter 2006 war nicht der wärmste Winter in Deutschland.
   Es war der Winter 2007.
3. Die Kühe sind nicht schuld am Klimawandel.
   Die Menschen sind schuld.

**3** **Kontrastakzente**
1.34  Ü9

**a)** Hören Sie und markieren Sie die betonten Wörter. Sprechen Sie nach.

Nicht die Kraftwerke, sondern die Kühe sind das Problem.

**b)** Lesen Sie Ihre Sätze aus Aufgabe 2 b) noch einmal laut und achten Sie auf die Betonung.

 **4** **Bedingungen und Konsequenzen**
7.1  Ü10  **ausdrücken mit** *je ..., desto ...*

**a)** Suchen Sie Beispiele in den Texten auf den Seiten 107 und 110 und markieren Sie mit Blau.

55  Je wärmer es wird, desto mehr Eis wird am Nordpol und am Südpol schmelzen. Und je mehr Eis schmilzt, desto höher steigt der Meeresspiegel. Viele Küstenregionen und tiefer liegende Städte am Meer werden

**b)** Verbinden Sie die Bedingungen mit den Konsequenzen in einem Satz.

**Bedingungen**
1. Die Menschen haben mehr Geld.
2. Die Menschen essen mehr Fleisch und Käse.
3. Es gibt mehr Kühe.
4. Es fällt weniger Schnee in den Alpen.
5. Es gibt mehr Menschen.

**Konsequenzen**
Sie kaufen mehr Autos.
Die Landwirtschaft muss mehr produzieren.
Es wird mehr Methangas produziert.
Es gibt weniger Wintersporttouristen.
Es gibt mehr Umweltprobleme.

*Je mehr Geld die Menschen haben,*
*desto ...*

**5** **Zwei Fragen zur Umwelt**
Ü11

**a)** Besprechen und notieren Sie: Was ist im Alltag gut, was ist schlecht für die Umwelt?

1.35

**b)** Zwei Leute – zwei Fragen. Hören Sie die Antworten und notieren Sie Stichwörter.

Hans Barkowski
Professor, Jena

1. Was haben Sie in dieser Woche für (oder gegen) die Umwelt getan?

2. Haben Sie gute Vorsätze für die Zukunft?

Jaqueline de Fuiza Regis
Studentin, Brasilien

**6** **Gesprächsthema Wetter.** Mit dem Thema Wetter beginnen in Deutschland oft
Ü12–14  Gespräche. Üben Sie. Sprechen Sie mit Ihrem/Ihrer Partner/in über das Wetter.

*Ich glaube, es kommt ein Sturm.*

*Ach, das glaube ich nicht. Es bleibt schön. Gestern ...*

# Übungen 6

**1** Unwetter

**a)** Was bedeuten die Wörter? Ordnen Sie zu.

Eine Fähre ist **1** ⟶ **a** dass Polizei und Feuerwehr arbeiten.

Verkehrsbehinderungen sind **2** **b** 24 Stunden lang.

Rund um die Uhr bedeutet **3** **c** ein Schiff, das Autos und Personen transportiert.

Im Einsatz sein heißt, **4** **d** den Strom zu den Häusern.

Oberleitungen bringen **5** **e** Störungen im Straßenverkehr, die zu Staus und Verspätungen führen.

**b)** Was ist in diesen Ländern beim Sturm passiert? Lesen Sie den Text und notieren Sie die Informationen.

## Schwere Schäden durch „Kyrill" in Europa

**Der Sturm „Kyrill" verursachte nicht nur in Deutschland schwere Schäden. Insgesamt wurden in West- und Mitteleuropa mehr als 40 Todesopfer gemeldet. Die Versicherungen rechnen mit einem Schaden von über 150 Millionen Euro.**

In Großbritannien gab es 13 Todesopfer. Wegen umgestürzter Bäume und abgerissener Oberleitungen waren Polizei, Feuerwehr und Notdienste rund um die Uhr im Einsatz.

Auch in den Niederlanden kostete der Orkan „Kyrill" sechs Menschen das Leben. Im Hafen von Rotterdam lief Öl ins Wasser, als eine Ölleitung brach. In Belgien, Nordfrankreich, Polen und Tschechien gab es ebenfalls Todesopfer und Verletzte.

In Deutschland gab es elf Todesopfer. Abgerissene Oberleitungen und umgestürzte Bäume führten auch hier in vielen Orten zu Stromausfall. Durch gesperrte Straßen und Brücken sowie ausgefallene Ampeln kam es an einigen Stellen zu starken Verkehrsbehinderungen. Bahnreisende mussten stundenlang auf den Bahnhöfen warten, weil die Züge nicht mehr fahren konnten. Passagiere in ganz Europa mussten ihre Reisepläne wegen verspäteter oder gestrichener Flüge ändern. Die Fähren vor der deutschen Nord- und Ostseeküste mussten in den Häfen bleiben.

„Kyrills" Spur in Europa
Nordsee
Ostsee
Spitzengeschwindigkeiten über 200 km/h
Bahnverkehr vollständig gestoppt | Viele Flüge gestrichen | Fährverkehr eingestellt
dpa—Grafik 3391

| Großbritannien | 13 Todesopfer, ... |
|---|---|
| Niederlande | |
| Deutschland | |

**2** Unwettermeldung. **Hören Sie die Radionachricht. Sie sind Reporter/in.
Schreiben Sie einen kurzen Artikel über die Situation nach dem Sturm.**

30

der Schaden – anrichten – abgerissene Oberleitungen – Todesopfer und Verletzte –
umgestürzte Bäume – gesperrte Straßen – gestrichene Flüge – keine Züge

*Der Sturm richtete große Schäden an. Auf vielen Straßen liegen umgestürzte ...*

 **3** War das Wetter früher anders?

31

**a) Hören Sie ein Gespräch zwischen zwei
älteren Damen. Vier Bilder passen
zum Gespräch. Kreuzen Sie sie an.**

**b) Hören Sie noch einmal. Welche Aussagen sind richtig? Kreuzen Sie an
und korrigieren Sie die falschen Sätze.**

1. ☐ Das Wetter im Juni war schlecht.
2. ☐ Letztes Jahr war es schon im Mai sehr warm.
3. ☐ Grüne Weihnachten und weiße Ostern hat es früher nicht gegeben.
4. ☐ 1953 hat es zu Ostern geschneit.
5. ☐ In den 50er Jahren waren einige Sommer sehr heiß.
6. ☐ In den 50er Jahren war der Klimawandel ein wichtiges Thema.

**4** Prognosen über Klimawandel

**a) Lesen Sie die Aussagen und schreiben Sie Prognosen.**

1. Die Temperaturen steigen weltweit zwischen zwei und sechs Grad.
2. Wintersporttouristen finden nur noch in
Regionen über 1000 Meter Schnee.
3. In Brandenburg gibt es 40 % weniger Wasser.
4. Das Eis am Nord- und Südpol schmilzt.
5. Sturmfluten bedrohen die Küsten.
6. Hitzewellen dauern immer länger.

*1. Die Temperaturen werden
weltweit zwischen zwei und
sechs Grad steigen.*

**b) Was nimmt zu, was nimmt ab? Markieren Sie und schreiben Sie Prognosen.**

+ = zunehmen, steigen    – = abnehmen, sinken

1. die Kosten für die Energie ☐ – 2. die $CO_2$-Produktion ☐ –
3. der Autoverkehr ☐ – 4. der Flugverkehr ☐ – 5. die Zahl
der kalten Tage ☐ – 6. die Erwärmung der Erde ☐

*1. Die Kosten für
die Energie werden
steigen.*

**5** **Prognosen von Frau Werner.** Schreiben Sie Sätze mit *werden* und Infinitiv.

bald – in drei Monaten – dann – nächstes Jahr – im Sommer

1. unsere Tochter / ihr zweites Kind bekommen
2. mein Mann und ich / in die Rente gehen
3. wir / auf die Enkelkinder aufpassen
4. wir / unsere Freunde in Australien besuchen
5. mein Mann / seinen 70. Geburtstag feiern

*1. In drei Monaten wird unsere Tochter ihr zweites Kind bekommen.*

**6** **Entschuldigung!** Wählen Sie einen Grund aus und schreiben Sie eine Entschuldigung, warum Sie nicht zum Kurs kommen konnten.

wegen einer Erkältung – wegen des Sturms – wegen eines Unfalls – wegen des Staus …

**7** **Informationen verbinden**

a) Lesen Sie die Überschrift. Worum geht es wahrscheinlich im Text? Kreuzen Sie an.

## Der Weg vom Feld zum Teller wird immer weiter

a) ☐ Arbeitszeiten in der Landwirtschaft
b) ☐ Probleme in der Tellerproduktion
c) ☐ Lebensmitteltransporte weltweit

b) Lesen Sie den Text. Zu welchen Zeilen passen die Fotos? Notieren Sie.

Eine Studie zeigte schon 1997, dass ein typisches Frühstück in Wien mit Gebäck, Schinken, Käse,
5 Milch, Zucker, Eiern, Joghurt und Saft aus Österreich insgesamt mindestens 5 000 Kilometer unterwegs war. Isst man dazu noch
10 eine Kiwi aus Neuseeland, kommen – nach 20 000 Kilometern auf dem Schiff – noch weitere 1 250 Straßenkilometer dazu.
15 Billige Arbeitskräfte und niedrige Transportkosten führen dazu, dass Lebensmittel, die Tausende Kilometer weit gereist sind, oft
20 billiger sind als regionale Produkte. Diese Entwicklung bringt auch gesundheitliche Risiken für die Verbraucher, denn die Le-
25 bensmittel können oft nur durch eine chemische Behandlung für die langen Wege haltbar gemacht werden.
Unter den Schadstoff-
30 belastungen und dem hohen Energieverbrauch leidet auch die Umwelt. Internationale Lebensmitteltransporte bringen uns nicht nur
35 exotische Früchte und das ganze Jahr über frische Erdbeeren, sie tragen leider auch zum Klimawandel bei. So verbraucht man für ein
40 Kilo Erdbeeren, das mit dem Flugzeug aus Israel kommt, fast fünf Liter Öl, bis es im Supermarkt ankommt, für ein Kilo Erdbee-
45 ren aus Österreich dagegen nur 0,2 Liter.

1. Zeilen .................

2. Zeilen .................

3. Zeilen .................

**c)** Lesen Sie den Text noch einmal. Ergänzen Sie die Textgrafik.

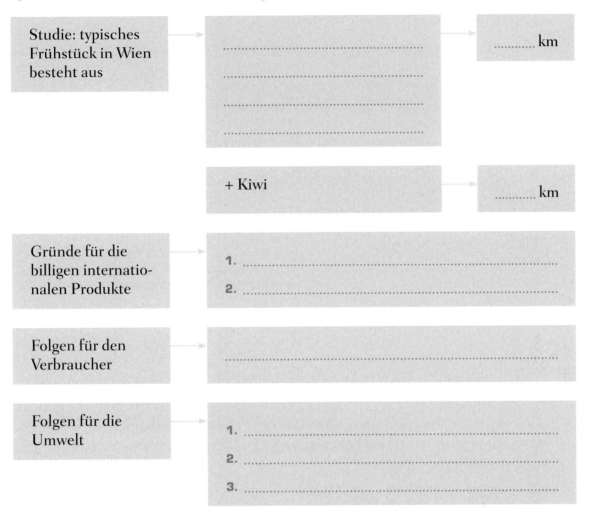

| Studie: typisches Frühstück in Wien besteht aus | → | ............................................................. ............................................................. ............................................................. ............................................................. | → | ............ km |
| | | + Kiwi | → | ............ km |
| Gründe für die billigen internationalen Produkte | → | 1. ............................................................. 2. ............................................................. | | |
| Folgen für den Verbraucher | → | ............................................................. | | |
| Folgen für die Umwelt | → | 1. ............................................................. 2. ............................................................. 3. ............................................................. | | |

---

**8** **Widersprüche im Satz ausdrücken**

**a)** Welche Aussagen passen zusammen? Ordnen Sie zu.

1. ▪ Die Wintersportler sind das größte Umweltproblem in den Alpen.
2. ▪ Die Zitrusfrüchte haben die meisten Vitamine.
3. ▪ Die Kühe sind das größte Umweltproblem.

a) Regionale Produkte, wie z. B. Paprika, haben die meisten Vitamine.
b) Die Menschen sind schuld an den Umweltproblemen.
c) Die Autofahrer sind die Ursache für Umweltprobleme in den Alpen.

**b)** Schreiben Sie Sätze mit nicht ..., sondern ...

*1. Nicht die Wintersportler sind das größte Umwelt-problem in den Alpen, sondern die Autofahrer.*

---

  **9** **Kontrastakzente**

32

**a)** Hören Sie die Sätze aus Aufgabe 8 b). Kontrollieren Sie Ihre Lösung und markieren Sie die betonten Wörter.

**b)** Hören Sie noch einmal und sprechen Sie nach.

**10** Bedingungen und Konsequenzen ausdrücken mit *je ..., desto ...*

**a) Verbinden Sie die Sätze wie im Beispiel.**

1. Wir produzieren mehr Energie aus Windkraft. Wir brauchen weniger Energie aus Atomkraft.
2. Mehr Länder importieren Tomaten aus Spanien. Das Wasser wird dort knapper.
3. Wir benutzen weniger Papier. Wir verbrauchen weniger Holz.
4. Flugreisen werden billiger. Weniger Menschen werden mit der Bahn fahren.
5. Wir leben umweltbewusster. Wir können mehr gegen den Klimawandel tun.

> 1. Je mehr Energie wir aus Windkraft produzieren, desto weniger Energie brauchen wir aus Atomkraft.

**b) Ordnen Sie die Sätze zu.**

| gut für die Umwelt | schlecht für die Umwelt |
|---|---|
| ... | ... |

**11** Fragen zur Umwelt. **Was bedeuten die Wörter? Ordnen Sie sie den Erklärungen zu.**

a) sündigen – b) Energie verbrauchen – c) sich vernünftig verhalten
d) der Sonnenkollektor – e) ~~das Brauchwasser~~ – f) Vorsätze haben –
g) der Zweitwagen

1. **e** Regenwasser, das man sammelt und im Haushalt benutzt
2. ☐ ein zweites Auto, das man hat
3. ☐ ein Gerät, dass Sonnenenergie sammelt
4. ☐ Strom oder Gas nutzen
5. ☐ Pläne für die Zukunft machen
6. ☐ etwas tun, was man eigentlich nicht tun sollte
7. ☐ in einer Situation richtig reagieren

**12** Textkaraoke. **Hören Sie und sprechen Sie die ∽-Rolle im Dialog.**

33

∽ Hallo, schön dich zu sehen.
👂 ...
∽ Ja, finde ich auch. Gestern 28 Grad und heute 15. Man weiß gar nicht, was man anziehen soll.
👂 ...
∽ Wahrscheinlich, wie letztes Jahr. Da hat es auch im August fast nur geregnet.
👂 ...
∽ Ja, ich denke schon. Also mach's gut und bis später.
👂 ...

**13** Wortfeld Wetter. **Sammeln Sie Wetterwörter.**

|  | Nomen | Adjektive | Verben |
|---|---|---|---|
| 1. | .................... | .................... | scheinen .................... |
| 2. | .................... | nass, regnerisch | .................... |
| 3. | .................... | .................... | wehen .................... |
| 4. | der Frost, der Schnee | .................... | .................... |
| 5. | .................... | gewittrig, laut | blitzen, .................... |

**14** Urlaubswetter. **Ergänzen Sie die Wörter.**

Sturm – Sonne –
Wetter – weht –
Regen – windig –
Schnee – Wind –
scheint

Liebe Claudia,

viele Grüße aus unserem Urlaub in Tirol! Wir haben im

Urlaub wirklich kein Glück mit dem ....................¹.

Leider liegt hier gar kein ....................² und deshalb
können wir nicht Ski fahren. Die ersten drei Tage gab es

nur ....................³ und es war sehr ....................⁴.

Gestern gab es sogar einen ....................⁵. Erst seit

heute ....................⁶ wieder die ....................⁷,

aber es ist kalt und es ....................⁸ ein eisiger

....................⁹, sodass wir nur kurz spazieren waren.
Na ja, in zwei Tagen geht es wieder zurück nach Hause.
Toll ...
Ich hoffe, es geht dir gut! Ich rufe dich an, wenn wir
wieder da sind.

Viele liebe Grüße
Julia

Claudia Hoffmann

Steinickeweg 5

10585 Berlin

## Das kann ich auf Deutsch

**über Wetter und Klima sprechen**

2002 hatten wir ein Hochwasser. Ich erinnere mich an ein Erdbeben im Jahr 1997.

**Umwelt und Umweltprobleme beschreiben**

Die Zahl der Tropenstürme wird zunehmen. Die Temperaturen steigen, weil die Menschen zu viel $CO_2$ produzieren. In Südspanien ist der Wasserverbrauch in der Landwirtschaft ein Problem.

## Wortfelder

**Umwelt und Klima**

der Orkan, der Klimawandel, die Prognose, das Hochwasser, die globale Erwärmung
schmelzen, voraussagen, zunehmen

**Wiederholung**

Wetterwörter: der Sturm, es schneit, es regnet
Zeitangaben: Im Jahr 2050 wird es in Brandenburg weniger Wasser geben. Morgen besuche ich meine Freundin.

## Grammatik

**Prognosen: Futur mit *werden* + Infinitiv**

Die Temperaturen **werden steigen** und die Gletscher **werden schmelzen**.

**Doppelkonjunktionen: *je ..., desto; nicht ..., sondern ...***

**Je** mehr Eis am Nordpol schmilzt, **desto** höher steigt der Meeresspiegel.
**Nicht** der Winter 1946, **sondern** der Winter 1829 war der kälteste in Deutschland.

**Gründe nennen mit *wegen* + Genitiv**

**Wegen** des Klimawandels gibt es mehr Umweltkatastrophen.

## Aussprache

**Kontrastakzente**

Nicht die **Kraftwerke**, sondern die **Kühe** sind das Klimaproblem Nummer 1.

## Laut lesen und lernen

34

Schönes Wetter heute! Am Mittwoch soll es Regen geben. Ich glaube, morgen gibt es Schnee. Wie ist das Wetter bei euch? Es wird im Winter immer wärmer und es gibt immer weniger Schnee.

# Zertifikatstraining

**Hörverstehen Teil 2 (Detailverstehen)**

**Sie hören ein Gespräch. Sie hören das Gespräch *zweimal*. Entscheiden Sie beim Hören, ob die Aussagen 1 bis 10 richtig oder falsch sind. Markieren Sie Ihre Lösungen auf dem Antwortbogen unten. Markieren Sie (R) gleich richtig oder (F) gleich falsch.**

**Lesen Sie jetzt die Aussagen 1 bis 10. Sie haben eine Minute Zeit.**

1. Herr Schröder ist aktives Greenpeace-Mitglied.

2. In Deutschland sind die Temperaturen ungefähr ein Grad höher als vor hundert Jahren.

3. Britische Wissenschaftler behaupten, dass bei weiterer Erwärmung jeder zweite Sommer sehr heiß wird.

4. Ein kalter Winter kann nicht mehr kommen.

5. Steigende Temperaturen können neue Krankheiten bringen.

6. Bei zunehmender Erwärmung steigt der Meeresspiegel immer schneller.

7. Der Klimawandel ist ein schneller Prozess.

8. Das Ziel der EU-Klimapolitik ist es, die globale Erwärmung zu stoppen.

9. In Brandenburg wird es immer trockener.

10. Der Klimawandel verursacht Tsunamis.

 **Hören Sie jetzt das Gespräch.**

35

---

**Zertifikat Deutsch**

ANTWORTBOGEN

**Hörverstehen
Teil 2**

| 1. | R | F | 5. | R | F | 9. | R | F |
| 2. | R | F | 6. | R | F | 10. | R | F |
| 3. | R | F | 7. | R | F | | | |
| 4. | R | F | 8. | R | F | | | |

## 1 Pleiten, Pech und Pannen …

**1** Peinlich?
Ü1

**a) Lesen Sie die Bildtitel. Zu welchem Foto passen sie?**

1. Das starke Geschlecht! – 2. Rechtschreibprobleme! –
3. Schön wär's! – 4. Sitzt der Helm!? – 5. Süße Träume! –
6. Das klappt nicht! – 7. Die neue Schuhmode –
8. Logisch, oder?

**b) Wählen Sie ein Bild aus, das Sie peinlich oder lustig finden. Sprechen Sie über
das Bild im Kurs. Die Redemittel helfen Ihnen.**

**Redemittel: eine Situation kommentieren**

Das ist aber peinlich/ärgerlich/unerfreulich! Dumm gelaufen! So ein Pech!
Diese Situation ist (mir) ziemlich/echt/total peinlich/unangenehm.
Ich finde es gar nicht peinlich, dass/wenn …
Es ist (doch) lustig, dass … / Ist es nicht lustig, dass …?
Das hätte mir auch passieren können!
Das möchte ich nicht erleben! Das wäre mir nicht passiert!

## Hier lernen Sie

▶ eine Situation kommentieren
▶ über Verhaltensregeln und Gesten sprechen
▶ Konflikte erkennen, verstehen und lösen
▶ Partizip I
▶ Nebensätze mit *obwohl*
▶ Doppelkonjunktionen: *nicht nur …, sondern auch …* / *weder … noch …*
▶ Konsonantenverbindungen
▶ Wdh.: Ratschläge mit *wenn* und *sollte* geben

**1.36** **Ü2**

**2 Peinlich! Eine Radiosendung**

**a)** Hören Sie die Gespräche und ordnen Sie drei der Aussagen und die Fotos zu.

a

▨ ▨ Gespräch 1    ▨ ▨ Gespräch 2    ▨ ▨ Gespräch 3

1. Die Straßenbahn war leider schon weg.
2. Die Kundin schämte sich für ihr Kind.
3. Eigentlich wollte ich nur aussteigen.
4. Die Verkäuferin war ziemlich unfreundlich.
5. Ich stand mitten in der Nacht vor der Tür.

b

c

**b)** Welche der Situationen finden Sie (nicht) peinlich? Diskutieren Sie im Kurs.

**3 Das muss Ihnen nicht peinlich sein!**

**a)** Sehen Sie sich das Bild an. Was ist das Thema der Info-Broschüre?

**b)** Lesen Sie den Text. Kennen Sie dieses Gefühl?

### Rot wie eine Tomate? – Na und!

Wer kennt das nicht? Die Party hat gerade begonnen und man stolpert nicht nur, sondern fällt auch noch ins Buffet. Peinlich! Wahrscheinlich wird Ihnen in dieser Situa-
5 tion warm. Sie merken eine aufsteigende Hitze, besonders im Gesicht. Das ist eine natürliche Reaktion, kann aber für manche Menschen zur nervenden Belastung werden. Plötzliches Rotwerden im Gesicht liegt
10 oft an Unsicherheit. Auslöser kann Verlegenheit, aber auch Freude oder Ärger sein.
Schon 1873 schrieb Charles Darwin über das Thema. Für ihn war es nicht nur die „menschlichste aller Ausdrucksformen", sondern auch eine der interessantesten. Also schämen Sie sich nicht – Rotwerden
15 ist nicht nur menschlich, sondern auch liebenswert!

**4 Das ist mir mal passiert. Schreiben Sie einen Text.**

**Ich-Texte schreiben**

Mir ist einmal/neulich etwas Peinliches/Unangenehmes passiert.
Es war/passierte am … / mit … / , als …
Ich war gerade/in/auf … / zu Besuch bei …
Ich war überrascht/verunsichert/traurig/aggressiv/genervt und wütend/
sauer auf …, weil …
Ich musste lachen. Die Leute lachten/lächelten über …

# 2 Was sagt der „Knigge*"?

**1** **Was stimmt hier nicht?**
Sehen Sie sich das Bild an.
Was für ein Problem hat
die Frau?

* **Knigge,** Adolph Freiherr veröffentlichte 1788 das Buch „Über den Umgang mit Menschen". Das Buch wurde weltberühmt und der Name Symbol für gutes Benehmen in der Öffentlichkeit.

> Ich glaube, die Frau hat
> ein Problem, weil ...

**2** **Was sollte man in Deutschland nicht tun? Was kann man machen?**

**a) Was denken Sie? Kreuzen Sie an, was man in Deutschland nicht tut.**

1. ▓ Sich im Restaurant an einen Tisch setzen, obwohl dort schon Leute sitzen.
2. ▓ Mit Jeans in die Oper gehen, obwohl Ihr/e Partner/in sich besonders schön kleidet.
3. ▓ In der Kneipe das Geld auf den Tisch legen und gehen, obwohl der Kellner es nicht gesehen hat.

**b) Vergleichen Sie Ihre Ergebnisse aus Aufgabe a). Begründen Sie Ihre Meinung.**

> Ich finde es (nicht) gut, wenn ...

> Das ist okay, weil ...

**3** **Der neue große Knigge**
Ü3–4

**a) Lesen Sie den Text. Warum sollte man das Buch lesen?**

Sie stehen an einer vollen Bar und immer werden andere bedient, obwohl Sie schon lange warten. Was tun? Ihr Nachbar am Strand ist eingeschlafen und wird langsam knallrot. Wecken Sie ihn, obwohl Sie ihn nicht kennen? Obwohl im Kino der Film schon angefangen hat, suchen Sie nach Ihrem reservierten Platz. Ist das okay? Der neue Knigge beantwortet diese und andere Fragen.

**b) Lesen Sie einen der Texte und berichten Sie in Ihrer Gruppe, was man in Deutschland (nicht) tut. Vergleichen Sie mit Ihren Antworten aus Aufgabe 2a).**

**c) Stimmen Sie dem „Knigge" zu? Wie sind Ihre Erfahrungen?**

**Gut angezogen in die Oper?** Sie lieben Ihre Jeans? Na klar! Aber die haben Sie wahrscheinlich auf dem Kindergeburtstag Ihrer Tochter, im Supermarkt und auch beim Volleyballspielen an. Ihr Hund liebt sie auch ... Jetzt hat sie modische Löcher? Gehen Sie mit Ihrer Lieblingsjeans Gassi, aber nicht in die Oper!

**Im Restaurant an einen Tisch setzen?** Sie setzen sich mit an einen Tisch, obwohl dort bereits ein Paar sitzt und bei Kerzenlicht isst? Das sollten Sie lieber nicht tun! Obwohl das in Deutschland keine feste Regel ist, sollten Sie sich – zumindest in einem Restaurant – nicht neben jemanden setzen. Mittags in der Kantine ist das kein Problem, nur abends ist es unhöflich.

**Geld auf den Tisch legen?** Was in Italien kein Problem ist, kann in Deutschland zu Missverständnissen führen. Obwohl man immer häufiger Leute in Restaurants und Bars sieht, die das Geld auf den Tisch legen und wortlos gehen, ist das in Deutschland noch keine Regel. Also wundern Sie sich nicht, wenn der Kellner hinter Ihnen herläuft. Besser ist, Sie bezahlen am Tisch. Und vergessen Sie das Trinkgeld nicht!

**4** Gegensätze mit *obwohl* ausdrücken

**a)** Suchen Sie im Text aus Aufgabe 3 a) die passende Frage zum Bild und schreiben Sie sie auf.

...................................................

...................................................

...................................................

...................................................

**b)** Markieren Sie in den Texten von Aufgabe 3 weitere Sätze mit *obwohl*.

 **5** **Satzstruktur.** Vergleichen Sie die Sätze. Markieren Sie die Verben und ergänzen Sie die Regel.

2.1

Hauptsatz                        Hauptsatz
Sie wecken Ihren Strandnachbarn. Sie kennen ihn nicht.

Hauptsatz                        Nebensatz
Sie wecken Ihren Strandnachbarn, obwohl Sie ihn nicht kennen.

Nebensatz                       Hauptsatz
Obwohl Sie ihn nicht kennen,       wecken Sie Ihren Strandnachbarn.

> **Regel** Mit *obwohl* beginnt ein ...........................................satz. Der *obwohl*-Satz drückt einen Gegensatz aus. Er kann vor oder nach dem Hauptsatz stehen.

 **6** **Leute, Leute**

2.1 Ü5–6

**a)** Verbinden Sie die Sätze mit *obwohl* wie im Beispiel.

1. Die Gäste kommen erst um 20 Uhr. Auf der Einladung steht „Beginn: 18 Uhr".
2. Ich bin müde. Gestern bin ich früh ins Bett gegangen.
3. Svenja nimmt nicht zu. Sie isst ständig Schokolade.
4. Viele Leute liegen im Park auf dem Rasen. Es ist verboten.

> 1. Die Gäste kommen erst um 20 Uhr, obwohl auf der Einladung „Beginn: 18 Uhr" steht.

**b)** Was tun die Leute? Schreiben Sie Sätze mit *obwohl*.

# 3 Knigge international

 **1 Eva Berger unterwegs**
1.37

**a) Lesen Sie den Text und hören Sie das Gespräch zwischen Eva Berger und ihrer Freundin Marlis. Kreuzen Sie die Länder an, über die Frau Berger spricht.**

Eva Berger ist Angestellte der optronica GmbH und arbeitet im Vertrieb. Die Firma verkauft weltweit optische Systeme. Frau Bergers wichtigste Aufgabe ist es, ihre Kunden vor Ort zu beraten und zu betreuen. Die Firma hat vier ausländische Kooperationspartner, die Frau Berger regelmäßig besucht, um die neusten technischen Entwicklungen und Produkte vorzustellen. Sie erzählt ihrer Freundin von ihren Auslandserfahrungen.

a) ▢ Russland    b) ▢ Türkei    c) ▢ Japan    d) ▢ Australien    e) ▢ Italien

**b) Hören Sie das Gespräch noch einmal und ordnen Sie Frau Bergers Aussagen den Ländern zu.**

1. ▢ Ich habe tagelang Sightseeing gemacht. Kein Wort über Geschäftliches.
2. ▢ Die Leute sprachen sich alle mit Vornamen an. Zuerst fand ich das total unhöflich.
3. ▢ Das mit den Visitenkarten werde ich wohl nie verstehen.
4. ▢ Einladen? Das ist dort eine Lebenseinstellung.

**c) Machen Sie eine Tabelle und notieren Sie weitere Informationen zu den Ländern.**

| Land | Probleme/Fragen | Regel(n) |
|------|-----------------|----------|
| Australien | | |

 **2 Konsonantenverbindungen – nur keine Hektik! Lassen Sie sich Zeit!**
1.38    Ü7

**a) Hören Sie die CD. Sprechen Sie die Wörter zweimal langsam und sehr deutlich, dann einmal schneller.**

optisch – technisch – Produkt – Kontakt – weltweit – am wichtigsten – Geschäftspartner – Öffentlichkeit – Entwicklungen

**b) Lesen Sie laut.**

die wichtigsten Entwicklungen – weltweite geschäftliche Kontakte – ein optisch und technisch perfektes Produkt

**3** Arm-Zonen

Ü8

**a)** Lesen Sie den Text. Was sind „Ellenbogen-Länder", „Handgelenk-Kulturen" und „Fingerspitzen-Staaten"? Zeigen Sie es mit einer Partnerin / einem Partner.

**Unternehmen+Märkte I Gesellschaft** Wer die internationalen Kommunikationsregeln nicht kennt, bekommt Probleme in einer zusammenwachsenden Welt.

# Andere Länder, andere Sitten

Der britische Biologe Desmond Morris teilt die Nationen nach Arm-Zonen: In Ellenbogen-Ländern wie Spanien, Italien, Griechenland, Türkei, Indien 5 und Südamerika beträgt der Abstand zum Gesprächspartner gerade mal Oberarmlänge. Hier sind persönliche Beziehungen wichtig und oft Voraussetzung für spätere Geschäftsverhandlungen. Alles Private ist deshalb ein treffendes 10 Smalltalk-Thema. Komplimente dürfen direkt und sehr persönlich sein. In Handgelenk-Kulturen wie Frankreich, USA, Russland, den arabischen Ländern, China und Australien beträgt der Abstand, den Gesprächspartner als angenehm 15 empfinden, Fast-Armlänge. Obwohl Smalltalk-Themen auch Privates betreffen, ist man indirekter. Ein Gespräch über einen Prominenten ist deshalb passender als die Frage nach der Familie. Komplimente für gute Leistungen sind 20 besser als ein oberflächlich wirkendes Lob für gutes Aussehen. In Fingerspitzen-Staaten wie Deutschland, England, den skandinavischen Ländern, Kanada oder Japan ist körperlicher Abstand wichtig. Gespräche über das Privat-25 leben sind teilweise tabu. Komplimente über Beruf und Firma hört man in diesen Ländern gern, ein Lob zur Person oder zur Kleidung ist dagegen unpassend. Unabhängig von der Arm-Zonen-Theorie gelten für das professionelle 30 Plaudern folgende Regeln: Fragen nach regionalen Speisen, am besten mit einem Lob für die Küche verbunden, sowie Komplimente über lokale Sehenswürdigkeiten werden weltweit als passender Gesprächseinstieg akzeptiert. Auch 35 das Wetter ist ein überzeugendes Thema, aber nur, wenn der Ausländer es loben kann.

**b)** Machen Sie eine Tabelle und ergänzen Sie die Informationen aus dem Text.

|  | Länder/Regionen | Das sollte man tun! | Das sollte man nicht tun! |
|---|---|---|---|
| Ellenbogen-Länder | Spanien, Italien, ... |  |  |

**c)** Und Sie? In welcher Arm-Zone leben Sie? Stimmen die Aussagen? Diskutieren Sie.

 **4** Partizip I verstehen

16

**a)** Finden Sie die Partizip-I-Formen im Text.

1. in einer Welt, die zusammenwächst → in einer <u>zusammenwachsenden</u> Welt

2. ein Gesprächseinstieg, der passt → ein ............................. Gesprächseinstieg

3. ein Thema, das überzeugt → ein ............................. Thema

**b)** Ergänzen Sie die Regel.     **Regel** Partizip I = Verb (Infinitiv) + ........ + Endung

**5** Alles verstanden? Sagen Sie es mit Partizip I.

Ü9

 **1.** Hunde, die bellen, beißen nicht.

 **2.** Wasserhähne, die tropfen, machen mich nervös.

 **3.** Babys, die schreien, haben Hunger.

# 4 Was tun, wenn ...?

**1** **Kritische Situationen und Konflikte**

a) Schauen Sie sich die Bilder an und diskutieren Sie im Kurs: Was für ein Problem haben die Leute?

b) Kennen Sie diese oder ähnliche Situationen auch? Berichten Sie.

c) Worauf müssen Ausländer in Ihrem Land achten? Formulieren Sie Ratschläge.

*Sie sollten nicht ...*
*Das macht man bei uns nicht.*

*Bei uns sollte man ...*

**2** In Konfliktsituationen reagieren

Ü10–11

**a)** Lesen Sie die Redemittel. Wie kann man in den Situationen aus Aufgabe 1 reagieren? Ordnen Sie passende Redemittel zu.

---

**Redemittel**

**in Konfliktsituationen richtig reagieren**

*sich für ein Missgeschick / für eine Peinlichkeit entschuldigen*
Das wollte ich nicht. Das ist/war ein Versehen.
Das muss ein Missverständnis sein. / Entschuldige/n Sie – ein Missverständnis!
Ich möchte mich für … entschuldigen. / Oh, Verzeihung! Das tut mir leid.

*Überraschung ausdrücken*
Na so was! Das kann doch nicht wahr sein! Wirklich?
So eine Überraschung! Was du nicht sagst!
Ist das möglich!

*sich vergewissern / nachfragen*
Wie meinen Sie das? Ich verstehe nicht ganz, was Sie meinen.
Wo liegt das Problem? Was für ein Problem gibt es?
Könnten Sie mir das genauer erklären? Habe ich Sie richtig verstanden?
Ich bin nicht sicher, ob ich Sie/dich richtig verstanden habe.

---

1.39

**b)** Hören Sie die CD. Sprechen Sie nach und achten Sie auf die Betonung.

**3** Konflikte verstehen. Ein Freund / eine Freundin, der/die erst seit drei Wochen in

Ü12 Deutschland lebt, schreibt Ihnen eine E-Mail und bittet Sie um Hilfe.

**a)** Lesen Sie die E-Mail und diskutieren Sie, welche der Erklärungen am besten passt.

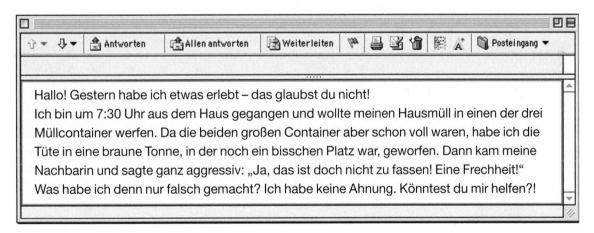

Hallo! Gestern habe ich etwas erlebt – das glaubst du nicht!
Ich bin um 7:30 Uhr aus dem Haus gegangen und wollte meinen Hausmüll in einen der drei Müllcontainer werfen. Da die beiden großen Container aber schon voll waren, habe ich die Tüte in eine braune Tonne, in der noch ein bisschen Platz war, geworfen. Dann kam meine Nachbarin und sagte ganz aggressiv: „Ja, das ist doch nicht zu fassen! Eine Frechheit!"
Was habe ich denn nur falsch gemacht? Ich habe keine Ahnung. Könntest du mir helfen?!

1. In Deutschland darf man aus religiösen Gründen erst nach 21 Uhr den Müll wegwerfen. Deutsche sehen es nicht gern, wenn man gegen diese Regel verstößt.

2. Der Müll sollte nach Papier-, Bio- und Restmüll getrennt und dann in unterschiedliche Mülltonnen geworfen werden. Deutsche sind sehr umweltbewusst.

3. Die Nachbarin hat ein Problem mit Ausländern. Sie denkt, dass es zu viele Ausländer in Deutschland gibt.

4. Die Nachbarin wollte ihren Müll auch in die braune Tonne werfen, aber sie war zu langsam und ist sauer, weil sie den Müll wieder mitnehmen muss.

**b)** Schreiben Sie eine Antwort.

**4** D-A-CH-Knigge – Alles klar?

**a) Markieren Sie. Vergleichen Sie dann Ihre Antworten im Kurs.**

☺ stimme ich zu – ☹ stimme ich nicht zu – 😐 weiß nicht

1. ▦ Männer gehen am besten im Anzug und Frauen im Abendkleid ins Theater.
2. ▦ In Gesprächen kommt man sich so nah, dass sich die Ellenbogen berühren.
3. ▦ Wenn man vorher höflich fragt, kann man sich im Restaurant neben eine Person setzen.
4. ▦ Auf öffentlichen Toiletten muss man bezahlen.
5. ▦ Man trennt den Hausmüll nach Papier, Glas, Bioabfällen und Plastik.
6. ▦ Man spricht sich immer mit dem Vornamen an.

**b) Geben Sie Ratschläge mit *wenn* und *sollte*.**

ins Theater gehen – eine öffentliche Toilette besuchen – ins Restaurant gehen – Müll runterbringen – jemanden im Büro kennen lernen – zu einer Party gehen – zum Essen eingeladen sein

> *Wenn man ins Theater geht, sollte man ...*

**5** **Zeichen hören.** Diese Geräusche hören bzw. machen Millionen von Deutschen jeden Tag. Hören Sie und ergänzen Sie die Sätze.

1.40

a) pfeifen – b) schnalzen – c) klopfen – d) ~~(sich) räuspern~~

1. Wenn man Aufmerksamkeit möchte, _____ *räuspert* _____ man _____ *sich* _____ .

2. Wenn man eine Person oder etwas toll findet, _____ man.

3. Wenn man nicht jeder Person zur Begrüßung die Hand geben kann,
   _____ man auf den Tisch.

4. Wenn eine Person etwas Verbotenes oder Falsches tut, dann _____
   man mit der Zunge.

**6** **Doppelkonjunktionen.** Lesen Sie. Schreiben Sie einen Text wie im Beispiel.

7.3 Ü13

### Der perfekte Mann

Er ist **weder** zu groß **noch** zu klein.
Er ist **nicht nur** höflich, **sondern auch** witzig.
Er spricht **weder** zu laut **noch** zu leise.
Er ist **nicht nur** elegant, **sondern auch** schön.
Er bringt mir **nicht nur** Blumen, **sondern auch** Pralinen mit.

Er ist **nicht nur** charmant, **sondern auch** verheiratet!

> *Die perfekte Frau*
> *Sie ist weder ...*

> *Der treue Freund*
> *Er ist ...*

## 5 Andere Länder – andere Gesten

**1 Zeichensprache**

a) Lesen Sie die Bedeutungen und ordnen Sie die Bilder zu.

1. ▦ Perfekt! Das hast du super gemacht!

2. ▦ Gewonnen!

3. ▦ Du schaffst das. Ich unterstütze dich.

4. ▦ Du spinnst wohl!

b) Schauen Sie sich die Bilder an. Was wollen die Personen mit den Gesten genau „sagen"? Diskutieren Sie im Kurs.

a

b

c

d

 **2** 1.41 Ü14

**Nonverbale Missverständnisse – Was Ausländern in Deutschland passiert.**
Lesen Sie die Beschreibungen und hören Sie zu. Notieren Sie, was die Personen zu den Gesten sagen. Vergleichen Sie im Kurs.

1. mit dem Finger auf jemanden zeigen

3. mit dem Kopf nicken

2. mit dem Finger an die Schläfe tippen

4. jemandem die Handinnenflächen zeigen

**3 Pech gehabt, Chef!** Was sagt die Sekretärin zum Chef? Schreiben Sie einen Satz. Vergleichen Sie im Kurs.

Und wenn ich ...

Wenn ich mit dem Finger schnippse, bedeutet das, dass Sie sofort kommen ...

Schnipp

**1** Oh je, ist das peinlich!

**a) Sehen Sie sich die Bilder an und ordnen Sie sie den Bildtiteln zu.**

1. ▨ Kampf um Schokolade
2. ▨ Fliegende Hühner
3. ▨ Kaputt!
4. ▨ Schlüssel vergessen

**b) Was sagen die Personen? Ordnen Sie die Bilder den Aussagen zu.**

1. ▨ So ein Pech! Die habe ich erst gestern gekauft.
2. ▨ Das muss Ihnen wirklich nicht peinlich sein. So sind eben die Kleinen.
3. ▨ Oh wie peinlich! Entschuldigung. Die Rechnung übernimmt natürlich das Haus.
4. ▨ Dumm gelaufen! Hoffentlich sind die Nachbarn zu Hause!

**c) Wie finden Sie die Situationen? Schreiben Sie je zwei Sätze mit den Redemitteln.**

Das ist doch total/ziemlich/nicht lustig! – Das möchte ich nicht erleben! – Ich finde es nicht/ziemlich/sehr/total/besonders peinlich! – Das wäre mir nicht/vielleicht/sicher auch passiert!

> *Bild a: Das möchte ich nicht erleben! Ich finde das ziemlich peinlich.*

**2** Eine peinliche Situation

36

**a) Lesen Sie die Fragen und hören Sie den Dialog. Welche Antworten sind richtig? Kreuzen Sie an.**

1. Wo sind die Personen?
   ▨ In der Kantine.
   ▨ Im Restaurant.
   ▨ Im Straßencafé.

2. Wie viele Personen sprechen?
   ▨ Zwei Personen.
   ▨ Drei Personen.
   ▨ Vier Personen.

3. Worüber sprechen die Personen?
   ▨ Über die Qualität des Essens.
   ▨ Über den unfreundlichen Kellner.
   ▨ Über die Rechnung.

**b) Hören Sie den Dialog noch einmal. Welche Aussage ist richtig? Kreuzen Sie an und korrigieren Sie die falschen Sätze.**

1. ▨ Die Gäste streiten wegen der Rechnung.
2. ▨ Die Frau weiß nicht, ob sie genug Geld im Portemonnaie hat.
3. ▨ Die Frau schlägt vor, dass jeder selbst zahlt.
4. ▨ Ein Mann hatte die Ente und zwei Gläser Wein.
5. ▨ Die Frau hatte eine Zwiebelsuppe, das Huhn und zwei Bier.

**3** **Was ist für Sie (nicht) „Knigge"?**

**a) Lesen Sie, was Herr Weber (W) und Frau Anders (A) über gutes und schlechtes Verhalten sagen. Ordnen Sie die Aussagen den beiden Personen zu.**

1. *W* versucht, den Kunden einen guten Service zu bieten.
2. ▨ muss die Menschen gut kennen.
3. ▨ findet es ärgerlich, wenn die Leute aggressiv bei der Kontrolle reagieren.
4. ▨ findet, dass Aufmerksamkeit und Höflichkeit im Job wichtig sind.

**Ernst Weber, 61**
Bei mir ist der Kunde König! Beim Taxifahren trage ich deshalb immer Anzug und Krawatte. Das sehe ich als ganz normalen Service für meine Kunden. Zum guten Verhalten gehört Aufmerksamkeit und Höflichkeit. Wenn ich zum Beispiel einen Patienten vom Krankenhaus abhole, habe ich immer eine Flasche Wasser dabei. Die Leute freuen und bedanken sich. Schlechten Service sehe ich bei manchen Kollegen: Die rauchen im Auto oder wollen keine kurzen 5-Euro-Fahrten machen. Manche Kunden verhalten sich aber auch nicht immer korrekt. Sie streiten laut oder machen die Sitze schmutzig. Aber das erlebe ich selten.

**Cornelia Anders, 28**
Seit vier Jahren kontrolliere ich pro Tag ein paar hundert Menschen – alles für die Sicherheit der Reisenden. Für die Arbeit als Flugsicherheitsbeauftragte ist gute Menschenkenntnis sehr wichtig. Es ist schon passiert, dass ein Reisender stinksauer war und mit einer Parfümflasche nach einem Kollegen geworfen hat. Er durfte das Parfüm nicht im Handgepäck mitnehmen und sollte es abgeben. Schlimm ist es auch, wenn die Leute lügen oder ihre schlechte Laune an uns auslassen. Aber 98 % der Reisenden sind höflich, grüßen freundlich und verhalten sich sehr kooperativ. Manchmal lacht man sogar zusammen.

**b) Sammeln Sie Informationen und ergänzen Sie die Tabelle.**

| Name | Beruf | „gutes" Verhalten | „schlechtes" Verhalten |
|------|-------|-------------------|------------------------|
| Ernst Weber | | | |

**4** **Was Sie wissen sollten!**

**a) Lesen Sie die Fragen. Was meinen Sie? Kreuzen Sie an.**

ja   nein

1. Sie wollen jemanden ansprechen, haben aber den Namen vergessen. Sollten Sie nach dem Namen fragen?  ▨ ▨
2. Wie viel Trinkgeld gibt man? Sind zwanzig Prozent zu viel?  ▨ ▨
3. Sie sind neu am Arbeitsplatz und das Telefon klingelt. Wie verhalten Sie sich richtig? Sollten Sie nur „Hallo" sagen?  ▨ ▨
4. Sie sind in Bayern und alle begrüßen Sie mit „Grüß Gott". Sollten Sie mit „Guten Tag" antworten?  ▨ ▨
5. Sie wollen nach Hause, Ihr Partner / Ihre Partnerin will aber noch in die nächste Disko. Sollten Sie mit ihm/ihr in der Öffentlichkeit streiten?  ▨ ▨

**b) Lesen Sie die Knigge-Antworten. Ordnen Sie die Antworten den passenden Fragen in Aufgabe a) zu und vergleichen Sie dort mit Ihren Antworten.**

a)  Im Restaurant sollten es zwischen fünf und zehn Prozent und bei der Taxifahrt ungefähr zehn Prozent sein.

b)  Ja, das sollten Sie! So schön Dialekte in Bayern oder Hamburg sind – grüßen Sie lieber mit einem „Guten Tag", wenn Sie nicht aus der Region kommen.

c)  Fragen Sie nicht direkt nach dem Namen. Nennen Sie eine Situation, in der Sie die Person schon einmal getroffen haben, und sagen Sie zum Beispiel: „Haben wir uns nicht bei der Messe kennen gelernt? Ich bin Frau/Herr …"

d)  Paare sollten sich niemals öffentlich streiten. Bleiben Sie also ruhig! Vielleicht erinnern Sie sich zu Hause schon gar nicht mehr an den Grund des Streits.

e)  Sagen Sie niemals nur „Hallo" am Telefon. Zuerst nennen Sie die Firma, danach die Abteilung und erst dann laut und deutlich den eigenen Namen.

**5** **Gegensätze ausdrücken**

**a) Ordnen Sie die Bilder den Sätzen zu.**

1.  Line hat große Angst vor der Prüfung.
2.  Frau Pietsch hat keine Zeit für eine Verkehrskontrolle.
3.  Lothar Krug streitet nicht mit seiner Verlobten.
4.  Das Handy von Frau Schirmer klingelt.
5.  Herr Hagen hat Fieber.

**b) Schreiben Sie Sätze mit *obwohl*.**

~~mit sehr gutem Ergebnis bestehen~~ – sich höflich verhalten – ziemlich sauer sein – den Anruf nicht annehmen – an einem Projekt arbeiten

*Obwohl Line große Angst vor der Prüfung hat, besteht sie mit sehr gutem Ergebnis.*

**6** **Schluss mit Knigge!** **Verbinden und schreiben Sie die Sätze mit *obwohl*.**

1. Im Restaurant darf man nur mit Messer und Gabel essen. – Ich esse heute mit den Fingern.
2. In die Oper geht man im Anzug / im Abendkleid. – Ich ziehe heute meine Lieblingsjeans an.
3. Die Chefin sollte man immer zuerst grüßen. – Ich warte heute, bis sie mich grüßt.
4. Man sollte bei der Arbeit keine SMS schreiben. – Ich habe heute schon zehn Stück geschrieben.
5. Ich komme sonst immer pünktlich zu einer Verabredung. – Ich bin heute zwanzig Minuten zu spät.
6. Knigge-Regeln sind sehr wichtig. – Es ist mir heute völlig egal.

*1. Obwohl man im Restaurant nur mit Messer und Gabel essen darf, esse ich heute mit den Fingern.*

**7** Konsonantenverbindungen mit *r*

**a)** Manchmal hört man das *r* nicht. Hören Sie die Wörter und markieren Sie die *r*, die man hören kann.

1. Verkehrskontrolle
2. Auslandserfahrungen
3. Verhaltensregeln
4. Flugsicherheitsbeauftragte
5. Erfahrung
6. Verbindung
7. Aufmerksamkeit
8. Partner

**b)** Hören Sie die Wörter noch einmal und sprechen Sie nach.

**8** „Knigge international" – Ratschläge geben

**a)** Ergänzen Sie die Aussagen. Der Text auf Seite 125 hilft.

1. Halten Sie in ..... *Handgelenk-Kulturen* ..... den Abstand auf Fast-Armlänge!
2. Führen Sie in Ländern wie Türkei persönliche .................................!
3. Halten Sie in ............................. wie Deutschland körperlichen Abstand!
4. In den USA oder China loben Sie eine Person am besten für eine gute
   ............................. !
5. Loben Sie in Japan besser nicht ............................. des Gesprächspartners!
6. Fragen Sie dort lieber nach regionalen ............................. .

**b)** Formulieren Sie Ratschläge wie im Beispiel.

> *1. Sie sollten in Handgelenk-Kulturen den Abstand auf Fast-Armlänge halten.*

**9** Partizip I

**a)** Ordnen Sie die Partizip-I-Formen den Bildern zu. Schreiben Sie zu jedem Bild einen Titel.

weinend – singend – ~~trauernd~~ – flüsternd – tanzend

*trauernder*
Mann      Vogel      Kind      Frau      Schüler

**b)** Bilden Sie aus dem Partizip I Relativsätze wie im Beispiel.

> *Ein trauernder Mann ist ein Mann, der trauert.*

**10** **Ein Missgeschick**

**a) Ordnen Sie die Sätze und schreiben Sie den Dialog.**

- ▪ ▨ Das ist mir klar, dass Sie das nicht wollten. Aber das hilft mir nicht weiter.
- ▪ ▨ Ich rufe die Polizei, damit sie den Schaden aufnehmen können.
- ▪ *1* Ja, das kann doch wohl nicht wahr sein!
- ▪ ▨ Ist in Ordnung. Ich melde mich bei Ihnen.
- ▪ ▨ Das kostet aber mehr als 25 Euro. Das ist kein kleiner Schaden.
- ▪ ▨ Keine Ahnung. Ich könnte in die Werkstatt fahren und Ihnen die Rechnung schicken.
- ◆ ▨ Was machen wir denn jetzt? Ich bin nicht aus Deutschland, hatte noch keinen Unfall …
- ◆ ▨ Die Polizei rufen? Es ist doch aber nur ein Licht kaputt …
- ◆ ▨ Ja, es ist aber auch kein großer Schaden. Was kostet es denn? Ich zahle sofort.
- ◆ ▨ Das ist eine gute Idee. Hier ist mein Ausweis – und auch meine Handynummer.
- ◆ ▨ Entschuldigen Sie. Das war ein Versehen. Das wollte ich nicht.

**b) Hören und kontrollieren Sie mit der CD.**

38

 **11** **Textkaraoke.** **Hören und sprechen Sie die ☞-Rolle im Dialog.**

39

👂 …
☞ Das verstehe ich nicht! Wieso?
👂 …
☞ Na so was! Das Schild habe ich nicht gesehen. Ich bin gerade erst gekommen.

👂 …
☞ Wann ist die Schwimmgruppe denn fertig?
👂 …
☞ Geht klar.
👂 …

**12** **Eine kritische Situation**

**a) Lesen Sie Kevins Brief. Warum hat sich der Nachbar geärgert? Kreuzen Sie an.**

1. ▨ In Deutschland lässt man diese Arbeiten meistens von einer Umzugsfirma erledigen.
2. ▨ Der Nachbar mag keine Ausländer und hatte daher ein Problem mit Kevin.
3. ▨ Der Nachbar ist auf die schönen Möbel neidisch, die er in der Garage gesehen hat.
4. ▨ In Deutschland darf man an Sonntagen keinen Lärm machen. Das steht im Gesetz.

Liebe Magda,

du glaubst nicht, was mir passiert ist! Da ich die ganze Woche nie vor 21 Uhr zu Hause bin, konnte ich erst am Sonntag die Regale in der neuen Wohnung aufstellen. Ich hatte schon drei Regale an die Wand montiert und ging in die Garage, um ein anderes Regal zu holen. Mein Nachbar kam und sagte, dass das endlich ein Ende haben muss. „Das ist ja eine Frechheit!", schrie er mich an. Was habe ich falsch gemacht? Was meinst du? Ich hoffe, dir geht es gut!

Viele liebe Grüße und bis bald

dein Kevin

**b)** Lesen Sie die Redemittel und kreuzen Sie die Variante an, die man in einem privaten Brief verwendet.

**Anrede**
- ▨ Guten Tag, Kevin,
- ▨ Sehr geehrter Kevin,
- ✗ Lieber Kevin,

**Einleitung**
- ▨ herzlichen Dank für Ihren Brief.
- ▨ vielen Dank für deinen Brief.
- ▨ vielen Dank für die Information.

**Hauptteil**
- ▨ Ich denke, …
- ▨ Sie sollten wissen, …
- ▨ An Ihrer Stelle …

**Abschlussgruß**
- ▨ Viele Grüße und alles Liebe
- ▨ Mit freundlichen Grüßen
- ▨ Herzliches Beileid

**Unterschrift**
- ▨ deine Freundin
- ▨ deine Magda
- ▨ M. Bröckner

**c)** Antworten Sie Kevin. Schreiben Sie einen Brief.

**13** **Ein guter Reisender …** Bilden Sie Sätze mit den Doppelkonjunktionen *nicht nur …, sondern auch* oder *weder … noch*.

1. interessiert – offen für Neues
2. höflich – freundlich
3. intolerant – voller Vorurteile
4. über die fremde Kultur informiert – gut vorbereitet
5. arrogant – ständig unzufrieden
6. ängstlich – indiskret

*1. Ein guter Reisender ist nicht nur interessiert, sondern auch offen für Neues.*
*2. Ein guter Reisender …*

**14** **Wörter in Paaren: Gesten**

**a)** Ordnen Sie die Verben den Bildern zu.

1. zeigen – 2. schütteln – 3. winken – 4. tippen – 5. nicken

a 5   b ▨   c ▨   d ▨   e ▨

**b)** Ergänzen Sie die Verben.

1. den Kopf *schütteln*
2. mit dem Finger auf jemanden _____
3. sich an die Schläfe _____
4. mit dem Kopf _____
5. mit der Hand _____

**c)** Was bedeuten die Gesten in Deutschland? Ordnen Sie die Bilder aus Aufgabe a) zu.

▨ Tschüss! Mach's gut.   ▨ Nein.   ▨ Bist du verrückt?!   ▨ Ja.   ▨ Sie da! Ja, Sie da!

## Das kann ich auf Deutsch

### eine Situation kommentieren

Das ist aber peinlich! Dumm gelaufen! Diese Situation ist mir ziemlich unangenehm. Das wäre mir nicht passiert!

### über Verhaltensregeln sprechen

Im Restaurant gibt man ungefähr zehn Prozent Trinkgeld. In Deutschland sollten Sie sich bei Geschäftsverhandlungen nicht über das Privatleben unterhalten.

### Konflikte erkennen, verstehen und lösen

Wie meinen Sie das? Ich bin nicht sicher, ob ich dich richtig verstanden habe. Das muss ein Missverständnis sein. Entschuldigen Sie!

## Wortfelder

| Probleme | Körpersprache |
|---|---|
| Missverständnis, Versehen, Missgeschick, Überraschung | mit dem Finger auf jmdn. zeigen, mit dem Kopf nicken, an die Schläfe tippen, den Kopf schütteln |

**Geräusche**   pfeifen, schnalzen, klopfen, räuspern

## Grammatik

| Partizip I | Doppelkonjunktionen: *nicht nur ..., sondern auch / weder ... noch ...* |
|---|---|
| ein **überzeugendes** Argument<br>ein **passender** Gesprächseinstieg<br>**folgende** Fragen | Er ist **nicht nur** höflich, **sondern auch** witzig.<br>Ein Gentleman ist **weder** zu groß **noch** zu klein. |

### Nebensätze mit *obwohl*

Sie setzen sich an einen Tisch im Restaurant, **obwohl** dort bereits ein Paar sitzt. **Obwohl** Svenja ständig Schokolade isst, nimmt sie nicht zu.

### Wiederholung

Ratschläge geben: Wenn Sie einen Anruf annehmen, **sollten** Sie den eigenen Namen deutlich sagen.

## Aussprache

**Konsonantenverbindungen**   Geschäftspartner, Verkehrskontrolle

 ## Laut lesen und lernen

40

Das wäre mir vielleicht auch passiert! So ein Pech! Wo liegt das Problem? Zuerst fand ich das total unhöflich. So eine Überraschung! Was du nicht sagst!

# Zertifikatstraining

**Schriftlicher Ausdruck**

Sie wollen im Sommer in Deutschland einen Intensivdeutschkurs machen und brauchen eine Unterkunft für zwei Monate. Ein deutscher Freund macht Ihnen in seinem Brief folgenden Vorschlag:

Liebe/r ...,

ich freue mich schon sehr auf unser Treffen im Sommer! Da ich nur ein kleines Zimmer in einer WG habe, kannst du leider nicht bei mir übernachten. Aber viele Studenten fahren im Sommer nach Hause und du könntest mit ein bisschen Glück ein Zimmer in einem Studentenwohnheim bekommen. Dort gibt es meistens Einzelzimmer. Wir können auch versuchen, für dich ein Zimmer in einer WG zu bekommen. In einer WG wohnen meistens 2 bis 4 Personen. Jeder hat ein eigenes Zimmer. Küche, Bad und Wohnzimmer sind für alle da. Wenn du mit Deutschen in einer WG wohnst, sprichst du mehr Deutsch und kannst deine Deutschkenntnisse schneller verbessern.

Schreib mir bitte so bald wie möglich, wann du kommen willst, wie lange du das Zimmer brauchst und wie viel Geld du dafür ausgeben kannst. Ich kümmere mich dann um das Zimmer und schreibe dir, was ich gefunden habe.

Viele Grüße
Andreas

**Schreiben Sie Andreas einen Antwortbrief, der folgende Punkte enthält:**

– wie viel Geld Sie maximal für die Miete ausgeben können
– was Sie gern in Ihrer Freizeit unternehmen wollen
– wann Sie nach Deutschland kommen und bis wann Sie bleiben
– wo Sie am liebsten wohnen wollen

**Überlegen Sie sich die passende Reihenfolge der Punkte, eine passende Einleitung und einen passenden Schluss. Vergessen Sie die Anrede nicht.**

## 1 Jung und Alt

**1** Lebensabschnitte

a) Was verbinden Sie mit den folgenden Begriffen? Machen Sie ein Assoziogramm und sprechen Sie darüber im Kurs.

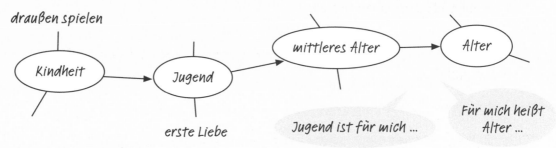

*draußen spielen*

Kindheit → Jugend → mittleres Alter → Alter

*erste Liebe*

*Jugend ist für mich ...*

*Für mich heißt Alter ...*

b) Sehen Sie sich die Fotos an. Sie zeigen Szenen einer Geschichte. Wovon könnte die Geschichte handeln? Sprechen Sie im Kurs über die Fotos.

Familie – mehrere Generationen –
aktiv sein – alt werden – in Rente sein –
Krankheit – sich Sorgen machen –
Vergesslichkeit – zusammen leben –
Wohngemeinschaft – Altersheim –
in der Jugend / im Alter

**Redemittel**

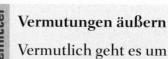

**Vermutungen äußern**

Vermutlich geht es um ...
Ich vermute, dass ...
Es könnte um ... gehen.

*Meine Oma kommt!*

*Was mache ich hier?*

*Das ist mein Merkbuch.*

*Das ist eine wundervolle Idee!*

## Hier lernen Sie

▷ über Lebensabschnitte sprechen
▷ einen literarischen Text lesen und verstehen
▷ Konflikte diskutieren
▷ Vermutungen äußern: *könnte*
▷ Plusquamperfekt
▷ Nebensätze mit *seit …*
▷ Possessivartikel im Genitiv
▷ Pausen beim Lesen machen
▷ Wdh.: Präteritum, das *ch*

**2** „Die blauen und die grauen Tage".

Ü1 **Das ist der Titel eines Romans von Monika Feth. Was glauben Sie, was könnte der Titel meinen?**

*Die grauen Tage könnten …*

**3** Einen literarischen Text lesen. **Welche Personen lernen Sie kennen? Um welches**

Ü2-3 **Problem geht es?**

Personen:

.......................................

.......................................

.......................................

Problem:

.......................................

.......................................

.......................................

*Evi ist glücklich: Ihre geliebte Oma zieht ins Haus der Familie ein. Vera, Evis ältere Schwester, ist weniger begeistert. Aber Evi und die berufstätigen Eltern genießen die Ordnung und die Gemütlichkeit, die mit der Oma ins Haus eingezogen sind. Doch*
5 *dann ist Oma plötzlich weg. Evi findet sie nach langem Suchen und bringt sie nach Hause …*

[…] „Wo bist du gewesen, Mutter?", fragte der Vater schließlich vorsichtig.

„Wo ich …" Omas Gesicht war plötzlich ganz leer. „Ich erin-
10 nere mich nicht. Ich …" Ihre Hand tastete nach Evis Hand. „Evi, wo bin ich gewesen?"

Der heiße Kakao hatte Evi aufgewärmt, wie die Mutter es versprochen hatte. Doch jetzt wurde ihr wieder kalt.

„In der Bahnhofshalle", sagte sie und hörte ihre Worte wie die
15 einer anderen.

„In der Bahnhofshalle", wiederholte Oma und sah den Vater unsicher an. „Ist etwas falsch daran? Durfte ich nicht dort sein?"

Der Vater schüttelte den Kopf. „Es ist nur … Wir haben es nicht gewusst. Wir haben uns Sorgen um dich gemacht."
20 „Ich hab's auch nicht gewusst", sagte Oma. […]

„In der Bahnhofshalle?", fragte Vera. „Was wolltest du denn da?" Sie zog das *da* vorwurfsvoll in die Länge.

Oma hob die Schultern. „Ich fürchte, ich hab's vergessen." Sie ließ die Schultern wieder sinken und seufzte. „Weißt du, ich ver-
25 gesse viel neuerdings. Früher, da hab ich an alles gedacht. Ich wusste, wo die wichtigen Papiere aufbewahrt wurden, wann die Rechnungen zu bezahlen waren und wie oft Opa seine Medizin nehmen musste. Ich hab nichts vergessen. Frag deinen Vater." Sie lächelte dem Vater zu. „Nicht wahr, Berti? Sogar an deine Schul-
30 sachen hab ich gedacht."

Oma hatte den Vater lange nicht mehr so genannt. Der Name machte ihn wieder zu dem Jungen, der er einmal gewesen war. Es gab nur wenige Fotos aus dieser Zeit. Auf diesen Fotos sah der Vater Vera sehr ähnlich, doch er hatte Evis Haar.
35 „Du bist älter geworden," sagte der Vater. „Da darf man schon mal das eine oder andere vergessen."

42

**4** **Oma und Evi im Café.** Erklären Sie den Buchtitel „Die blauen und die grauen Tage".

[...] „Was wolltest du denn mit mir besprechen?", fragte Evi. „Ja", Oma wühlte in den Einkäufen, „ich habe mir was überlegt." Sie legte das kleine Notizbuch vor Evi auf den Tisch.

40 „Das ist unser Merkbuch, Evi. Ich möchte, dass du ab heute jeden blauen und jeden grauen Tag notierst."

„Jeden was?" Evi hatte sich durch die Sahne gearbeitet und ließ nun den ersten Löffel Eis auf der Zunge zergehen. „Die blauen Tage", erklärte Oma, „sind die guten Tage, die Tage, an denen

45 alles so ist, wie es sein soll. Die grauen Tage sind die Tage, an denen mir passiert, was mir gestern passiert ist. Führe genau Buch darüber und am Ende eines Monats schauen wir uns deine Eintragungen an."

Evi schob das Notizbuch hin und her. Welchen Sinn sollte das

50 haben?

„Ich lasse mich nicht unterkriegen", sagte Oma. „Ich will genau wissen, wie oft es mir passiert. Und ich will mich mit dir über jeden einzelnen blauen Tag freuen."

Sie gab Evi einen Kugelschreiber. „Fang gleich damit an. Fang

55 mit heute an."

Gehorsam nahm Evi den Stift. *Blaue und graue Tage,* schrieb sie auf die erste Seite. Sie unterstrich die Wörter und blätterte um. *4. Juni. Blauer Tag.* [...]

**5** **Konflikte – Personen und ihre Interessen.** Was will die Oma und was wollen die anderen? Sammeln Sie Informationen.

[...] Evi brach in Tränen aus. Bestürzt ließ die Mutter die

60 Tasse sinken. „Was ist denn los mit dir?"

„Ihr dürft Oma nicht in ein Heim gehen lassen!"

„Sie hat mit dir darüber gesprochen?" Der Vater hob überrascht die Augenbrauen.

„Das wundert dich, ja? Du hättest lieber, dass sie aus allem ein

65 Geheimnis macht, genau wie ihr!" Evi schrie das heraus. Es war wohltuend, denn es drängte die Tränen zurück. „Oma braucht Schutz", sagte die Mutter mit einer Geduld, die Evi noch mehr in Rage brachte, „jemanden, der auf sie Acht gibt."

„Aber doch nicht fremde Leute!" Evis Kopf dröhnte, der

70 Mund wurde ihr trocken. „Du hast selbst gesagt, dass ein Heim nicht gut für sie ist!"

„Sie will es so, Evi, und das müssen wir respektieren." Respektieren. Hinter solchen Worten verschanzten sie sich immer, wenn sie nicht in der Lage waren, etwas zu erklären.

75 [...] „Man kann sie nicht allein lassen", mischte sich Vera ein. „Nicht für eine Sekunde."

„Sei du bloß still", fauchte Evi sie an. „Dir ist Oma doch von Anfang an lästig gewesen!"

[...] Evi rückte ein Stück von der Mutter ab. „Ich kann es nicht

80 ändern, Evi. Ich gäbe wer weiß was darum, wenn ich es könnte."

„Aber du kannst es ändern! Du kannst zu Hause bleiben und auf sie aufpassen. Oder Papa. Es reicht doch, wenn einer von euch Geld verdient."

„Es ist nicht nur das Geld, Evi. Ich mag meine Arbeit und Papa

85 mag seine auch."

**6** **Über die Romanfiguren sprechen**

a) Welche Textzeilen passen zu den folgenden Aussagen? Notieren Sie die Zeilen und lesen Sie die Textstellen vor.

1. Evi hatte mit Oma ein Gespräch über das Heim:  **Zeilen** ..................

2. Die Eltern machen sich Sorgen um Oma:  **Zeilen** ..................

3. Evi will nicht, dass Oma in ein Heim geht:  **Zeilen** ..................

4. Vera glaubt, dass man auf Oma immer aufpassen muss:  **Zeilen** ..................

**b)** Lesen Sie die drei Texte noch einmal. Was passt zu welcher Person? Ordnen Sie zu.

Evi – Oma – die Eltern

alt sein – verwirrt sein – über ein Heim nachdenken – sich Sorgen machen – sich um Oma kümmern – sich nicht unterkriegen lassen – sich nicht erinnern können – Oma über alles lieben – ein Notizbuch führen – in Tränen ausbrechen – Omas Willen respektieren – den Job lieben

**7** **Einen Text nacherzählen.** Ergänzen Sie die Satzanfänge.

1. Eines Tages ist Evis Oma plötzlich …
2. Evi findet ihre Oma …
3. Oma möchte, dass Evi …
4. Oma will genau …
5. Die Eltern und Oma überlegen, ob …
6. Evi will nicht, dass …
7. Evis Mutter will nicht zu Hause bleiben, weil …
8. Evi schlägt vor, dass …

**8** **Eine Diskussion: Wie kann Evis Familie ihre Probleme lösen? Fünf Vorschläge.**

**a)** Notieren Sie zu jedem Vorschlag mindestens ein Argument dafür und dagegen.

1. Oma zieht in ein Altersheim.
2. Oma zieht in eine Wohngemeinschaft.
3. Evis Vater gibt seine Arbeit auf und kümmert sich um Oma.
4. Evis Mutter gibt ihre Arbeit auf.
5. Beide Elternteile arbeiten halbtags und teilen sich so die Betreuung der Oma.

**b)** Wählen Sie einen/eine Diskussionsleiter/in und diskutieren Sie die verschiedenen Meinungen. Die Redemittel auf Seite 48 helfen Ihnen.

> Ein Argument dafür/dagegen
> könnte sein, dass …

**9** **Oma sitzt mit ihren Freunden und Evi beim Kaffee. Evi hat eine Idee …**

Ü5-6

**a)** Lesen Sie den Text und berichten Sie, welche Lösung gefunden wird.

**b)** Wie finden Sie die Lösung?

[…] „Evi hat da eine Idee", kam Oma ihr zu Hilfe. „Eine recht, nun ja, recht ungewöhnliche Idee. Und da die Idee auch Sie betrifft …" […] Frau Klapproth öffnete die Augen. Sie wirkte mit einem Mal sehr wach. „Ich glaube, ich weiß, was du uns vor-
90 schlagen willst." […] „Weißt du", sagte Frau Klapproth zu Evi, „ich habe selbst schon darüber nachgedacht." […] „Mein Haus ist groß. Allein kann ich es nicht halten. Die Arbeit ist mir längst über den Kopf gewachsen, aber der Gedanke an ein Heim …" Sie schaute Oma an. „Wir kennen uns noch nicht gut genug, um zu
95 wissen, ob wir auch im Alltag miteinander auskommen können. Allerdings haben wir nicht die Zeit, uns besser kennen zu lernen, also sollten wir es einfach versuchen. Ins Altersheim können wir schließlich immer noch. Das läuft uns nicht weg." […] Frau Perges Wangen hatten sich mit einer fleckigen Röte überzogen.
100 „Ich bin …", „im ersten Moment würde ich sagen, das ist eine … ganz wundervolle Idee!" Herr Ronnebach saß da wie vom Donner gerührt. „[…] also, wie schon gesagt, ein Heim wäre für mich ja nie in Betracht gekommen. Und …", er sah von einem zum anderen, „ja, nun, warum eigentlich nicht?" […]

## 2 Zeitstrukturen

  **1** Über Vergangenes berichten: Plusquamperfekt und Präteritum

20  Ü7

**a)** Sehen Sie sich die Zeichnungen an. Was passierte zuerst, was danach?

**b)** Welcher Teilsatz gehört zu welcher Zeichnung? Markieren Sie das Plusquamperfekt.

1. ▨ Nachdem die Mutter Kakao gekocht hatte, 2. ▨ trank sie mit Evi Kakao.

 **c)** Plusquamperfekt üben

Nachdem wir zu Hause angekommen waren,

konnten wir etwas essen.
packten wir die Koffer aus.
legten wir uns sofort ins Bett.
riefen wir unsere Eltern an.
…

 **2** Plusquamperfekt. Ergänzen Sie Regel.

20  Ü8

**Regel** Was zuerst passierte, steht im ................................... . Was danach passierte,

steht im ................................... .
Das Plusquamperfekt bildet man mit *haben*

oder *sein* im ................................... und dem

................................... II des Verbs.

> **!** **Lerntipp**
> *Haben* oder *sein* setzt man wie beim Perfekt ein!

**3** **Kettengeschichten.** Im Café. Arbeiten Sie zu zweit. Schreiben Sie die Geschichte.

 Ü9

**1.**
Tisch finden /
einen Kaffee
bestellen

**3.**
bezahlen /
ein Taxi rufen

**2.**
Kellner, Kaffee
bringen / Zeitung
lesen

**4.**
im Taxi wegfahren /
Schirm vermissen

*Nachdem sie einen Tisch gefunden hatte, bestellte sie einen Kaffee.*
*Nachdem der Kellner …*

# 3 Zeitpunkte in der Vergangenheit

 **1** **Einen Zeitpunkt nennen: Nebensätze mit *seit***

Ü10

**a) Nebensätze mit *seit* üben.**

Seit wann …
… spielen Sie Fußball?
… gehen Sie zum Tanzkurs?
… haben Sie dieses große Auto?
… kommen Sie nur am Wochenende nach Hause?
… gehen Sie gerne zum Wandern in die Berge?
… lernen Sie Deutsch?
…

Seit ich …
… im Lotto gewonnen habe!
… in München lebe.
… in Hamburg studiere.
… eine/n neue/n Freund/in habe.
… sieben bin!
… in Deutschland arbeite.
…

 **b) Sehen Sie sich das Beispiel an und beantworten Sie die Fragen in einem Satz.**

<u>Seit</u> Oma viele Dinge (vergisst), macht sie sich Sorgen.

Oma macht sich Sorgen, <u>seit</u> sie viele Dinge (vergisst).

*Seit Oma älter geworden ist, nennt sie …*

1. Seit wann nennt Oma den Vater wieder Berti? (Sie ist älter geworden.)
2. Seit wann ist Vera unzufrieden? (Oma lebt mit ihnen im Haus.)
3. Seit wann notiert Evi die blauen und die grauen Tage? (Oma hat Probleme mit dem Gedächtnis.)
4. Seit wann freut sich Oma über jeden blauen Tag? (Evi führt ein Merkbuch.)
5. Seit wann macht sich Evi Sorgen um Oma? (Oma will in ein Altersheim ziehen.)

**c) Unterstreichen Sie den Nebensatz mit *seit* und markieren Sie das Verb.**

 **2** **Aussprache von *ch*: versprechen – versprochen.** Hören Sie zu, sprechen Sie nach

1.42 Ü11 **und ergänzen Sie die Regel.**

ein Buch suchen – es auch machen – in Wut gebracht –
sie hatte es doch versprochen
versprechen – lächeln – in Tränen ausbrechen – mich nicht
fürchten – manchmal – ich möchte – wichtig

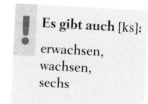

**!** **Es gibt auch [ks]:**
erwachsen,
wachsen,
sechs

**Regel** Nach den Vokalen ..*au*.. , ……… , ……… , ……… spricht man
ein [x] wie in *versprochen*.

 **3** **Eine Geschichte vorlesen – Pausen machen**

1.43

**a) Hören Sie, sprechen Sie nach und markieren Sie die Pausen.**

[…] „Was wolltest du denn mit mir besprechen?" | fragte Evi. |
„Ja", Oma wühlte in den Einkäufen, „ich habe mir was überlegt."
Sie legte das kleine Notizbuch vor Evi auf den Tisch.
    „Das ist unser Merkbuch, Evi. Ich möchte, dass du ab heute
jeden blauen und jeden grauen Tag notierst."

**b) Lesen Sie den Text vor und machen Sie an allen markierten Stellen eine Pause. Achten Sie darauf, dass Sie den Text dazwischen flüssig sprechen.**

# 4 Vier Generationen unter einem Dach

**1.44**

**1** **Stefanie Sonnbichler (31) erzählt. Hören Sie das Interview und kreuzen Sie die richtigen Aussagen an.**

1. ☐ Ich wohne in Sankt Johann.
2. ☐ Ich habe drei Schwestern.
3. ☐ Wir wohnen alle im Haus unserer Großeltern.
4. ☐ Der Bruder meiner Mutter lebt auch mit auf dem Bauernhof.
5. ☐ Wir Kinder haben den ganzen Tag gespielt und mussten nicht helfen.
6. ☐ In der Küche meiner Großmutter gab es immer etwas zum Naschen.
7. ☐ Heute leben hier vier Generationen unter einem Dach.

**12 Ü13–14**

**2** **Strukturen erkennen**

**a) Lesen und vergleichen Sie. Markieren Sie die Possessivartikel.**

Wer bin ich?

 Das ist Stefanie.　 Das ist ihr Mann.　Bello ist der Hund ihres Mannes.

 Das ist Franz.　 Das ist sein Kind.　Rex ist der Hund seines Kindes.

 Das ist Stefanie.　 Das ist ihre Mutter.　Max ist der Hund ihrer Mutter.

 Das ist Franz.　 Das sind seine Kinder.　Rex ist der Hund seiner Kinder.

**b) Markieren Sie auch die Possessivartikel in Aufgabe 1. Übertragen Sie die Tabelle in Ihr Heft und ergänzen Sie sie.**

**Minimemo**
der/das
→ Genitiv -es
die/die
→ Genitiv -er

**Grammatik**

|  | Nominativ | Genitiv | |
|---|---|---|---|
|  | *der/das, (die)* | *der/das* | *die/die (Pl.)* |
| ich | mein(e) | meines | … |
| du | dein(e) | … | deiner |
| er/es | sein(e) | … | … |
| sie | ihr(e) | ihres | … |
| wir | unser(e) | unseres | … |
| ihr | euer (eure) | eures | eurer |
| sie/Sie | ihr(e)/Ihr(e) | … | … |

**c) Worüber spricht Stefanie? Schreiben Sie Sätze wie im Beispiel.**

die Zeit – die Kindheit, das Haus – die Großeltern,
der Bruder – die Mutter, die Geburt – der Sohn,
der Hund – das Kind

*Stefanie spricht über die Zeit ihrer Kindheit.*

# 5 Kinderträume

### 1 „Ich wäre gern ein Huhn"

Die Autorin Beatrix Schnippenkoetter hat für ihr Kinder- und Jugendsachbuch „Ich wäre gern ein Huhn – Was Kinder aus aller Welt erleben und sich erträumen" Interviews mit Kindern aus vielen Ländern der Erde geführt.

**Hier sind einige Antworten der Kinder auf die Frage nach ihrem größten Wunsch. Und welche Träume hatten Sie als Kind?**

| | |
|---|---|
| Songül aus der Türkei: | „Ich würde gerne um die Welt reisen." |
| Emmanuel aus Angola: | „Ich möchte gern in Europa oder Amerika studieren." |
| Aidai aus Kirgisistan: | „Ich möchte gern nach Disneyland." |
| Melissa aus der Schweiz: | „… dass der Winter im Engadin nicht so lange dauert." |
| Maddalena aus Italien: | „Ich wäre gerne 16, dann könnte ich in die Disko gehen." |

*Als Kind wollte ich auch immer …*

*Als Kind wollte ich unbedingt …*

*Ich wollte auf keinen Fall …*

1.45

### 2 Ein Interview mit Britta

**a)** Lesen Sie die Interviewfragen aus den Fragebögen A und B. Hören Sie die Antworten und notieren Sie Stichpunkte.

**A   Meine Kindheit**

1. Was haben Sie als Kind am liebsten gemacht?
2. Was war ein besonders schöner Moment in Ihrer Kindheit?
3. Was hat Ihnen als Kind nicht gefallen?
4. Was hätten Sie als Kind gerne schnell gelernt?
5. Wie alt wären Sie mit zehn gerne gewesen und warum?

**B   Mein Leben heute**

1. Was machen Sie zurzeit am liebsten?
2. Was war in diesem Jahr ein besonders schöner Moment?
3. Was hat Ihnen in diesem Jahr nicht gefallen?
4. Was möchten Sie jetzt gerne schnell lernen?
5. Wie alt wären Sie jetzt gern und warum?

**b)** Berichten Sie über das Interview. Was sagt Britta über ihre Kindheit, was sagt sie über ihr Leben heute?

*Britta sagt, dass …*

**c)** Machen Sie das Interview abwechselnd mit Ihrem Partner / Ihrer Partnerin.

### 3 Meine Kindheitswünsche. Schreiben Sie einen Text.

**Ich-Texte schreiben**

Als Kind wollte ich am liebsten …
Besonders schön war für mich, dass/wenn …
Aber es gefiel mir gar nicht, wenn ich ….
Am liebsten wollte ich ganz schnell …
Außerdem wollte ich sehr gerne … alt sein, weil man dann …

# Übungen 8

**1** **Vermutungen äußern.** Ordnen Sie die Bilder den Sätzen zu und schreiben Sie Sätze wie im Beispiel.

Es könnte sein, dass … – Vielleicht … – Vermutlich …

1. ☐ Seine Frau hat ihn verlassen.
2. ☐ Sie hat das Geld vergessen.
3. ☐ Er hat seinen Job verloren.
4. ☐ Die BahnCard ist weg.
5. ☐ Er hat Geburtstag.
6. ☐ Er hat eine Prüfung bestanden.

*1. Es könnte sein, dass seine Frau ihn verlassen hat.*

**2** **Tipps gegen das Vergessen.**
Ordnen Sie zu.

### Tipps gegen das Vergessen

1. Kleben Sie einen Zettel mit dem Hinweis „Schlüssel nicht vergessen" an die Bürotür.
2. Speichern Sie am besten Ihre Nummer unter dem Eintrag „eigene Nummer".
3. Wenn man dahin zurückgeht, woher man kam, fällt einem wieder ein, was man wollte.
4. Schreiben Sie wichtige Termine in einen Taschenkalender.

☐ *Ich lasse manchmal meine Wohnungsschlüssel im Büro liegen.*

☐ *Ich habe meinen Zahnarzttermin verpasst.*

☐ *Manchmal stehe ich vorm Kühlschrank und weiß nicht mehr, was ich da wollte.*

☐ *Ich kann mir meine eigene Handynummer nicht merken.*

**3** Lesen Sie die Aussagen. Welche Aussagen sind richtig? Kreuzen Sie an. Überprüfen Sie Ihre Lösung mit dem Text auf Seite 139 und korrigieren Sie die falschen Sätze.

1. ☐ Evi hat Oma im Park gefunden.
2. ☐ Die Eltern haben sich Sorgen um Oma gemacht.
3. ☐ Der Vater fragt Oma, wo sie gewesen ist.
4. ☐ Oma hat früher auch alles vergessen.
5. ☐ Der Vater findet es nicht gut, dass Oma so viel vergisst.
6. ☐ Die Familie trinkt Kakao und redet über Omas Problem.

**4** **Eine Woche aus Evis Notizbuch.** Welche Farbe trägt Evi ein?
Ergänzen Sie *blau* oder *grau*.

Montag, 4. Juni: _____*blauer*_____ Tag
Oma war heute Vormittag beim Arzt. Danach hat sie mich von der Schule abgeholt und wir haben ein Eis gegessen. Am Abend haben wir zusammen ferngesehen.

Dienstag, 5. Juni: _____ Tag
Oma hat mir heute beim Vokabellernen geholfen. Wenn sie so weiter macht, kann sie auch bald Englisch! Danach sind wir noch im Park spazieren gegangen und sie hat mir wieder von Opa erzählt. Ich glaube, er fehlt ihr sehr.

Mittwoch, 6. Juni: _____ Tag
Oma hat Mama erzählt, dass sie gern mit anderen alten Menschen in einer Wohngemeinschaft leben würde. Mama hat zuerst gedacht, dass Oma wieder einen schlechten Tag hat, aber dann hat sie gemerkt, dass Oma es ganz ernst meint.

Donnerstag, 7. Juni: _____ Tag
Heute stand Oma in der großen Pause plötzlich auf unserem Schulhof. Meine Freundin Lara hat mich gleich geholt. Ich habe dann Papa angerufen. Er hat Oma wieder nach Hause gebracht.

Freitag, 8. Juni: _____ Tag
Heute Nachmittag waren wir alle im Schwimmbad. Oma ist auch mitgefahren. Ich wusste gar nicht, dass sie so gut schwimmen kann. Dann haben wir zu Hause eine Pizza gemacht.

Samstag, 9. Juni: _____ Tag
Heute Morgen wollte Oma unseren Opa am Bahnhof abholen. Sie hatte sich schon den Mantel angezogen und war auf dem Weg zur Tür, als Vera vom Markt nach Hause kam. Oma hat mit Vera geschimpft, weil sie sie nicht gehen ließ.

Sonntag, 10. Juni: _____ Tag
Als wir heute Morgen aufgestanden sind, hatte Oma schon Frühstück gemacht. Wir haben uns sehr gefreut, aber als Papa sein Ei essen wollte, merkte er, dass es nicht gekocht war. Oma sah ganz traurig aus.

**5** **Texte verstehen.** Was bedeuten die Sätze? Ordnen Sie zu.
Der Text auf Seite 141 hilft.

1. ▢ Mein Haus ist groß. Allein *kann* ich *es nicht halten.*
2. ▢ Die Arbeit ist mir längst *über den Kopf gewachsen.*
3. ▢ Das Altersheim *läuft* uns *nicht weg.*
4. ▢ Herr Ronnebach saß da *wie vom Donner gerührt.*

a) Das können wir später immer noch machen.
b) Ich kann hier nicht mehr allein wohnen.
c) Er war völlig überrascht.
d) Allein schaffe ich das nicht mehr.

**6** Frau Klapproth schreibt einen Brief an ihren Sohn Erich. **Ergänzen Sie den Brief.**

Verben: helfen – kennen – eingezogen – erinnern – versuchen – wohnen – beschlossen

Nomen: Zimmer – Besuch – Monaten – Gemüse – Altersheim – Sorgen – Lebens – ~~Nachrichten~~ – Wohngemeinschaft – Papa

Adjektive: alt – herzliche – krank

Lieber Erich,

wie geht es dir? Was machen Ingeborg und die Kinder? Mir geht es sehr gut, denn ich habe gute _____Nachrichten_____ [1]. Du weißt doch, dass ich mir immer _____ [2] mache und nicht weiß, wie lange ich in dem großen Haus noch alleine _____ [3] kann. Ich möchte auf keinen Fall in ein _____ [4]. Schließlich habe ich mehr als die Hälfte meines _____ [5] hier verbracht!

Gestern hatte ich _____ [6] von zwei Bekannten, Frau Perges kennst du ja, und Herrn Ronnebach. An den kannst du dich vielleicht auch noch _____ [7], oder? Wir haben _____ [8], zusammen in meinem Haus zu wohnen. Wir _____ [9] uns zwar nicht so gut, aber wir wollen keine Zeit verlieren und es einfach _____ [10]. Ich bin natürlich etwas unsicher, denn ich habe noch nie in einer _____ [11] gelebt.

In ein oder zwei _____ [12] ziehen die beiden ein. Vorher müssen wir eure alten _____ [13] natürlich noch etwas renovieren. Und Herr Ronnebach will im Garten wieder _____ [14] anbauen, wie früher, als _____ [15] noch lebte. Ist das nicht toll? Ich muss nicht mehr alleine sein und wir können uns gegenseitig _____ [16], wenn mal einer _____ [17] wird.

Wenn alle hier _____ [18] sind, laden wir euch zur Einweihungsfeier ein. Ich hoffe, dass ihr kommt und euch mit mir freut. Ich bin zwar schon _____ [19], aber ich weiß noch genau, was ich tue!

_____ [20] Grüße

deine Mutter

**a) Was bedeuten die Wörter? Ordnen Sie zu. Arbeiten Sie mit dem Wörterbuch.**

| | | |
|---|---|---|
| blättern **1** | | **a** mehrere Tage |
| sich mit etwas nicht zufrieden geben **2** | | **b** genauso gut |
| tagelang **3** | | **c** von etwas mehr erreichen |
| geradeso gut **4** | | **d** Modell der Erde |
| sich etw. nicht anmerken lassen **5** | | **e** im Buch die Seiten „umdrehen" |
| der Globus **6** | | **f** eine Emotion nicht zeigen |

**b) Lesen Sie den Text und markieren Sie die Verben im Präteritum. Ergänzen Sie dann die Tabelle.**

### Die Erde ist rund

*Peter Bichsel*

E in Mann, der weiter nichts zu tun hatte, nicht mehr verheiratet war, keine Kinder mehr hatte und keine Arbeit mehr, verbrachte seine Zeit damit, dass er sich alles, was er wusste, noch einmal überlegte. Er gab sich nicht damit zufrieden, dass er einen Namen hatte, er wollte
5 auch genau wissen, warum und woher. Er blätterte also tagelang in alten Büchern, bis er darin seinen Namen fand.

Dann stellte er zusammen, was er alles wusste, und er wusste dasselbe wie wir. […]

Die Erde ist rund, das wusste er. […]
10 „Das weiß ich", sagte er, „aber das glaube ich nicht, und deshalb muss ich es ausprobieren."

„Ich werde geradeaus gehen", rief der Mann, der weiter nichts zu tun hatte, denn wer nichts zu tun hat, kann geradeso gut geradeaus gehen.

Nun sind aber die einfachsten Dinge die schwersten. Vielleicht wuss-
15 te das der Mann, aber er ließ sich nichts anmerken und kaufte sich einen Globus. Darauf zog er einen Strich von hier aus rund herum und zurück nach hier.

Dann stand er vom Tisch auf, ging vor sein Haus, schaute in die Richtung, in die er gehen wollte, und sah da ein anderes Haus. […]

| Infinitiv | Präteritum | Partizip II |
|---|---|---|
| haben | hatte | (hat) gehabt |

**c) Schreiben Sie Antworten auf die Fragen.**

1. Warum überlegte sich der Mann alles noch einmal?
2. Womit gab sich der Mann nicht zufrieden?
3. Was glaubte der Mann nicht?
4. Warum kaufte sich der Mann einen Globus?
5. Welches Problem hatte der Mann gleich am Anfang seiner Reise?

*1. Weil er nichts zu tun und viel Zeit hatte.*

**8** **Zuerst und danach.** **Welche Aussage passt? Ordnen Sie zu und verbinden Sie die Sätze wie im Beispiel.**

1. Nachdem ich eine Ausbildung zum Krankenpfleger gemacht hatte, …
2. Nachdem meine Oma im Februar gestorben war, …
3. Als Klaus im Urlaub eine nette Italienerin kennen gelernt hatte, …
4. Nachdem es die ganze Nacht geschneit hatte, …
5. Als ich in Hamburg eine Stelle als Sekretärin gefunden hatte, …

a) Er meldete sich bei der Volkshochschule für einen Italienischkurs an.
b) Ich suchte mir dort eine Wohnung.
c) Am nächsten Morgen war alles weiß.
d) Ich arbeitete in der Klinik.
e) Mein Opa zog im März in ein Altersheim.

*1. Nachdem ich eine Ausbildung zum Krankenpfleger gemacht hatte, arbeitete ich in der Klinik.*

**9** **Schreiben Sie Sätze mit *nachdem* wie im Beispiel.**

1. Ich schreibe den Brief fertig. Ich suche eine Briefmarke.
2. Ich finde die Briefmarke. Ich klebe sie auf den Brief.
3. Ich stecke den Brief in die Tasche. Ich gehe zum Briefkasten.
4. Ich werfe den Brief ein. Ich merke, dass ich die Adresse vergessen hatte.

*1. Nachdem ich den Brief fertig geschrieben hatte, suchte ich …*

**10** **Seit wann …?**

41

a) **Hören Sie die Fragen und ordnen Sie sie den Bildern zu.**

42
b) **Hören Sie die Antworten und schreiben Sie dazu passende Fragen.**

*1. Seit wann …*

**11** [x] oder [k]?

**a) Hören Sie und sprechen Sie nach.**

Nacht – nackt

**b) Hören und ergänzen Sie *ch* oder *ck*. Lesen Sie dann laut.**

ein Bu......... dru.........en

ein Ti......et für die A......terbahn

ko......en und ba......en ohne Zu......er?

über die Ursa......en na......denken

**12** [ç] oder [ʃ]?

**a) Hören Sie und sprechen Sie nach.**

die Kirsche – die Kirche

**b) Hören und ergänzen Sie *ch* oder *sch*. Lesen Sie dann laut.**

1. die Ge......i......te des Lä......elns

2. Gefährli......! Mi......di......ni......t ein!

3. I......für......te mi......ein biss......en vor energi......en Men......en.

4. das dur......nittliche Gewi......t

**13** **Woran erinnern Sie sich? Schreiben Sie Sätze.**

die Jahre – meine Kindheit, das Haus – die Großeltern,
die große Liebe – mein Leben, die Geburt – unser Sohn,
die Träume – meine Jugend, die Familie – mein Mann,
die Freunde – unsere Kinder

*1. Ich erinnere mich
an die Jahre meiner
Kindheit.*

**14** **Meine Familie in Südamerika. Ergänzen Sie die Endungen im Genitiv.**

■ Schau mal, das ist meine Familie. Der Vater

mein*er*.........¹ Mutter ist 1933 nach Brasilien
ausgewandert. Sie ist dort geboren.

◆ Ist sie das, hier links?

■ Ja, das ist meine Mutter. Die junge Dame

neben ihr links ist die Tochter mein.........²
älteren Schwester. Sie sitzt rechts neben
meiner Mutter. Und neben ihr sitzt die Frau

mein.........³ Bruders. Er ist nicht auf dem
Foto, weil er das Foto gemacht hat. Der ältere Mann ganz rechts ist mein Onkel,

der Bruder mein.........⁴ Mutter, und das ist seine Frau.

◆ Und hier – ist das deine Frau?

■ Ja, das ist meine Frau Rocia. Und hier ist unser Sohn Juan. Er ist das älteste Enkel-

kind mein.........⁵ Eltern und der Liebling mein.........⁶ Mutter. Seine Cousins und Cou-

sinen, also Kinder mein.........⁷ Schwester und mein.........⁸ Bruders, sind ganz hinten.

◆ Du hast aber eine große Familie! Das finde ich schön.

## Das kann ich auf Deutsch

### über Lebensabschnitte sprechen

Als Kind habe ich viel draußen gespielt. Jugend heißt für mich, verliebt zu sein.

### einen literarischen Text lesen und verstehen

In dem Text geht es um eine Familie. Sie macht sich Sorgen wegen Omas Vergesslichkeit.
Die wichtigsten Personen im Text sind Evi und ihre Oma.

### Konflikte diskutieren

Oma braucht Hilfe. Wir können nicht ständig auf Oma aufpassen. Ihr dürft sie nicht in ein Heim gehen lassen.
Kannst du nicht zu Hause bleiben? Ich mag aber meinem Job!

## Wortfelder

### Lebensabschnitte

die Kindheit, die Jugend, mittlere Jahre, das Alter

### Familienbeziehungen

sich um jmdn. kümmern, jmdm. helfen, über ein Heim nachdenken, Angst vor Problemen haben, Lösungen suchen, das Zusammenleben organisieren

## Grammatik

### Plusquamperfekt

Nachdem wir **gekocht hatten**, sah die Küche ziemlich schlimm aus.
Nachdem ich die Prüfung **bestanden hatte**, feierten wir eine große Party.

### Nebensätze mit *seit ...*

**Seit** Paul eine neue Freundin hat, geht er in einen Tanzkurs.
Katrin kauft sich ständig neue Kleider, **seit** sie mit Paul in den Tanzkurs geht.

### Vermutungen äußern: *könnte*

Es **könnte** um alte Menschen gehen.

### Possessivartikel im Genitiv

Wir wohnen im Haus **meines** Vaters.
Das ist der Hund **seines** Kindes.
Max ist der Bruder **meiner** Mutter.

### Wiederholung

Präteritum: Er **verbrachte** seine Zeit damit, dass er sich alles, was er **wusste**, noch einmal **überlegte**.

## Aussprache

**Pausen machen**    „Ja“, | Oma wühlte in den Einkäufen, | „ich habe mir ...“

**Wiederholung**    das *ch*: versprochen – versprechen, lachen – lächeln

## 🔊 Laut lesen und lernen

45

Ich hatte eine tolle Kindheit! Vielleicht geht es um Familienprobleme? Ich lasse mich nicht unterkriegen. Bei uns leben alle Generationen unter einem Dach.

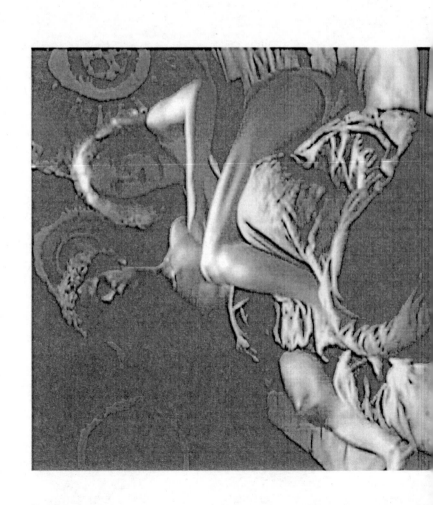

# Zertifikatstraining

**Leseverstehen, Teil 2 (Detailverstehen)**

Lesen Sie den Zeitungsartikel und lösen Sie dann die Aufgaben 1–4.
Sie haben ca. 25 Minuten Zeit.

## Alles unter einem Dach

In Deutschland gibt es ca. 200 Mehrgenerationenhäuser. Die ersten sind im Jahr 2003 entstanden. Mehrgenerationenhäuser sind offene Treffpunkte für Jung und Alt, in denen verschiedene Generationen zusammenkommen und sich gegenseitig helfen. Die älteren Generationen geben ihr Wissen und ihre Erfahrungen an die jüngeren Generationen weiter.

Mehrgenerationenhäuser bieten Leistungen an, die den Alltag von Familien leichter machen, wie z. B. eine Kinderbetreuung. Oft gibt es auch weitere Angebote von Tagesmüttern und -vätern, Babysittern oder Leihgroßeltern. Solche Häuser sind Orte, an denen sich Eltern und Menschen aller Lebensalter über Fragen des täglichen Lebens, z. B. auch der Kindererziehung austauschen können. Auf diese Weise gehen die Erfahrungen, die von Generation zu Generation weitergegeben werden, nicht verloren.

Außerdem gehören zu den Leistungen der Mehrgenerationenhäuser Altenservice mit Tagesbetreuung, Haushaltshilfe, Sprach- und Computerkurse, verschiedene Seminare, Ferienangebote für Familien mit Kindern und Schülercafés.

Die Cafés bieten meistens Frühstück, Mittagessen sowie Kaffee und Kuchen an. So bringen die Mehrgenerationenhäuser mit gesunden Gerichten zu günstigen Preisen nicht nur alle Generationen an einen Tisch, sondern sie können auch berufstätigen Eltern und Alleinerziehenden die Organisation des Alltags leichter machen. Auch älteren Menschen geben sie die Möglichkeit, neue Leute kennen zu lernen und zu treffen.

**Lösen Sie die Aufgaben 1 bis 4 und kreuzen Sie die richtige Lösung (a, b oder c) an.**
**Achtung: Die Reihenfolge der einzelnen Aufgaben folgt nicht immer dem Text!**

1. Das Mehrgenerationenhaus
a) ist eine Wohngemeinschaft.
b) bietet Kinderbetreuung an.
c) ist ein Haus, in dem viele Generationen wohnen.

2. Die berufstätigen Eltern
a) haben nicht viel Geld für gesundes Essen.
b) organisieren den Alltag der älteren Menschen.
c) können in einem Mehrgenerationenhaus Hilfe bei der Kindererziehung finden.

3. Die älteren Menschen
a) geben ihre Kontakte weiter.
b) lernen niemanden kennen.
c) geben ihre Erfahrungen an jüngere Generationen weiter.

4. In Deutschland
a) existieren bereits ca. 200 Mehrgenerationenhäuser.
b) gab es bis 2003 nur ein Mehrgenerationenhaus.
c) gibt es wenig Hilfe für alte Menschen.

## 1 Deutschland – ein Land für Aus- und Einwanderer

**1 Thema Migration**

**a) Was sehen Sie auf den Fotos?**

**b) Vermutungen äußern. Kreuzen Sie an.**

| 1. Wohin wanderten die meisten Deutschen aus? | 2. Wie viele Migranten leben heute in Deutschland? | 3. Aus welchem Land kommen die meisten in Deutschland lebenden Migranten? |
|---|---|---|
| ▪ In die USA. | ▪ Zwei Millionen. | ▪ Aus der Schweiz. |
| ▪ Nach Australien. | ▪ Fünf Millionen. | ▪ Aus Italien. |
| ▪ Nach Brasilien. | ▪ Sieben Millionen. | ▪ Aus der Türkei. |

**2 Migration in Deutschland**

Ü1

**a) Lesen Sie die Texte. Sehen Sie sich die Fotoleiste an und ordnen Sie die Texte den Fotos zu.**

Für das „Wirtschaftswunder" in den 50er Jahren brauchten deutsche Firmen dringend Arbeitskräfte. Sie ließen sie z.B. in Italien, Spanien, Portugal oder in der Türkei anwerben. Am 10. September 1964 bekam der millionste Gastarbeiter in Deutschland, der Portugiese Armando Rodrigues, bei seiner Ankunft in Köln ein Motorrad geschenkt. Rodrigues kehrte später in seine Heimat zurück, aber viele der sogenannten Gastarbeiter sind geblieben. Heute leben mehr als sieben Millionen Migranten in Deutschland. Die meisten kommen aus der Türkei.

**1**

Im 19. Jahrhundert wanderten viele Menschen aus Deutschland und anderen Ländern Europas aus. Es gab viele Gründe für die Auswanderung: fehlender Landbesitz, hohe Arbeitslosigkeit, religiöse oder politische Verfolgung, oder einfach der Wunsch nach mehr Freiheit. Viele Menschen, deren Verwandte und Freunde schon ausgewandert waren, reisten diesen voller Hoffnung nach. Die meisten Auswanderer gingen nach „Übersee". Obwohl die Reise teuer und gefährlich war, schifften sich bis 1914 ca. vier Millionen Deutsche in die USA, 89 000 nach Brasilien, 86 000 nach Kanada und 56 000 nach Australien ein.

**2**

AUSWANDERUNG · EINWANDERUNG · AUSWANDER

a) ▪      b) ▪

## Hier lernen Sie

▶ über Migration und Fremdheit sprechen
▶ über Probleme, Ängste und Hoffnungen sprechen
▶ das Verb *lassen*
▶ die Passiversatzform *man*
▶ Relativpronomen im Genitiv
▶ das *r* und das *l*
▶ Wdh.: Passiv

Mit dem Beginn der Industrialisierung Ende des 19. Jahrhunderts wurden Arbeitskräfte in Deutschland knapp. Deshalb wanderten Menschen aus Polen, die dort keine Arbeit fanden, nach Deutschland ein. Die meisten von ihnen zogen ins Ruhrgebiet und arbeiteten im Bergbau oder in der Stahlindustrie. Man erkennt die Deutschen, deren Vorfahren aus Polen kamen, an ihren Familiennamen mit -ski oder -tz-, wie z. B. Sakschewski. Ab 1933 mussten viele Juden, Kommunisten, Wissenschaftler und Künstler Deutschland verlassen, weil sie von den Nazis verfolgt wurden. Diese Emigranten gingen u. a. in die USA, nach Südamerika, in die Türkei oder nach Skandinavien.

**3**

Seit Ende der 1980er Jahre sind mehr als zwei Millionen deutsche Spätaussiedler aus Russland, Rumänien oder Kasachstan nach Deutschland gekommen. Zurzeit wandern jährlich wieder über 100 000 Deutsche aus. Die Schweiz und die USA sind die beliebtesten Ziele. Viele Auswanderer suchen aber auch Arbeit in den Nachbarländern Polen und Österreich oder auf den britischen Inseln. Die meisten wollen irgendwann nach Deutschland zurückkehren.

**4**

**b) Sammeln Sie Informationen aus den Texten.**

1. Gründe für die Auswanderung
2. Länder, aus denen Menschen nach Deutschland eingewandert sind
3. Länder, in die Deutsche früher eingewandert sind
4. Länder, in denen Deutsche heute Arbeit suchen
5. Zahlen: im 19. Jahrhundert, 1933, 1980er, 100 000

**3** **Gründe für Migration.**
Ü 2–3 **Sammeln Sie in der Gruppe und diskutieren Sie dann im Kurs.**

**Redemittel** **über Migration sprechen**

Die Menschen verlassen ihr Land, weil …
Sie sind unzufrieden mit …, deshalb …
Sie haben Angst, dass …
Das größte Problem ist wahrscheinlich …
Sie wollen … / Sie hoffen … / Sie wünschen sich …

**EINWANDERUNG**

**AUSWA**

c)

d)

**Auf der Suche nach dem Glück in der Ferne**

So viele Deutsche wanderten aus (in 1 000)

| | |
|---|---|
| 1960 | |
| 1970 | |
| 1980 | |
| 1990 | |
| 2000 | |
| '05 | 145 |

94
61
54
109
111

Die beliebtesten Ziele 2005
(Zahl der Auswanderer)

| | |
|---|---|
| Schweiz | 14 410 |
| USA | 13 570 |
| Österreich | 9 310 |
| Polen | 9 230 |
| Großbritannien | 9 010 |
| Spanien | 7 320 |
| Frankreich | 7 320 |
| Italien | 3 440 |
| Niederlande | 3 400 |
| Kanada | 3 030 |
| Türkei | 2 800 |
| Australien | 2 510 |
| Belgien | 2 490 |
| Russland | 2 420 |
| China | 2 030 |

Quelle: Stat. Bundesamt          bis 1990 früheres Bundesgebiet

## 2 Migrationsgeschichten

**1** „Solino". **Worum könnte es in dem Film gehen?**

*Solino könnte eine Liebesgeschichte sein.*

**2** Filmbilder

**a)** Zu welchen Textstellen passen die Fotos? Markieren Sie.

## „Ein Film wie ein dampfender Teller Spaghetti" (Gala)

**1964** wandert Familie Amato von Italien ins Ruhrgebiet aus. Vater Romano hat vom Wirtschaftswunder gehört und hofft auf ein besseres Leben in Deutschland. Die Amatos kommen in Duisburg an, aber alles
5 ist so anders als in Italien: die Wohnung, das Wetter, das Obst und Gemüse. Deshalb ist Mama Rosa unzufrieden. Romano gefällt die Arbeit im Bergwerk nicht. Dann hat Rosa eine Idee: Sie will für die vielen italienischen Gastarbeiter, deren Frauen in Italien geblieben
10 sind, eine Pizzeria eröffnen, die erste Pizzeria im Ruhrgebiet! Rosa nennt das Lokal wie ihre Heimatstadt in Italien: „Solino". Während Romano die Gäste bedient, lässt er Rosa allein in der Küche arbeiten. Die Söhne Gigi und Giancarlo lernen Deutsch von ihrer Freundin
15 Jo und verlieben sich beide in sie. Als eines Tages eine Filmcrew im „Solino" isst, ist Gigi begeistert. Er träumt davon, später selbst Filme zu machen.

**1974** sind Gigi und Giancarlo erwachsen. Romano lässt sich von seinen Söhnen im Restaurant helfen.
20 Gigi und Giancarlo ziehen zusammen mit Jo in eine WG. Gigi dreht seinen ersten Dokumentarfilm. Die Ehe der Eltern zerbricht. Als Rosa krank wird, geht Gigi mit ihr nach Italien zurück. Sein Bruder bleibt in Deutschland. Aber Gigis Film gewinnt den ersten Preis
25 bei den Ruhrfilmtagen. Gigi bittet Giancarlo, sich um die Mutter in Italien zu kümmern, damit er den Preis in Empfang nehmen kann. Giancarlo kommt nicht, sondern lässt sich selbst für den Preis feiern. Die Brüder streiten deshalb und sehen sich die nächsten zehn
30 Jahre nicht. Gigi verliebt sich in Ada, eine schöne Italienerin. Deshalb entschließt er sich, in Italien zu bleiben, aber er muss erst wieder lernen, Italienisch wie ein Italiener zu sprechen. Gigi, dessen Traum es war, Regisseur zu werden, eröffnet mit Ada ein Kino in Solino.

**1984** …

**b)** Personen und Informationen zuordnen: Rosa, Romano, Gigi, Giancarlo oder Jo? Ordnen Sie zu.

.................................... möchte Regisseur werden.

.................................... lässt andere im Restaurant für sich arbeiten.

.................................... kocht für die italienischen Gastarbeiter.

.................................... ist mit den Brüdern befreundet.

.................................... geht zur Preisverleihung.

**3 Angekommen!?** Welche Probleme hat Familie Amato in Deutschland? Sammeln Sie.

> Vater Romano hofft ...

> Alles ist ...

> Mama Rosa ist ...

**4 Wie könnte die Geschichte weitergehen?** Schreiben Sie das Ende der Geschichte.

> 1984 ist Mutter Rosa wieder gesund und Gigi und Ada ...

**5 Und Sie?** Wann und wo haben Sie sich schon einmal fremd gefühlt?

> Ich habe mich fremd gefühlt, als ...

> Fremd sein? Das Gefühl kenne ich nicht.

**6 Regisseur Fatih Akın über seinen Film.** Warum hat er den Film gemacht?
Ü4 Lesen und berichten Sie.

> *Fatih Akın, dessen Eltern aus der Türkei kommen, wurde 1973 in Hamburg-Altona geboren. Er ist ein sehr erfolgreicher Regisseur, Schauspieler und Produzent in Deutschland.*

**Was hat Sie an dem Drehbuch zu „Solino"
so fasziniert?**

5 **Akın:** Das Drehbuch war einfach wie maß-
geschneidert für mich! Schon beim Lesen
wusste ich: Das muss ich machen! Da geht es
um Gastarbeiter, die Generation meiner Eltern, um Familie, Heimat. Die Amatos hätten
10 ebenso gut Türken sein können. Für mich sind
das einfach Gastarbeiter, unsere Leute! Jetzt
sehe ich den Film auch als Denkmal für die
erste Generation, für meine Onkel und Tanten.

Für manche ein Kultfilmer:
Fatih Akın bei den Dreharbeiten zu „Solino"

# 3 Ich lass das mal die anderen machen!

**1** Romano ist der Chef. Er lässt die anderen arbeiten

 **a)** Fragen und antworten Sie.

| | die Spaghetti kochen? | |
| Von wem lässt er | das Gemüse putzen? | Von Rosa. |
| | die Pizza backen? | |
| | die Tische decken? | |
| | Bestellungen aufnehmen? | Von Gigi und Giancarlo. |
| | das Essen servieren? | |

26.1

**b)** *Lassen* + Infinitiv. Vergleichen Sie die Sätze.

Romano <u>lässt</u> die Pizza (backen). Er backt sie nicht selbst.

Romano lässt Gigi nicht mit den Gästen plaudern. Er plaudert selbst mit ihnen.

**2** **Und Sie?** Was lassen Sie im Alltag andere machen?
Ü5 **Was machen Sie selbst?**

> Ich lasse das Auto reparieren.
> Das mache ich nicht selbst.

> Das Auto repariere ich selbst,
> aber das neue Computerprogramm
> lasse ich installieren.

meine Haare schneiden – das Auto waschen – den Teppich reinigen – die Wohnung putzen – die Schuhe reparieren – die Wäsche waschen – Hemden bügeln – Obst und Gemüse einkaufen – die Wohnung streichen – meine Briefe schreiben …

 **3** Das *r* und das *l*
1.46  Ü6

**a)** Das *l*. Hören Sie und sprechen Sie nach.

Lieber selbst mit den Gästen plaudern und andere spülen lassen.

**b)** Das *r*. Hören Sie und sprechen Sie nach.

Briefe schreiben – Rotwein trinken – den Rock reinigen – einen Tisch im Restaurant reservieren – das Restaurant renovieren – das Fahrrad reparieren – die Rechnung reklamieren

**c)** Lesen Sie laut.

Der Hund ist froh –
ohne Floh.

Der Fakir sitzt auf Glas,
nicht auf Gras.

Wir wohnen auf dem
Land – ganz am Rand.

**4** **Wiederholung Passiv.** Rosas Rezept für
Ü7 Spaghetti Napoletana. **Beschreiben Sie.**

> *Zuerst werden die drei Zwiebeln klein geschnitten und angebraten.*
>
> *Dann werden die …*

– 3 Zwiebeln klein schneiden und anbraten
– 400g Kirschtomaten waschen und halbieren
– die Kirschtomaten zu den Zwiebeln geben
– 4 Knoblauchzehen klein schneiden und in die Pfanne geben
– die Soße mit Salz, Pfeffer und Basilikum abschmecken

**5** **Passiversatzform** *man*
25 Ü8

**a) Markieren Sie den Nominativ (gelb) und den Akkusativ (grün).**

**Aktiv**

Man schneidet die Zwiebeln klein.

Man schmeckt die Soße mit Salz und Pfeffer ab.

**Passiv**

Die Zwiebeln werden klein geschnitten.

Die Soße wird mit Salz und Pfeffer abgeschmeckt.

**b) Beschreiben Sie Rosas Rezept noch einmal. Verwenden Sie** *man.*

**6** **Relativpronomen im Genitiv**
14.1 Ü9

**a) Lesen Sie die Sätze. Markieren Sie die Verben im Nebensatz und
vergleichen Sie.**

**Hauptsatz 1**

Romano hofft auf bessere Lebens-bedingungen.

**Hauptsatz 2**

Sein Freund Franco hat viel über Deutschland erzählt.

**Relativsatz im Genitiv**

Romano, dessen Freund Franco viel über Deutschland (erzählt hat), hofft auf

bessere Lebensbedingungen.

Das Restaurant war die erste Pizzeria im Ruhrgebiet. Sein Name ist „Solino".
Das Restaurant, dessen Name „Solino" ist, war die erste Pizzeria im Ruhrgebiet.

Rosa wollte nicht nach Deutschland. Ihr Vater war gerade gestorben.
Rosa, deren Vater gerade gestorben war, wollte nicht nach Deutschland.

Gigi und Giancarlo treffen sich nach zehn Jahren wieder. Ihre Lebenswege sind
unterschiedlich.
Gigi und Giancarlo, deren Lebenswege unterschiedlich sind, treffen sich nach

zehn Jahren wieder.

**b) Verbinden Sie die Sätze wie in Aufgabe a).**

1. Gigi ist im Dorf sehr beliebt. Sein Kino fasziniert alle.
2. Rosa geht nach Italien. Ihre Gesundheit verschlechtert sich.
3. Gigi und Giancarlo wollen sich in Solino wiedersehen. Ihr Streit hat zehn Jahre gedauert.

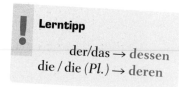

**Lerntipp**

der/das → dessen
die / die *(Pl.)* → deren

# 4 … und deshalb wandern wir aus Deutschland aus

**1** Auf der Suche nach dem Glück in der Ferne. Sehen Sie sich die Grafik an und ergänzen Sie den Text.

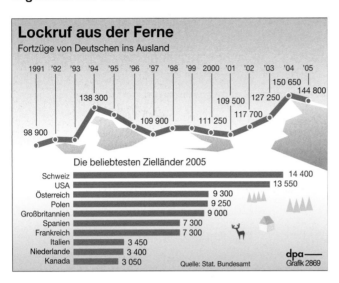

**Lockruf aus der Ferne**
Fortzüge von Deutschen ins Ausland

1991 '92 '93 '94 '95 '96 '97 '98 '99 2000 '01 '02 '03 '04 '05

150 650
144 800
138 300
109 500  127 250
109 900  111 250  117 700
98 900

Die beliebtesten Zielländer 2005

| | |
|---|---|
| Schweiz | 14 400 |
| USA | 13 550 |
| Österreich | 9 300 |
| Polen | 9 250 |
| Großbritannien | 9 000 |
| Spanien | 7 300 |
| Frankreich | 7 300 |
| Italien | 3 450 |
| Niederlande | 3 400 |
| Kanada | 3 050 |

Quelle: Stat. Bundesamt

dpa
Grafik 2869

Die meisten Deutschen wanderten wegen der Arbeitslosigkeit aus. Fast 145 000 verließen im Jahr

............................ [1] Deutschland. Das waren fast 35 000 mehr als

im Jahr ............................ [2]. Der Anfang wird leichter, wenn man die Sprache im neuen Land schon kann. Das spricht für

............................ [3] (9 300 Auswanderer), und zum Teil für die

............................ [4] als Zielland,

die mit ............................ [5] Auswanderern am begehrtesten ist. Fast ebenso viele

Deutsche sind in die ............................ [6] ausgewandert, obwohl sie dort eine andere Sprache sprechen müssen. Für viele sind die USA eben nach wie vor das Land der

unbegrenzten Möglichkeiten. ............................ [7] Deutsche packten 2005 die Koffer, um dort ihr Glück zu suchen.

**2** Bernd Reichelt und Mandy Haschke haben es geschafft. Hören Sie die Interviews und sammeln Sie Informationen zu den Stichpunkten.

1.47

*Immer der Arbeit nach*

**BERND REICHELT** (49) ist im September 2007 von Berlin nach Kristiansand in Norwegen ausgewandert.

- Gründe
- größtes Problem
- Freunde
- Zufriedenheit
- Rückkehr?

**Norwegen**

**Österreich**

**MANDY HASCHKE** (23) arbeitet seit Ende 2006 in einem Hotel in Tirol.

- Gründe
- Jobsuche
- Freunde
- Zufriedenheit
- Rückkehr?

**3** Auswanderer in Ihrem Land. **Was könnte für sie fremd sein? Worüber würden sie sich wundern? Womit hätten sie Probleme?**

*Also, bei uns ...*

1.48

**4** Im Ausland

a) **Hören Sie die Interviews. Machen Sie eine Tabelle und sammeln Sie.**

|  | sie vermisst | was neu ist |
|---|---|---|
| Katarzyna |  |  |
| Emily |  |  |

Katarzyna und Emily

b) **Welche Personen und Dinge würden Sie vermissen / vermissen Sie?**

**5** Auch Wörter können auswandern.
**Lesen Sie die Beispiele. Gibt es ausgewanderte Wörter auch in Ihrer Sprache?**

**Schlafstunde** – *Hebräisch für* Mittagsruhe
Schlafstunde – die Zeit von 14 bis 16 Uhr, in der die Kinder keinen Lärm machen dürfen [...]

**Uber** [juber] **(über)** – *Englisch für* super, toll, spitze
In der englischen Jugendsprache wird „uber" als Steigerungsform von „super" oder „mega" benutzt.

**Gesundheit** – *Amerikanisches Englisch für* Gesundheit!
Im Englischen sagt man üblicherweise „bless you", wenn jemand geniest hat. [...] In den USA wird als nicht-religiöse Alternative oft „Gesundheit" gesagt.

**Buterbrod** – *Russisch für* Butterbrot
Auch in Russland ist das ein mit Käse oder Wurst belegtes Brot. Aber meistens ohne Butter!

**Schiebedach** – *Farsi für* Schiebedach
Zumindest in der Umgangssprache hat sich das Wort im Iran durchgesetzt. Man sieht, Deutsch und Autos gehören zusammen.

**Anzug** – *Bulgarisch für* Haus- oder Trainingsanzug
In Bulgarien hat dieses deutsche Wort seine eigene Bedeutung bekommen. Der elegante Anzug heißt hier „kostjum".

**1** Ein- und Auswanderung – vier Beispiele

**a)** Lesen Sie die Texte und sehen Sie sich die Zeitleiste auf den Seiten 154 und 155 an. Ordnen Sie die Texte chronologisch.

**Nelly Sachs** (1891–1970) war deutsche Schriftstellerin. Im Zweiten Weltkrieg ging sie ins Exil nach Schweden, weil sie Jüdin war.

b

a

**Martin Becker** war als Arzt in Deutschland nicht mehr zufrieden. Deshalb wanderte er mit seiner Frau 2001 nach England aus. Dort fühlt er sich sehr wohl.

c

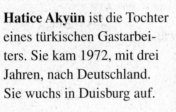

**Hatice Akyün** ist die Tochter eines türkischen Gastarbeiters. Sie kam 1972, mit drei Jahren, nach Deutschland. Sie wuchs in Duisburg auf.

d

**Johann August Sutter** (1803–1880) war Schweizer. Er verließ seine Heimat, denn er hatte große geschäftliche Probleme. In Amerika suchte er sein Glück.

46

**b)** Hören Sie den Radiobericht „Auf und davon". Welche Aussagen sind richtig? Kreuzen Sie an.

**1. Hatice Akyün**

a) ⬚ Hatice Akyün lebt in Deutschland, weil ihre Großeltern als Gastarbeiter nach Berlin gekommen sind.

b) ⬚ Ihre Eltern sprechen nur wenig Deutsch, denn sie haben nie einen richtigen Kurs gemacht.

c) ⬚ Akyün spricht nicht so gut Türkisch, deshalb schreibt sie auf Deutsch.

**2. Johann August Sutter**

a) ⬚ J. A. Sutter verließ 1834 Bern, um ein neues Leben in Amerika zu beginnen.

b) ⬚ Seine Familie begleitete ihn.

c) ⬚ Er fand Gold auf seinem Land und wurde sehr reich.

**3. Martin Becker**

a) ⬚ Martin Becker wanderte nach England aus, weil er in Deutschland arbeitslos war.

b) ⬚ In England hat er bessere Arbeitsbedingungen und verdient auch mehr.

c) ⬚ Seine Familie lebt noch in Deutschland.

**4. Nelly Sachs**

a) ⬚ Nelly Sachs konnte nach 1933 in Deutschland keine Gedichte mehr veröffentlichen, weil sie Jüdin war.

b) ⬚ Sie interessierte sich für die jüdische Kultur.

c) ⬚ Im schwedischen Exil schrieb sie nicht mehr.

## 2 Im Migrationsmuseum

**a) Lesen Sie den Text und die Erklärungen. Ordnen Sie die unterstrichenen Wörter zu.**

1. Menschen werden wegen ihres Glaubens verfolgt:

   *religiöse Verfolgung*

2. Person, die für eine bestimmte Zeit im Ausland arbeitet:

   ..................................................

3. ein anderes Wort für Ein- und Auswanderung:

   ..................................................

4. Menschen werden wegen ihrer politischen Meinung verfolgt:

   ..................................................

5. Geschichten von Menschen, die ausgewandert sind:

   ..................................................

**Haus der Geschichte Baden-Württemberg**

**Dauerausstellung
Ein-Wandererland**

Das Thema in diesem Teil der Ausstellung ist <u>die Migration</u> in Baden-Württemberg. Man sieht große, offene Koffer, in denen Briefe, Fotos und persönliche Sachen verschiedene <u>Migrantenschicksale</u> erzählen. Die Besucher können sich in die Koffer setzen und per Kopfhörer z. B. die Geschichte von *Juan Muñoz* hören, der 1972 als <u>Gastarbeiter</u> eigentlich nur „für ein, zwei Jahre" nach Stuttgart kam. Inzwischen lebt er seit mehr als 30 Jahren hier, ist verheiratet und hat drei Kinder. Ein anderer Koffer zeigt ein Beispiel für <u>politische Verfolgung</u>: das Leben von *Cheb Aziz*. Er kämpfte für die Unabhängigkeit Algeriens, wurde vom Militär gesucht und musste deshalb 1960 das Land verlassen. Seine Familie konnte erst zwei Jahre später auswandern.
Im Tagebuch der jungen Iranerin *Zarah Fatehi* können Sie lesen, wie schwierig es war, sich in Deutschland zu Hause zu fühlen und die Sprache zu lernen. Für ihren Vater *Raamin* war die <u>religiöse Verfolgung</u> der Grund für die Auswanderung. Bis heute ist er nicht mehr in seiner Heimat, dem Iran, gewesen.
In jedem Koffer finden Sie eine andere Geschichte – mal tragisch, mal witzig, aber immer spannend.

**b) Wer sagt was? Ordnen Sie zu.**

Juan Muñoz

Cheb Aziz

Raamin Fatehi

a Ich hatte Angst, dass ich Frau und Kinder nie wieder sehen würde.

b Ich wollte nur kurze Zeit in Deutschland bleiben, aber jetzt spielt sich mein ganzes Leben hier ab.

c Wir sind seit unserer Auswanderung nie mehr im Iran gewesen.

d Ich musste mein Land verlassen, weil ich eine andere politische Meinung hatte.

e Für meine Tochter war es am Anfang nicht leicht, in Deutschland zu leben.

f Meine Frau habe ich vor dreißig Jahren in Stuttgart kennen gelernt.

**3** Auswandern – warum? **Lesen Sie die Sätze und ergänzen Sie die Wörter.**

Verfolgung – Wirtschaft – Krieg – Ausbildung – Arbeit – Familie – ~~Arbeitslosigkeit~~

1. Es gab hier für mich keine Arbeit mehr. Die ___Arbeitslosigkeit___ ist bei uns sehr hoch.

2. In meinem Land herrscht seit sechs Jahren _____ .

3. Wegen der systematischen _____ der Juden ist auch meine Familie nach Amerika ausgewandert.

4. Als ich nicht mehr schreiben durfte, bin ich gegangen. Meine _____ ist mir sehr wichtig.

5. Ich musste das Land verlassen. Meine _____ konnte erst zwei Jahre später nachkommen.

6. Die _____ in unserem Land wächst. Deshalb kommen immer mehr Einwanderer zu uns.

7. Meine Eltern haben mich für eine gute _____ nach Europa geschickt. Aber ich freue mich darauf, in meinem Land zu arbeiten.

**4** Der Schauspieler Barnaby Metschurat über seine Rolle als „Gigi". **Lesen Sie den Text und beantworten Sie die Fragen.**

1. Welchen Traum hat Gigi?

2. Mit wem kommt er in Konflikt?

3. Warum kommt es zu diesem Konflikt?

4. Was muss Gigi lernen?

> *Gigi träumt von …*

*Barnaby Metschurat, 1974 in Berlin geboren, ist seit 1997 Schauspieler. In dem Film „Solino" spielt er Gigi, den jüngeren Bruder von Giancarlo.*

**Barnaby, was hat Ihnen an der Figur des Gigi gefallen?**

Gigi ist der Jüngste in der Familie – süß, klein, sympathisch. Das mögen alle an ihm, also hat er es am leichtesten in der Familie. Schon als Junge hat er den Traum, Filme zu drehen. Das bleibt auch als Teenager so. Er weiß, das ist sein Lebenstraum, und zum ersten Mal kommt er in einen Konflikt, zum ersten Mal muss er in seiner Familie für etwas kämpfen. Da geht es um sein Leben, wie er es will und nicht so, wie sein Vater es geplant hat. Er lernt, dass man oft nicht alle Träume realisieren kann und trotzdem glücklich wird.

**5** **Paul ist faul**

**a)** Bilden Sie Sätze mit *lassen.*

1. Paul macht nie Frühstück. (Elke)
2. Er bringt nie den Müll weg. (Leo)
3. Er besorgt nie die Fernsehzeitschrift. (Leo)
4. Er kauft nie ein. (Elke)
5. Er bezahlt nie die Telefonrechnung. (Elke und Leo)
6. Er spült nie Geschirr. (Elke)
7. Er gießt nie die Blumen. (Leo)
8. Er putzt nie das Bad. (Elke)

1. Paul lässt Elke immer das Frühstück machen.

**b)** Aber Elke und Leo lassen sich das jetzt nicht mehr gefallen. Schreiben Sie Sätze wie im Beispiel.

1. nicht ausschlafen

2. alle Mülleimer weg-bringen

3. nicht fernsehen

4. einkaufen

5. nicht telefonieren

6. das Geschirr spülen

1. Elke und Leo lassen Paul nicht ausschlafen.
2. .............................................................................................................
3. .............................................................................................................
4. .............................................................................................................
5. .............................................................................................................
6. .............................................................................................................

**6** **Das *r* und das *l***

**a) Welches Wort hören Sie? Kreuzen Sie an.**

1. ▮ Reise – ▮ leise   3. ▮ reiten – ▮ leiten   5. ▮ leicht – ▮ reicht

2. ▮ führen – ▮ fühlen   4. ▮ Art – ▮ alt

**b) Wichtige *r*-Wörter. Hören Sie und markieren Sie den Wortakzent.**
**Sprechen Sie dann nach.**

der Auswanderer – die Migrantin – die Freiheit – zurückgehen – nachreisen

**7** **Wiederholung Passiv. Ergänzen Sie die Verben.**

1. Seit dem 1. Januar 2005 ........ *wird* ........

   der Begriff Aufenthaltstitel statt Aufenthalts-

   genehmigung ........ *benutzt* ........ (benutzen).

2. Der Aufenthaltstitel ........................

   für alle Bundesländer ........................
   (ausstellen).

3. Das Dokument ........................ bei der

   Ausländerbehörde ........................ (beantragen).

4. Die Daten ........................ bei den öffentlichen Stellen

   ........................ (abgeben) und ........................ (speichern).

5. Der Aufenthaltstitel ........................ für die Arbeitserlaubnis

   ........................ (brauchen).

**8** **Eine „Gebrauchsanweisung" für Deutschland. Schreiben Sie Sätze mit *man*.**

Der russische Journalist Maxim Gorski hat ein Buch für alle geschrieben,
die in Deutschland leben oder Deutschland besuchen wollen – als kleine Hilfe
zur Orientierung.

1. Kebab wird genauso gern gegessen wie Bratwurst mit Sauerkraut.
2. Es werden gerne sehr lange Wörter benutzt.
3. Auf deutschen Autobahnen wird viel Gas gegeben.
4. In Deutschland werden ca. 5000 verschiedene Wurstsorten
   produziert.
5. Weihnachten wird mit Weihnachtsbaum und in der Familie
   gefeiert.

*1. Man isst Kebab genauso gern wie Bratwurst
mit Sauerkraut.*

## 9 Eine internationale Familie

### a) Bilden Sie Relativsätze im Genitiv wie im Beispiel.

1. Mark arbeitet als Personalberater in Holland. Sein Neffe Ben ist ein Jahr in den USA.
2. Claudia ist mit Hamza verheiratet. Ihr Bruder Timo lebt in Australien.
3. Monika kommt aus Malaysia. Ihr Onkel Mark lebt in Holland.
4. Hamza ist Informatiker. Seine Tochter studiert in England.
5. Gerd und Linda leben in Berlin. Ihre Kinder sind alle ins Ausland gegangen.
6. Ben möchte einmal in Deutschland studieren. Seine Großeltern wohnen in Berlin.

> *1. Mark, dessen Neffe Ben ein Jahr in den USA ist, arbeitet als Personalberater in Holland.*

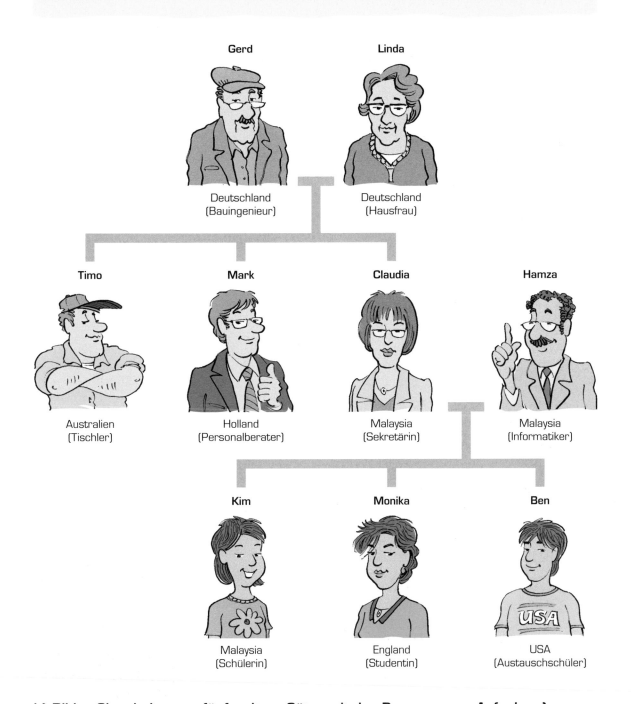

Gerd — Deutschland (Bauingenieur)
Linda — Deutschland (Hausfrau)

Timo — Australien (Tischler)
Mark — Holland (Personalberater)
Claudia — Malaysia (Sekretärin)
Hamza — Malaysia (Informatiker)

Kim — Malaysia (Schülerin)
Monika — England (Studentin)
Ben — USA (Austauschschüler)

### b) Bilden Sie mindestens fünf weitere Sätze mit den Personen aus Aufgabe a).

## Das kann ich auf Deutsch

### über Migration und Fremdheit sprechen

Viele Menschen verlassen ihre Länder, weil sie keine Arbeit finden können.
Bis 1914 wanderten mehr als 4 Millionen Deutsche in die USA aus.
Am Anfang war das Essen in Deutschland fremd für mich. Ich habe meine Familie vermisst.

### über Probleme, Ängste und Hoffnungen sprechen

Die Sprache ist für die meisten Migranten das größte Problem. Am Anfang haben viele Angst, Fehler beim Sprechen zu machen. Viele Migranten hoffen auf ein besseres Leben im Ausland.

## Wortfelder

### Migration

die Migrantin, die Auswanderung, die Heimat, das Ausland, das Nachbarland,
der Gastarbeiter, die politische Verfolgung
in ein anderes Land auswandern, sich fremd fühlen

## Grammatik

### das Verb *lassen*

Ich **lasse** die Anzüge reinigen, das mache ich nicht selbst.

### Passiversatzform *man*

**Man** schmeckt die Soße mit Salz und Pfeffer ab.

### Relativpronomen im Genitiv

Gigi, **dessen** Traum es war, Regisseur zu werden, eröffnete ein Kino in Solino.

### Wiederholung

Passiv: Die Soße **wird** mit Salz und Pfeffer **abgeschmeckt**. Die Zwiebeln **werden angebraten**.

## Aussprache

### das *r* und das *l*

Gras – Glas; froh – Floh; Land – Rand

## 🔊 Laut lesen und lernen

Ich lasse das Auto reparieren. Installierst du das Computerprogramm selbst oder lässt du es installieren? Am Anfang war alles sehr fremd. Am meisten habe ich meine Familie und meine Freunde vermisst. Wie viele Migranten leben heute in der Schweiz?

# Zertifikatstraining

**Mündliche Prüfung, Teil 2: Gespräch über ein Thema**

Bitte wählen Sie mit Ihrem Partner jeweils eine Grafik aus. Berichten Sie kurz, welche Informationen Sie daraus entnehmen können. Sprechen Sie dann über Ihre persönlichen Erfahrungen zu diesem Thema. Stellen Sie sich gegenseitig Fragen und reagieren Sie. Sie haben ca. 10 Minuten Vorbereitungszeit und 6 Minuten für das Gespräch.

Ungefähr 15 Prozent aller Ehen, die in Deutschland im Jahr 2004 geschlossen wurden, waren binational, d.h. einer von den Partnern war kein deutscher Staatsbürger.
Bei acht Prozent der deutsch-ausländischen Ehen waren die Frauen Ausländerinnen, bei fünf Prozent die Männer.
In zwei Prozent der binationalen Ehen hatten beide Partner keinen deutschen Pass.

**Deutsche Männer heirateten 2004
Frauen aus folgenden Ländern:**

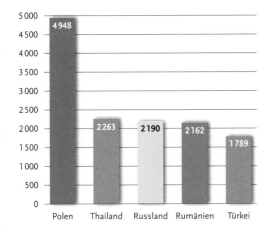

**Deutsche Frauen heirateten 2004
Männer aus folgenden Ländern:**

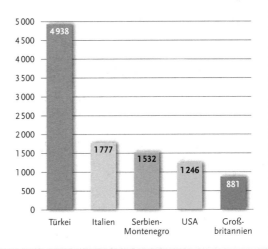

**Ehescheidungen in Deutschland nach der Staatsangehörigkeit der Ehepartner 2004**

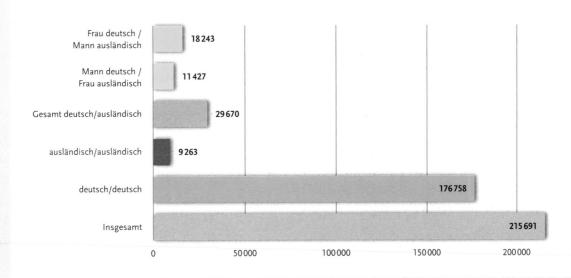

## 1 Wir sind Europa!

**1 Fotos.** Was sagen die Fotos über die Menschen aus?
Welche Informationen über Europa gibt das Plakat?

Feier zum
Europatag
2007

**In Vielfalt geeint**

9. Mai — Europatag

GEMEinS@m
SEIT 1957

Billigflug
nach
Palermo

INSIEME
DAL 1957

Mein Name ist Janusz
Zawadski. Ich bin Journalist und
arbeite seit drei Jahren in Irland, wie
noch 200 000 andere Polen. In Dublin gibt
es jetzt sogar eine polnische Zeitung.
Man verdient dort viel besser als in Polen.
Das Leben ist leider auch viel teurer. Das
wichtigste an Europa ist für mich, dass
man in einem anderen Land arbeiten kann.
Das war anders, als Polen noch nicht
in der EU war.

Όλοι μ@ζί
ΑΠΟ ΤΟ 1957

Ich bin Baiba Graudinga aus
Jelgava in Lettland. Ich bin Au-Pair-
Mädchen in Barcelona und lerne dort
Spanisch. Ich möchte später entweder
in Spanien oder in Italien studieren.
Mit den Billigflügen ist das alles kein
Problem mehr. Europa heißt für mich:
reisen können, neue Menschen und
Kulturen kennen lernen und im
Ausland studieren.

## Hier lernen Sie

▶ über Europa und Politik sprechen
▶ europäische Institutionen kennen
▶ Fragewörter: *wofür, woran, worüber, wovon*
▶ *brauchen + zu* + Infinitiv (Verneinung)
▶ Wortbildung: Nomen mit -*keit* und -*heit*
▶ Gegensätze: *trotzdem*
▶ Alternativen: *entweder ... oder*
▶ Wdh.: Verben mit Präpositionen

Ich heiße Christian Reiter und komme aus Graz. Im Moment studiere ich mit einem Stipendium an der ENA, das ist die französische Hochschule für Politik in Straßburg. Die Stadt gefällt mir. Ich freue mich darauf, später hier zu arbeiten. Ich habe letztes Jahr ein Praktikum beim Europäischen Parlament gemacht.

ToGEtheR
SINCE 1957

Mein Name ist Sevil Özdemir. Ich bin Schülerin und gehe in die Kopernikus-Hauptschule in Westkappel. Meine Klasse hat am Europeers-Programm „Jugendliche informieren über Europa" der Europäischen Komnmission teilgenommen. Bei der Aktion „100 Leute – 100 Orte" können Jugendliche an einem Jugendaustauschprogramm der EU teilnehmen. In der Europawoche haben wir unsere Projekte vorgestellt. Auf dem Foto seht ihr unsere „Europablumen".

ENSEmblE
DEPUIS 1957

JuNTOS
DESDE 1957

Ich heiße Eleni Papandreou. Ich arbeite seit drei Jahren in Brüssel für die „EU-Generaldirektion Übersetzen". Meine Muttersprache ist Griechisch. Meine Fremdsprache ist Englisch. Ich spreche außerdem Französisch und Deutsch. In meinem Beruf muss ich viel reisen. In der EU gibt es 27 Staaten und 23 Amtssprachen und über 500 Millionen Einwohner. Hier in Brüssel arbeiten Menschen aus allen Ländern Europas. Mir gefällt die internationale Atmosphäre der Stadt.

**2** **Europäer.** Lesen Sie die Texte. Sammeln Sie Informationen in einer Tabelle.
Ü1 Woher kommen die Leute? Was tun sie im Moment? Was sagen sie über Europa?

**3** **Europablumen.** Was heißt Europa für Sie? Schreiben Sie Ihre Ideen in eine Europablume.

## 2  Das politische Europa – die EU

Im Jahr 2007 wurde in Berlin mit einem
großen Fest der 50. Jahrestag der Unterzeichnung der Römischen Verträge
gefeiert. Das war der Anfang der EU.
Viele Europäer kennen die europäischen
Institutionen aber nicht richtig. Hier
sind die wichtigsten Informationen.

a

b

**1** Die EU-Institutionen.
**Welche Fotos können Sie
den Texten zuordnen?**

c

d

1. _b_ Die 732 Abgeordneten des **Europäischen Parlaments** werden seit 1979 von den
   Bürgern der EU gewählt. Die größten Parteien sind die Europäische Volkspartei,
   die Sozialisten, die Liberalen und die Grünen. Die Sitzungen des Parlaments
   finden entweder in Straßburg oder in Brüssel statt. Das Parlament hat weniger
   Rechte als die nationalen Parlamente, es kontrolliert aber die Finanzen der EU,
   den Haushalt und die EU-Kommission.

2. ▮ Der **Rat der Europäischen Union** ist die wichtigste Institution der Union.
   Er besteht aus den Regierungschefs der 27 Mitgliedsländer, die sich mindestens
   zweimal im Jahr treffen und die Richtlinien der Politik bestimmen. Der Vorsitz
   wechselt jedes halbe Jahr. Auch die Minister der einzelnen Länder, z. B. die
   Landwirtschaftsminister oder die Finanzminister, versammeln sich als „Ministerrat", um Entscheidungen über Steuern, Einwanderung und Außenpolitik zu
   treffen. Die wichtigen Entscheidungen müssen einstimmig getroffen werden.

3. ▮ Die **Europäische Kommission** besteht zurzeit aus 27 Kommissarinnen und
   Kommissaren. Jeder EU-Staat stellt ein Kommissionsmitglied. Die Kommission
   wird von etwa 24 000 Beamtinnen und Beamten unterstützt, von denen die
   meisten in Brüssel arbeiten. Sie ist praktisch die Regierung Europas. Sie organisiert die europäische Integration und arbeitet die dazu notwendigen Gesetze aus.
   Ihr Präsident hat eine Amtszeit von fünf Jahren. Er wird vom Europäischen Rat
   bestimmt.

4. ▮ Die **Europäische Zentralbank** hat ihren Sitz in Frankfurt am Main. Sie macht
   die Geldpolitik der EU und soll garantieren, dass der Euro stabil bleibt. Die EZB
   ist unabhängig von den nationalen Regierungen.

5. ▮ Der **Europäische Gerichtshof** hat seinen Sitz in Luxemburg. Er achtet darauf,
   dass die Länder Europas die Gesetze und Verträge einhalten und dass die juris-
   tischen Systeme in Europa weiter harmonisiert werden.

**2** Das Europa-Quiz. Welche Institutionen aus Aufgabe 1 sind gemeint?

Ü2-3

1. ........................................................................................................................

   Diese Institution arbeitet an zwei Orten. Ihre Mitglieder werden direkt gewählt.

2. ........................................................................................................................

   Sie ist die einzige Institution der EU, die in Deutschland arbeitet.

3. ........................................................................................................................

   Zu dieser Institution gehören z. B. die deutsche Bundeskanzlerin, der französische
   Präsident und der irische Premierminister.

4. ........................................................................................................................

   Diese Institution ist für das europäische Rechtssystem zuständig und sitzt in einem
   kleinen Land, in dem drei Sprachen gesprochen werden.

5. ........................................................................................................................

   Diese Institution regelt die europäische Politik, indem sie die notwendigen Gesetze
   ausarbeitet. Ihr Chef wird nicht gewählt.

6. ........................................................................................................................

   Diese Institution trifft die wichtigsten Entscheidungen in der EU, nachdem sich
   die Mitglieder geeinigt haben.

**3** Politische Wörter. Ordnen Sie die Wörter und Begriffe in zwei Gruppen.
Kennen Sie weitere Wörter, die passen?

die Regierungschefs – die Abgeordneten – die Finanzminister – der Ministerrat –
der Rat der EU – der Gerichtshof – das Parlament – die Beamten – die Minister –
die Kommission – der Präsident – die EU-Bürger

( Personen )          ( Institutionen )

**4** Wörter, die zusammengehören

Ü4

a) Welches Verb passt zu welchen Wörtern aus Aufgabe 3?

wählen – treffen – bestimmen – ausarbeiten – zuständig sein für – bestehen aus –
darauf achten – unterstützen – kontrollieren

b) So funktioniert Europa. Ergänzen Sie und verwenden Sie die Verben.

Die Bürger der EU … – Das Europäische Parlament … – Die Kommission … –
Die Europäische Zentralbank … – Die Regierungschefs der EU-Länder …

**5** *Wofür?* Lesen Sie das Beispiel und ordnen Sie zu.

- ■ **Wofür** ist das Europäische Parlament zuständig?
- ◆ Das Europäische Parlament ist **für** den Haushalt der EU zuständig.

| | | | |
|---|---|---|---|
| die Europäische Zentralbank | 1 | a | die Stabilität des Euro |
| der Europäische Gerichtshof | 2 | b | die europäischen Gesetze |
| der Europäische Rat | 3 | c | die wichtigen Entscheidungen in der EU |
| die Europäische Kommission | 4 | d | die Harmonisierung der Gesetze in Europa |

**6** Fragewörter. **Lesen Sie im Dialog. Markieren Sie wie im Beispiel.**

8

- ■ Woran denkst du beim Wort Europa?
- ◆ Ich denke an ein Europa ohne Grenzen.
- ■ Worüber ärgerst du dich?
- ◆ Über die Arbeit der Politiker.
- ■ Wovon träumst du oft?
- ◆ Ich träume oft von Italien. Ich möchte dort arbeiten.
- ■ Womit hast du denn den Flug bezahlt?
- ◆ Mit meiner Kreditkarte.

Damit!

**7** Fragen beantworten. **Schreiben Sie die Antworten auf und vergleichen Sie im Kurs.**

Ü 5–6

Worüber ärgern Sie sich manchmal im Deutschunterricht? – Worauf freuen Sie sich? – Woran denken Sie bei dem Wort „Europa"? – Wovon träumen Sie?

**8** Traumkarten und Ärgerkarten. **Worüber ärgern Sie sich? Was regt Sie auf? Wovon träumen Sie? Worüber freuen Sie sich?**

**a) Schreiben Sie Stichwörter auf zwei Karten und sammeln Sie die Karten ein.**

> kaputte Autos
> Freunde, die lügen
> Freundinnen, die keine Zeit haben

> vier Wochen Ferien am Meer
> einen Nachmittag im Café
> ein gutes Essen

**b) Lesen Sie die Karte vor und raten Sie, wer sie geschrieben hat.**

> Ich glaube, Claudio ärgert sich über …

 **9** Über Politik reden. **Ein Interview mit zwei Europäern. Lesen Sie die Fragen,**

1.49 **hören Sie die Interviews und notieren Sie die Antworten in Stichwörtern.**

Interessierst du dich für Politik?
Bist du in einer politischen Partei?
Was bedeutet Europa für dich?
Was wären für dich wichtige
politische Ziele?

> Anette Kühne:
> …

> Christian Ärmlich:
> …

**10** Politische Forderungen. **Äußern Sie Meinungen und Forderungen.**

Ü 7

**Redemittel**

**über Politik sprechen – kommentieren und fordern**

Ich finde, dass Politiker zu viel reden und zu wenig handeln.
Ich finde, Politiker sollten mehr/weniger …
Ein Problem, das man schnell lösen müsste, ist …
Das wichtigste Ziel der Politik sollte … sein.
Die wichtigste Forderung an die Politiker ist, dass sie …

# 3 50 Jahre Europäische Union

## 1 Zwei Texte – zwei Meinungen

Ü8

**a)** Überfliegen Sie die Texte und ordnen Sie die Stichwörter dem *Pro-* oder dem *Contra*-Text zu.

der Handel – die Bürokratie – die Landwirtschaft – der Euro – die Mobilität

### Pro

Die Geschichte Europas ist eine Geschichte von mehr als 2000 Jahren, in denen die Völker und Staaten immer wieder gegeneinander Krieg geführt haben. Mit der Gründung der Europäischen
5 Gemeinschaft 1957 begann eine Friedensperiode, die über das Ende der sozialistischen Diktaturen in Mittel- und Osteuropa hinaus bis heute andauert. Ökonomisch ist die Union ebenfalls erfolgreich. Handel ohne Grenzen war das Rezept für
10 wirtschaftlichen Aufschwung. Mit 500 Millionen Konsumenten ist Europa die Region mit der stärksten Kaufkraft und den meisten Erfindungen in der Welt. In traditionell ärmeren Regionen Europas hat die EU den Aufbau unterstützt und damit
15 Arbeitsplätze finanziert. Den Menschen dort geht es heute besser als noch vor einer Generation. Die Europäer können von Finnland bis Portugal ohne Visum reisen, Arbeit suchen und fast überall mit der gleichen Währung bezahlen. Die meisten
20 Europäer sind mehrsprachig. Die EU fördert mit vielen Programmen die kulturelle Vielfalt, die Mehrsprachigkeit und die Mobilität von Arbeitnehmern und Studenten. Viele Nachbarstaaten, z. B. die Ukraine und die Türkei, finden die EU
25 so attraktiv, dass sie gerne Mitglied werden wollen.

### Contra

Die 50-Jahr-Feier zeigt eine EU mit großen Problemen. Es gibt immer noch keine demokratische Verfassung. Die meisten Europäer orientieren sich politisch immer noch mehr an ihrem eigenen Staat als an der EU. Woran denken Sie, wenn Sie an 5 die EU denken? An die Brüsseler Bürokratie, an 24 000 Beamte, die sich um die Größe der Bananen und den Preis der Milch kümmern und die Gesetze machen, die niemand braucht. Es entstehen hohe Kosten durch die Mehrsprachigkeit, denn 10 alles muss in die Sprachen der Mitgliedsländer übersetzt werden. Das europäische Parlament hat nicht viel Einfluss, eine europäische Regierung gibt es nicht. Für viele Länder in Afrika und Südamerika hat Europa Probleme gebracht. Die nicht 15 in Europa verkauften europäischen Agrarprodukte wurden jahrzehntelang dort zu Niedrigpreisen verkauft. Die Eigenproduktion in diesen Ländern wurde damit „lahmgelegt". Umgekehrt dürfen deren Agrarprodukte praktisch nicht in Europa ver- 20 kauft werden. Trotzdem investiert die EU weiter Unsummen in die Landwirtschaft und viel weniger in Technologie und Wissenschaft. Viele sagen, die EU hat Europa endlich Frieden gebracht. Aber Europa hat die Balkankriege nicht verhindern und 25 nur mit Hilfe der USA beenden können.

**b)** Teilen Sie die Arbeit im Kurs. Wählen Sie einen Text aus und arbeiten Sie mit dem Wörterbuch.

**Pro:** Sammeln Sie Fakten. Was hat die EU gebracht?
**Contra:** Sammeln Sie Kritikpunkte.

**c)** Besprechen Sie das Ergebnis im Kurs. Verwenden Sie die Redemittel.

**Redemittel**

### über Vor- und Nachteile sprechen

*Pro*
Das Wichtigste ist für mich, dass …
Es ist positiv, dass …
Ein Vorteil der EU ist, …
Für die EU spricht …

*Contra*
Ich finde nicht akzeptabel, dass …
Im Text wird kritisiert, dass …
Ein Nachteil der EU ist, …
Gegen die EU spricht …

# 4 Strukturen verstehen und Satzmuster üben

**1** *Brauchen* + *zu* + Infinitiv (Verneinung)

26.2   Ü9

**a) Können Sie diese Sätze mit dem Verb *müssen* sagen?**

Die Europäer **brauchen** an vielen Grenzen keine Pässe mehr **zu** zeigen.
In der Eurozone **brauchen** sie ihr Geld nicht mehr **zu** wechseln.

**b) Was ich in den Ferien nicht tun muss. Jede/r sagt einen Satz mit *brauchen*.**

früh aufstehen – am Schreibtisch sitzen –
ins Büro fahren – (keine) offizielle(n) Briefe
schreiben – (keine) Gespräche mit der Chefin
führen – keinen Anzug / kein Kostüm tragen – …

*In den Ferien brauche ich nicht früh aufzustehen.*

**2** **Wortbildung mit *-keit* und *-heit*. Finden Sie Adjektive in den Nomen mit *-keit***

10.2   Ü10
10.7   **oder *-heit*. Markieren Sie die Nomen.**

An den Nationalfeiertagen feiert man in vielen Ländern den Tag der Unabhängigkeit.
Im EU-Ministerrat gilt bei den meisten Entscheidungen das Prinzip der Einstimmigkeit.
Die Mehrsprachigkeit ist das wichtigste Prinzip der EU.
Reisefreiheit und die Möglichkeit in einem
anderen Land zu arbeiten sind für viele Europäer
die wichtigsten Argumente für die EU.
Viele ältere Menschen leiden unter Einsamkeit
und Krankheit.
Die Gefährlichkeit legaler Drogen wird unterschätzt.
In vielen Ländern der EU ist die Arbeitslosigkeit ein großes Problem.

> **!** **Lerntipp**
>
> **Nomen mit *-keit* und *-heit*:**
> Artikel *die*

**3** **Gegensätze. Verbinden Sie die Sätze wie im Beispiel. Beginnen Sie den zweiten**

2.2   Ü11
**Satz immer mit *trotzdem*.**

In der EU gibt es oft politischen Streit. Viele Länder wollen in die EU.
In der EU gibt es oft politischen Streit. *Trotzdem* wollen viele Länder in die EU.

1. Viele Europäer kritisieren die Brüsseler Bürokratie. Sie sind für die EU.
2. Alle Länder der EU sind Demokratien. Die EU hat keine demokratische
   Verfassung.
3. Umweltschutz ist ein wichtiges Ziel der EU-Politik. Europa hat viele Umweltprobleme.
4. Der Euro ist praktisch für Menschen, die oft reisen. Manche Länder Europas
   wollen den Euro nicht.

**4** **Alternativen in Europa: *entweder … oder …* Verbinden Sie die Informationen wie**

7.4   Ü12
**im Beispiel.**

ein Praktikum in Brüssel machen – in Palermo arbeiten – als Kellner/in in Österreich
jobben – als Touristenführer/in auf Kreta  arbeiten – auf Weltreise gehen – …

*Was machst du ab September?*

*Entweder gehe ich als Au-Pair nach England oder ich studiere in Prag.*

# 5 Das kulinarische Europa – Einheit und Vielfalt

**1** Spezialitäten
Ü13 aus Europa

a) **Markieren Sie die im Text genannten Spezialitäten.**

b) **Suchen Sie ein Rezept im Internet.**

**Internettipp**
www.eu50.eu

c) **Stellen Sie das Rezept im Kurs vor.**

Europa feiert 50. Geburtstag mit großer Party

## Konditoren präsentieren 54 Spezialitäten aus 27 EU-Ländern

**BERLIN** – Europäische Topstars feierten am Sonntag mit den Berlinern den 50. Jahrestag der Gründung der Europäischen Union. Die Mitgliedsländer selbst zeigten, was die nationale Küche und Kultur zu bieten hat. Luxemburgischer Mummentart, dänisches Smörebröd, ungarische Wurst, spanischer Schinken, schwedische Marzipantorte oder böhmische Kolatschen – für jede Tageszeit und jeden Geschmack war etwas dabei. Der Hit waren die 54 süßen Spezialitäten, die die Berliner Konditoren vorbereitet hatten. Guten Appetit, Europa!

nach: Berliner Morgenpost vom 22. März 2007

d) **Machen Sie im Kurs eine Umfrage: Welches Rezept würden Sie am liebsten ausprobieren?**

**2** Kirschsahnetorte – eine deutsche Spezialität. **Lesen, backen und genießen Sie!**

### Zutaten

- 6 Eier
- 200 g gemahlene Mandeln
- 250 g Zucker
- 200 g Margarine
- 1 Päckchen Backpulver
- 4 EL Kakao
- 2 Gläser Sauerkirschen (abtropfen lassen!)
- 1 Tafel Blockschokolade (200 g)
- 0,6 l Schlagsahne
- 2 Päckchen Vanillinzucker

### Zubereitung

1. Schritt
- Zuerst Eigelb und Mandeln, Zucker und Margarine verrühren.
- Den mit Backpulver gemischten Kakao zugeben und das steif geschlagene Eiweiß unterheben.
- Dann die Masse in eine Kuchenform geben.
- Anschließend 30 Minuten backen und abkühlen lassen.
- Danach die vorbereiteten Kirschen und die Hälfte der geriebenen Schokolade auf den Tortenboden verteilen.

2. Schritt
- Sahne mit Vanillinzucker steif schlagen, auf den Tortenboden verteilen und den Rest der Schokolade darüberstreuen.
- Zum Schluss wieder kühl stellen.

**1** **Europa und die Deutschen**

**a) Sehen Sie sich die Bilder an und ordnen Sie sie den Themen zu. Ergänzen Sie die Wortfelder.**

**Landmaschinen-Mechaniker nach Irland gesucht.**
Führender Landmaschinen-Betrieb im Südosten Irlands sucht erfahrenen Mechaniker speziell im Bereich der Marke Fendt. Englische Sprachkenntnisse sind erforderlich. Haus wird vom Arbeitgeber gestellt und Familie kann mitgebracht werden. Kontakt (auch in Deutsch): andrea.wiers@kehoebros.ie www.kehoebros.ie

Bildung und Kultur

**Sokrates**
Comenius

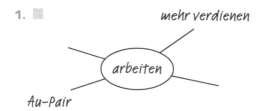

1. ▨
mehr verdienen

arbeiten

Au-Pair

2. ▨▨
Jugendaustauschprogramm

studieren/lernen

Stipendium

3. ▨
offene Grenzen

reisen

billige Flüge

49

**b) Was sagen die Deutschen über Europa? Hören Sie die Interviews und kreuzen Sie die richtigen Aussagen an.**

1. ▨ Die EU ist eine wirtschaftliche Union.
2. ▨ Europa war schon immer ein Symbol für Frieden und Sicherheit.
3. ▨ Die Europäer kennen sich gegenseitig ziemlich gut.
4. ▨ Das Leben in Europa ist wegen der verschiedenen Kulturen sehr bunt.
5. ▨ Früher war das Reisen sehr bequem – man brauchte keinen Reisepass.
6. ▨ Der Arbeitsmarkt in Europa ist offen: Auch viele Deutsche arbeiten in verschiedenen Ländern Europas.
7. ▨ Die Tochter spricht mehrere Fremdsprachen.

## 2 Was ist und was macht die Europäische Union? Im Text gibt es fünf inhaltliche Fehler. Schreiben Sie den korrigierten Text ins Heft. Der Text auf Seite 172 hilft.

### Gute Nachbarn

Die Europäische Union (EU) ist eine Organisation von 15 europäischen Ländern, die auf dem wirtschaftlichen, politischen, sozialen und kulturellen Gebiet zusammenarbeiten. Als eine der wichtigsten Ideen stand am Anfang der Gedanke des Friedens. EU-Bürger können in allen Mitgliedsländern frei reisen, leben und arbeiten.

### Die EU und das Geld

Die Mitgliedsländer bilden einen gemeinsamen wirtschaftlichen Markt, den Binnenmarkt. Seit dem 1. Januar 2002 wird in fünf Ländern der EU mit dem Euro bezahlt. Dessen Stabilität soll die *Europäische Zentralbank* in Frankfurt (Oder) garantieren.

### Die Institutionen der EU

Die Regierungschefs und Minister bilden das *Europäische Parlament*. Der *Rat der EU* vertritt die Bürger der EU, die alle fünf Jahre die Abgeordneten in das Parlament wählen. In der *EU-Kommission* sind alle EU-Länder mit drei Kommissaren vertreten.

*Die Europäische Union (EU) ist eine Organisation von 27 europäischen Ländern, die ...*

## 3 Die EU-Länder. Arbeiten Sie mit der Europa-Karte im Umschlag und beantworten Sie die Fragen.

**a) Welche Länder gehören zur EU? Kreuzen Sie an und ordnen Sie die Kennzeichen zu.**

1. ▢ Norwegen
2. ▢ Österreich
3. ▢ die Slowakei
4. ▢ Portugal
5. ▢ die Schweiz
6. ▢ Griechenland
7. ▢ Deutschland
8. ▢ Ungarn
9. ▢ Bulgarien
10. ▢ die Türkei
11. ▢ Belgien
12. ▢ Italien

a) **D · KA · PA 777**　b) **SK · TR ♥ 895AG**　c) **BE · 705WT**

d) **P · 45·72·XQ 04/06**　e) **A · B 702 CP**　f) **H · JXF-600**

**b) Welche Länder gehören zu den Gründungsmitgliedern der EU? Unterstreichen Sie in Aufgabe a).**

**c) Wie heißen die Hauptstädte der EU-Länder in Aufgabe a)?**　*Österreich: Wien*
**Schreiben Sie in Ihr Heft.**

**4** **Wortbildung: Nomen und Verben**

a) Finden Sie zu den Nomen passende Verben.

a) die Gründung — *gründen* ........................................

b) die Wahl ........................................

c) die Kontrolle ........................................

d) die Unterstützung ........................................

e) die Zusammensetzung ........................................

f) die Sprache ........................................

g) die Einhaltung ........................................

h) die Regierung ........................................

**b) Schreiben Sie den Text in Ihr Heft und ergänzen Sie die Verben aus Aufgabe a).**
**Achten Sie auf die richtige Form.**

Die EU wurde von Belgien, Deutschland, Frankreich, Italien, Luxemburg und den Niederlanden (1) . In der Verwaltung der EU (2) man offiziell Englisch, Französisch und Deutsch. Der Rat der EU (3) sich aus den Regierungschefs aller Mitgliedsländer (3) . Die Bürger Europas (4) alle fünf Jahre die Abgeordneten für das Europäische Parlament. Der Europäische Gerichtshof in Luxemburg achtet darauf, dass die Gesetze und Verträge (5) werden. Die Europäische Zentralbank (6) die Stabilität des Euro.

> *Die EU wurde von Belgien, Deutschland, Frankreich, Italien, Luxemburg und den Niederlanden gegründet. In der ...*

**5** **Verben mit Präpositionen üben.** Lenka in der Bibliothek. Ergänzen Sie die Präpositionen.

auf – an – ~~für~~ – über (4 x) – von – um – mit

Ich interessiere mich ..... *für* ..... die französische Literatur und möchte deshalb in Frankreich studieren.

Ich habe mich .................... ein Stipendium beworben und es auch bekommen. Ich freue mich schon sehr

.................... die sechs Monate in Paris. Wenn ich

.................... Paris denke, stelle ich mir Kunst, Kultur und gemütliche Cafés vor, in denen man sich

.................... Freunden trifft. Eine Freundin war schon

mal in Paris und hat mir viel .................... die Stadt erzählt. Jetzt muss ich mich noch

.................... viele Sachen informieren – die Unterkunft, Versicherung usw. Ich freue

mich sehr .................... die Möglichkeit, im Ausland studieren zu können. Ich träume

.................... einem Job in Paris, auch wenn ich mich .................... die hohen Mieten ärgern würde.

**6** **Fragewörter.** Schreiben Sie Fragen und Antworten wie im Beispiel.

1. sich ärgern – die langweiligen Seminare
2. träumen – ein Urlaub auf Mallorca
3. sich freuen – das Praktikum im nächsten Jahr
4. sich interessieren – die hübsche Studentin aus Tschechien
5. denken – der traurige Abschied von Lenka

*1. Worüber ärgert sich Anton? – Über die langweiligen Seminare.*

**7** **Über die EU sprechen.** Was denken Sie über die EU? Kommentieren Sie und schreiben Sie zu jedem Thema mindestens einen Satz.

das Rauchverbot in Restaurants – der Euro in ganz Europa – hohe Investitionen in die Landwirtschaft – höchste Geschwindigkeit auf Autobahnen: 130 km/h

*1. Ich finde es sehr gut, dass es das Rauchverbot in Restaurants gibt.*
*2. Ein Problem, das man lösen sollte, …*
*3. Meine Forderung an die Politiker ist, …*

**8** **„Herzlichen Glückwunsch zum Geburtstag, EU!"** Lesen Sie den Text. Was passt? Kreuzen Sie an.

Die EU **(1)** im Jahr 2007 ihren 50. Geburtstag, zu dem sie einen Wettbewerb im Juli 2006 **(2)**. Über 1700 junge Designer und Design-Studenten **(3)** allen Mitgliedsländern **(4)** an dem Wettbewerb teil. **(5)** 17. Oktober 2006 wurde das beste Logo in Brüssel **(6)**. Der erste **(7)** ging an Szymon Skrzypczak, einen Studenten aus Polen.
Das Wort „gemeinsam" drückt aus, was mit der **(8)** „Europa"

von Anfang an gemeint war: nicht nur Politik, Geld oder Geografie, **(9)** vor allem Zusammenarbeit und Solidarität. Die einzelnen Buchstaben des Logos **(10)** für die Vielfalt der europäischen Geschichte und Kultur.

| 1. ☐ wurde | 3. ☐ von | 5. ☐ um | 7. ☐ Sieger | 9. ☐ aber |
|---|---|---|---|---|
| ☒ feierte | ☐ mit | ☐ im | ☐ Preis | ☐ oder |
| ☐ machte | ☐ aus | ☐ am | ☐ Geburtstag | ☐ sondern |
| 2. ☐ teilnahm | 4. ☐ nahmen | 6. ☐ vorgestellt | 8. ☐ Idee | 10. ☐ liegen |
| ☐ zeigte | ☐ gaben | ☐ eingestellt | ☐ Gedanke | ☐ stehen |
| ☐ organisierte | ☐ bekamen | ☐ ausgestellt | ☐ Meinung | ☐ sitzen |

**9** **Urlaub.** Formulieren Sie die Sätze wie im Beispiel.

1. Ich muss kein Geld wechseln.
2. Ich muss kein Visum beantragen.
3. Ich muss nicht arbeiten.
4. Ich muss nicht einkaufen gehen.
5. Ich muss abends nicht kochen.
6. Ich muss meine Katze nicht füttern.

*1. Ich brauche kein Geld zu wechseln.*

*Ich muss einfach nur reisen!*

**10** **Wortbildungen mit *-keit* und *-heit*.** Bilden Sie Nomen mit den Endungen *-heit* und *-keit*. Arbeiten Sie mit dem Wörterbuch.

| | | | | |
|---|---|---|---|---|
| 1. | möglich | *die Möglichkeit* | 6. | frei |
| 2. | krank | | 7. | mehrsprachig |
| 3. | dumm | | 8. | schön |
| 4. | frech | | 9. | klar |
| 5. | traurig | | 10. | sauber |

**11** **Gegensätze.** Schreiben Sie Sätze mit *trotzdem*.

1. Ich finde die Strände in Italien zu voll. (immer wieder hinfahren)
   *Trotzdem fahre ich immer wieder hin.*

2. Ich finde, Restaurants sind teuer geworden. (einmal pro Woche essen gehen)

3. Ich interessiere mich nicht für Kunst. (morgen mit dir in die Ausstellung gehen)

4. Ich weiß, dass Autofahren nicht gut für die Umwelt ist. (mit dem Auto ins Büro fahren)

5. Wir sind der Meinung, dass unsere Kinder nicht fernsehen sollten. (oft fernsehen)

6. Ich finde die Freundin von Udo unsympathisch. (zu meiner Geburtstagsparty einladen)

7. Ich bin müde. (nicht schlafen gehen und weiterarbeiten)

8. Nadine und Martin sind gute Freunde. (oft streiten)

**12** Alternativen: *entweder … oder.*
**Schreiben Sie Sätze wie im Beispiel.**

*1. Wir können entweder nach Italien fahren oder zu Hause bleiben.*

3.
an den Strand
gehen / am
Pool bleiben

1.
nach Italien
fahren / zu
Hause bleiben

4.
Paella /
Schnitzel
essen

2.
sich das Perga-
monmuseum
ansehen /
einen Kaffee
trinken

5.
eine Stadt-
rundfahrt
machen / im
Hotel fern-
sehen

**13** Kulinarische Reise durch Europa. **Aus welchen Ländern kommen die Spezialitäten?**
**Ordnen Sie die Fotos den Fragen zu und ergänzen Sie im Rätsel die Ländernamen.**

1. ▨ In welchem Land gibt es die meisten
Brotsorten?
2. ▨ In welchem Land ist der Kringel, ein
Hefekuchen, eine Spezialität?
3. ▨ Welches Land ist für seine Pralinen
und sein Bier berühmt?
4. ▨ Aus welchem Land kommt der echte
Champagner?
5. ▨ In welchem Land wird die echte
Sachertorte gebacken?
6. ▨ In welchem Land werden die meisten
Kartoffeln gegessen?
7. ▨ Aus welchem Land kommt das berühmte Szegediner Gulasch?

## Das kann ich auf Deutsch

### über Europa und Politik sprechen

Zurzeit sind 27 Staaten Mitglied der EU. Europa heißt für mich, dass ich ohne Probleme in einem anderen EU-Land arbeiten kann. Interessierst du dich für Politik? Der Umweltschutz sollte das wichtigste Ziel der Politik sein.

### europäische Institutionen kennen lernen und beschreiben

Das Europäische Parlament hat 732 Abgeordnete. Die Europäische Kommission arbeitet die Gesetze für die europäische Integration aus.

## Wortfelder

### EU-Institutionen, Europa

die Europäische Kommission, die Europäische Zentralbank, der Ministerrat, der Europäische Gerichtshof, entscheiden, Finanzen kontrollieren, die Reisefreiheit, die Eurozone

## Grammatik

### Fragewörter: *wofür, woran, worüber, wovon*

**Wofür** ist das Europäische Parlament zuständig? Für die Harmonisierung der Gesetze in Europa.
**Woran** denkst du beim Wort Europa? An Reisefreiheit und ein Europa ohne Grenzen.
**Worüber** freuen Sie sich? Über eine bestandene Prüfung.
**Wovon** träumst du? Von einem Urlaub in Amerika.

### *brauchen + zu + Infinitiv (Verneinung)*

In der Eurozone **brauchen** die Europäer kein Geld **zu wechseln**. Im Urlaub **brauche** ich nicht **zu arbeiten**.

### Alternativen und Gegensätze: *entweder ... oder, trotzdem*

Das Europäische Parlament tagt **entweder** in Brüssel **oder** in Straßburg.
Der Umweltschutz ist ein wichtiges Ziel der EU-Politik. **Trotzdem** hat die EU viele Umweltprobleme.

### Wortbildung: Nomen mit *-keit* und *-heit*

mehrsprachig – die Mehrsprachigkeit; frei – die Freiheit

### Wiederholung

Verben mit Präpositionen: sich ärgern **über**, sich interessieren **für**, träumen **von**

##  Laut lesen und lernen

50

Ich finde, die Politiker reden zu viel und tun zu wenig. Die Reisefreiheit ist ein Vorteil der EU. Heute brauche ich nicht früh aufzustehen. Wir können entweder ins Museum gehen oder zu Hause bleiben.

# Zertifikatstraining

## Mündliche Prüfung, Teil 1: Kontaktaufnahme

**Sprechen Sie mit Ihrem Partner / Ihrer Partnerin über die folgenden Punkte:**

– Name

– Wohnort

– Herkunft

– Familie

– Was machen Sie zurzeit (Schule, Studium, Beruf ...)?

– Wie lange und warum lernen Sie Deutsch?

– Welche Sprachen sprechen Sie?

**Sie haben 4 Minuten Zeit für die Vorbereitung und 3 Minuten für die Vorstellung.**

## Mündliche Prüfung, Teil 3: Gemeinsam eine Aufgabe lösen

**Sie und Ihr Gesprächspartner / Ihre Gesprächspartnerin kommen zusammen zum Deutschkurs. Der Raum, in dem der Kurs stattfindet, ist aber leer. Erst jetzt erinnern Sie sich, dass für heute ein Ausflug in eine andere Stadt geplant war.**

**Überlegen Sie sich, was Sie in dieser Situation tun können. Führen Sie ein Gespräch mit Ihrem Gesprächspartner / Ihrer Gesprächspartnerin über folgende Punkte:**

– Wen können Sie fragen, wo die Gruppe ist?

– Wie kommen Sie dorthin?

– Wer besorgt Fahrkarten und wo?

– Wer besorgt einen Stadtplan?

– Wie erklären Sie, dass Sie zu spät gekommen sind?

**Sie haben ca. 6 Minuten Zeit für die Vorbereitung und 6 Minuten für das Gespräch.**

# Station 2

## 1 Training für den Beruf: Smalltalk

**1** Smalltalk-Situationen

a) Sehen Sie sich die Fotos an. In welchen Situationen sind die Leute?

1.50

b) Hören Sie die Dialoge. Worüber sprechen die Leute? Sammeln Sie die Themen.

**2** Smalltalk-Themen

a) In Deutschland ist das Wetter Smalltalk-Thema Nummer 1. Welche Themen sind bei Ihnen beliebt (+), welche unbeliebt (–)? Markieren Sie.

- Beruf
- Hobbys
- Wetter
- Fußball
- Urlaub
- Krankheiten
- Essen
- Politik
- Kino/Theater
- Geld
- andere Leute
- Mode
- Partnerschaftsprobleme
- Religion
- Kunst/Musik
- Einkaufen

b) Über welche Themen spricht man bei Ihnen nur mit guten Bekannten?

**3** Ein Gespräch in Gang halten. Wählen Sie die passenden Dialogteile. Sprechen Sie die Dialoge mit Ihrer Partnerin / Ihrem Partner.

| Person A | Person B | Person A |
|---|---|---|
| 1. Sind Sie zum ersten Mal in der Schweiz? | a) Ich glaube schon, ich muss auch zur Messe. | 1. Ich bin bei SAP in Walldorf. Aus welcher Stadt kommen Sie? |
| 2. Wie lange hat die Anreise denn gedauert? | b) Nein, ich kenne bis jetzt nur den Bahnhof. | 2. So ein Pech, dass es hier schon seit drei Tagen regnet. |
| 3. Wie ist das Wetter bei Ihnen im Moment? | c) Nein, ich war schon einmal in Basel und in Zürich. | 3. Waren Sie dann auch schon auf dem Uetliberg? |
| 4. Bei welcher Firma arbeiten Sie? | d) Gestern hatten wir Sonne und 20 Grad. | 4. Das ist aber lang. Gab es keinen Flug? |
| 5. Haben Sie schon was von der Stadt gesehen? | e) Sieben Stunden mit der Bahn. | 5. Hoffentlich kommt der Bus bald. Bei diesem Wetter macht es keinen Spaß zu warten. |
| 6. Entschuldigung, hält der Bus am Messegelände? | f) Ich bin bei Swisskom, und Sie? | 6. Sie sollten unbedingt die Altstadt besichtigen. |

**4** **Worüber man (nicht) spricht. Hören Sie das Gespräch.**
**Was macht der Sprecher falsch? Notieren Sie.**

1.51

**Landeskunde**

W-Fragen sind beim Smalltalk besser als Ja/Nein-Fragen.
Fragen Sie also z. B.: *Wie lange …? Wann …? Woher …?*
Fragen Sie auch immer zurück: *Und Sie, was/wie/wo …?*
Und geben Sie Informationen: *Ich war schon dreimal in …*
*Das Schloss / Die … hat mir sehr gefallen. / Nein, ich bin zum*
*ersten Mal hier. Was sollte ich in … besichtigen?*

**5** **Rollenspiel. Wählen Sie eine Situation und spielen Sie mit Ihrem Lernpartner /**
**Ihrer Lernpartnerin. Er/Sie benutzt die Partnerkarte auf Seite 206. Das Schema**
**unten hilft Ihnen.**

**Situation 1a**

Sie holen Ihre Kollegin / Ihren Kollegen vom
Flughafen ab. Sie haben sich noch nie gesehen,
aber schon miteinander telefoniert. Sie begrüßen Ihre Kollegin / Ihren Kollegen und auf
der Fahrt in die Firma machen Sie Smalltalk
(Reise, Wetter, Stadt, Sehenswürdigkeiten).

**Situation 2a**

Sie warten auf den Bus zum Kongresszentrum.
Es regnet und ist kalt. Ein/e anderer/-e Kon-
gressteilnehmer/Kongressteilnehmerin fragt
Sie, wann der Bus kommt. Sie antworten. Der
Bus kommt und Sie unterhalten sich im Bus
über Ihre Firmen, was sie produzieren, wo sie
sind und wie lange Sie dort schon arbeiten. Sie
verstehen sich gut und verabreden sich zum
Mittagessen in einem italienischen Restaurant.

**Smalltalk systematisch**

*das Gespräch beginnen*
Das Wetter ist heute wunderbar/scheußlich. Ist das normal für diese Jahreszeit?
Wie war Ihre Anreise? / Standen Sie auch im Stau? / Wie ist Ihr Hotel?
Bei welcher Firma arbeiten Sie?
Ich bin im „Astor" und in welchem Hotel sind Sie?

> *Rückfragen stellen*
> Ich hatte keine Probleme. Und Sie?
> Ich spiele Tennis/Fußball. Was machen Sie in Ihrer Freizeit?
> Ich arbeite bei …, und Sie?

*das Gespräch beenden*
Es war schön, Sie zu treffen / zu sehen / kennen zu lernen.
Dann noch viel Spaß bei/in …
Entschuldigen Sie mich bitte, ich habe noch einen Termin / bin jetzt verabredet /
sehe dort noch einen Bekannten.

> *sich verabschieden und in Kontakt bleiben*
> Na dann, bis später!
> Man sieht sich! / Wir sehen uns noch! / Viel Spaß noch!
> Sie hören von mir. / Wir bleiben in Verbindung. / Meine Karte haben Sie ja.
> Sehen wir uns beim Abendessen / auf dem Kongress in …?

## 2 Wörter, Spiele, Training

**1** Eine Rede in fünf Sätzen halten.

Wählen Sie ein Thema aus und halten Sie eine kurze Rede.

1. Warum man weniger Auto / mehr Fahrrad fahren sollte
2. Warum man die Hausaufgaben / die Artikel (der, das, die) abschaffen muss
3. Warum in Deutschkursen die klügeren Männer/Frauen sitzen … ☺

**Der 1. Satz nennt ein Problem oder macht eine Aussage:**

1. Kühe belasten die Umwelt sehr.

**Es folgen zwei Pro-Argumente:**

2. Sie stehen den ganzen Tag faul auf der Weide und fressen viel Gras.
3. Sie produzieren sehr viel Mist.

**Dann folgt ein Contra-Argument:**

4. Aber ohne Kühe würde es keine Milch und keinen Käse geben, und das wäre sehr schade.

**Der Schlusssatz ist eine Forderung oder ein Vorschlag:**

5. Deshalb brauchen wir Kühe, die weniger Mist und mehr Milch produzieren.

**2** Silvester. Wenn ein neues Jahr beginnt, haben die Menschen oft gute Vorsätze für das nächste Jahr. Schreiben Sie drei Vorsätze auf einen Zettel. Sammeln Sie alle Zettel ein und raten Sie, wer welchen Zettel geschrieben hat.

| Im nächsten Jahr werde ich | weniger/öfter früher / (nicht) mehr | fernsehen / Sport machen. mit meinen Kindern schimpfen. essen. meiner Frau / meinem Mann im Haushalt helfen. |
| | aufhören/anfangen, versuchen, … | Klavierspielen zu lernen. (weniger) zu rauchen. … |

**3** Ein Grammatik-Gedicht

a) Schreiben Sie ein Gedicht mit zehn Zeilen. Die erste Zeile ist die Überschrift. Verwenden Sie folgende Wortarten:

1. Artikel + Nomen ⟶
2. Partizip II, Partizip II
3. Adjektiv – *und* – Adjektiv
4. Wiederholung 1.
5. Pronomen + Verb
6. Pronomen + Verb
7. Pronomen + Verb + *immer/niemals/schon*
8. Wiederholung 1.
9. Wiederholung 3.
10. Wiederholung 2.

*Das Nachtlied*
*gesungen, geträumt,*
*süß und dunkel,*
*das Nachtlied,*
*es klingt,*
*wir hören …*
*…*

b) Tragen Sie Ihr Gedicht vor, achten Sie auf die Betonung.

**4** Gruppenbeschreibung – Zwei von uns, drei von uns … Schreiben Sie wie im Beispiel so viele wahre Aussagen, wie Sie können. Arbeiten Sie in Gruppen.

| Eine/r von uns<br>Zwei von uns<br>Drei von uns<br>Niemand | wird/werden | *Einer von uns wird eine Ausbildung bei VW machen.*<br>*Zwei von uns werden in einem Monat heiraten.*<br>*Drei von uns werden in die Türkei fahren.*<br>*Niemand …* |
| --- | --- | --- |

**5** Bilder und Wörter im Kopf

a) Schreiben Sie das Wort „Wetter" in die Mitte des Blattes und zeichnen Sie vier Kreise um das Wort. Schreiben Sie die für Sie wichtigsten Wetterwörter in den inneren Kreis, die anderen in die äußeren Kreise.

regnen – schneien – sonnig – die Temperatur – der Nebel – warm – die Sonne – der Wind – eisig – die Überschwemmung – der Sturm – wehen – heiß – windig – kalt – das Eis – die Trockenheit – die Wolke – bewölkt

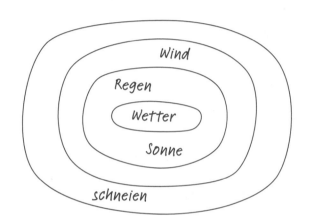

b) Vergleichen Sie Ihre Zeichnung mit der Ihres Partners / Ihrer Partnerin.

**6** Würmer im Urlaub. Eine Bildergeschichte selber machen

a) Basteln Sie mit Ihrem Partner / Ihrer Partnerin zwei Würmer.

b) Denken Sie sich eine Geschichte aus. Was erleben die Würmer im Urlaub / bei der Arbeit / …? Machen Sie vier bis fünf Fotos.

c) Schreiben Sie die Geschichte auf. Zeigen Sie die Fotos und lesen Sie Ihre Geschichte vor.

*Wenn ich Beine hätte, würden sie mir jetzt weh tun!*

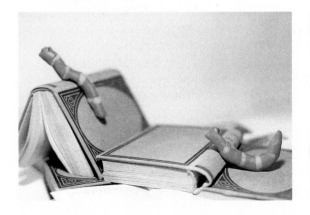

# 3 Grammatik und Evaluation

**1** Verkehrsprobleme

**a) Lesen Sie die Sätze und markieren Sie die Partizip-I-Formen.**

1. Im Straßenverkehr sieht man oft telefonierende Autofahrer.
2. In der Stadt ist alles voll mit parkenden Autos.
3. Die Autofahrer achten nicht immer auf spielende Kinder.
4. Im Stau auf der Autobahn kann man fluchende Autofahrer beobachten.
5. Viele Umweltprobleme werden durch die immer zahlreicher werdenden Autos verursacht.
6. Benzin sparende Autos sind leider oft sehr teuer.

**b) Schreiben Sie Relativsätze wie im Beispiel.**

*Im Straßenverkehr sieht man oft Autofahrer, die telefonieren.*

**2** **Doppelkonjunktionen.** **Schreiben Sie Sätze wie in den Beispielen.**

**je ..., desto ...**

mehr wiegen / weniger essen dürfen – schlechtere Laune bekommen / weniger Freunde haben – trauriger werden / mehr essen

*Je mehr ich wiege, desto weniger darf ich essen. Je weniger ich essen darf, desto schlechtere ...*

**nicht nur..., ... sondern auch ...**

für Pizza braucht man: Tomaten und Käse / Salami und Oliven – Gestern gab es zu Mittag: Suppe und Salat / Käse und Kuchen – meine Tante arbeitet als Reiseleiterin: in den USA / in Kanada

*Für Pizza braucht man nicht nur Tomaten und Käse, sondern auch Salami und Oliven.*

**entweder... oder ...**

Am Wochenende: ins Schwimmbad gehen / auf den Flohmarkt gehen. – Evis Oma: in ein Altersheim ziehen / in eine Senioren-WG ziehen – Wir alle: die Abgase reduzieren / es gibt eine Klimakatastrophe

*Am Wochenende gehen wir entweder ... oder ...*

**3** **Ausreden erfinden mit** *wegen* **+ Genitiv.** **Schreiben Sie einen Entschuldigungsbrief.**

*Sehr geehrte Frau ... / Sehr geehrter Herr ...,*

*wegen einer Familienfeier / eines ... konnte ich / meine Tochter / ... gestern nicht zum Unterricht/ Kurs/... kommen. Ich bitte, mein/ihr/... Fehlen zu entschuldigen.*

*Mit freundlichen Grüßen*

**4** **Was machen Sie selbst, was lassen Sie machen?** Schreiben Sie vier Sätze.

meine Haare schneiden – die Waschmaschine reparieren – den Kuchen backen – das Geschenk verpacken – das Auto reparieren – ein Kleid nähen – sich rasieren – neue Computerprogramme installieren – die Kinder abholen

> *Ich lasse meine Haare schneiden, aber ich rasiere mich selbst.*

**5** **Ein Nachmittag im Leben von Norbert Nachos.** Schreiben Sie eine Kettengeschichte.

> *Der Tag war hart. Nachdem Norbert die Wäsche aufgehängt hatte, arbeitete ...*
> *Nachdem er am Computer gearbeitet hatte, ...*

**6** **Grammatikbegriffe**

**a)** Ordnen Sie die Sätze den Begriffen zu.

Der Schwager <u>meines Mannes</u> arbeitet bei BMW. **1**

Ich bin auf die Party gegangen, <u>obwohl</u> ich keine Lust dazu hatte. **2**

Sie macht eine Umschulung, <u>um</u> bessere Chancen im Beruf <u>zu</u> haben. **3**

Gustav, <u>dessen</u> Bruder schon lange in Amerika lebt, denkt jetzt auch über eine Auswanderung nach. **4**

Gertrud <u>hatte</u> das Haus gerade <u>verlassen</u>, als ihre Schwester anrief. **5**

Die Spaghettisoße <u>wird</u> jeden Tag frisch <u>gekocht</u>. **6**

Im Jahr 2070 <u>wird</u> es so <u>warm sein</u>, dass in Deutschland Bananen wachsen. **7**

a Plusquamperfekt
b Possessivartikel im Genitiv
c Passiv
d Prognosen machen mit Futur
e Gegensätze ausdrücken
f einen Zweck ausdrücken
g Relativpronomen im Genitiv

**b)** Schreiben Sie zu jedem Beispiel einen neuen Satz. Womit haben Sie noch Probleme?

**7** **Systematisch wiederholen – Selbstevaluation**

| Das kann ich auf Deutsch | Einheit | Übung | ☺ gut | ☹ nicht so gut |
|---|---|---|---|---|
| 1. über (Un-)Wetter sprechen | 6 | 1.6 | ▪ | ▪ |
| 2. Prognosen machen | 6 | 3.1 | ▪ | ▪ |
| 3. eine Situation kommentieren | 7 | 1.1b | ▪ | ▪ |
| 4. über Romanfiguren sprechen | 8 | 1.6 | ▪ | ▪ |
| 5. einen literarischen Text lesen | 8 | 1.3 | ▪ | ▪ |
| 6. über Migration sprechen | 9 | 1.4 | ▪ | ▪ |
| 7. über Politik sprechen | 10 | 2.10 | ▪ | ▪ |
| 8. europäische Institutionen beschreiben | 10 | 2.4/2.5 | ▪ | ▪ |

## 4 Videostation 2

**1** Eine Filmszene vorbereiten – Fachwörter und Ausdrücke

**a) Erneuerbare Energien. Ergänzen Sie die Bildunterschriften.**

  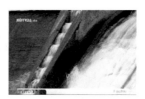 

die ..............energie    die ....................kraft    die ...........................    die Energie aus Biomasse

**b) Ordnen Sie die Ausdrücke und die Erklärungen zu.**

Man rechnet mit einem Zuwachs. **1**
Fachkräfte sind stark nachgefragt. **2**
Der Boom in der Energiebranche zieht an jungen Frauen vorüber. **3**
Etwas geht zur Neige. **4**
Eine Sache hat einen Haken. **5**

**a** Man sucht Experten und Expertinnen.
**b** Sie nutzen gute Jobchancen nicht.
**c** Etwas nimmt ab und existiert bald nicht mehr.
**d** Es gibt ein Problem.
**e** Die Prognose sagt, dass etwas zunimmt.

**2** Global verstehen. **Sehen Sie die Filmausschnitte. Schreiben Sie die Zusammenfassung in Ihr Heft und ergänzen Sie die fehlenden Wörter.**

erneuerbare Energien – „männerdominiert" – Fachkräften – motivieren – Produktion – Projekt – unterrepräsentiert

In dem Videoausschnitt geht es um **(1)**. Wegen des Booms nimmt die Nachfrage nach **(2)** stark zu. Leider ist das Berufsfeld besonders **(3)**. Frauen sind ziemlich **(4)**, besonders im Handwerk und in der **(5)**. Deshalb versucht die Organisation „Energieimpuls OWL" besonders junge Frauen für dieses Berufsfeld zu **(6)**. Zum Beispiel mit dem **(7)** „Mädchen für erneuerbare Energien".

**3** Grammatikwiederholung. **Ergänzen Sie die Sätze mit folgenden grammatischen Strukturen:** *je – desto, wegen, sondern,* Passiv, Futur.

**1.** ................................ der Abnahme der fossilen Energien (Kohle und Öl)

................................ die Bedeutung der erneuerbaren Energien zunehmen.

**2.** Die Zahl der Arbeitskräfte in diesem Berufsfeld ................................ bis zum Jahr 2020

auf 300 000 bis 500 000 Beschäftigte ................................ .

**3.** ................................ stärker die Branche boomt, ................................ mehr Arbeitskräfte

................................ gebraucht.

**4.** Nicht die fossilen Energien erleben einen Boom, ................................ die erneuer-

baren Energien ................................ sich in Zukunft weiter entwickeln.

**4** Knigge für Bewerbungen. Stilcoach Uwe Fenner
berät Lennart Schlei und Ulrike Stübner

a) Vor dem Sehen: Notieren Sie Wörter für
Kleidung und Farben. Beschreiben Sie
Lennart und Ulrike.

b) Während des Sehens: Notieren Sie Details und vergleichen Sie danach im Kurs.

c) Nach dem Sehen: Ratschläge zusammenfassen. Welche Tipps gibt der Stilcoach?
Was sollte man tragen, was ist unpassend?

d) Was würden Sie bei einer Bewerbung tragen?   *Ich würde (kein)...*

**5** Solino – von Italien nach Deutschland

a) Sehen Sie sich
den Filmaus-
schnitt an und
ordnen Sie die
Bilder chrono-
logisch.

b) Fünf Fragen – drei davon werden im Film beantwortet. Können Sie die anderen
auch beantworten?

1. Was soll Gigi seiner Freundin aus Deutschland mitbringen?
2. Warum geht Familie Amato von Italien nach Deutschland?
3. Was vermissen die Amatos in Deutschland?
4. Was bedeutet „ein Stück Heimat nach Deutschland bringen"?
5. Warum schreibt die Zeitschrift *Gala* „ein Film wie ein dampfender Teller Spaghetti"?

# Der erste Tag

in einem neuen Land ist immer sehr spannend. Viele Leute können nach Jahren noch sagen, was sie an diesem Tag erlebt und gedacht haben. Wir haben einige Berichte von jungen Leuten aus aller Welt über ihre ersten Tage in Deutschland gesammelt.

## Moira Brown
**aus Großbritannien**

... kam an die Universität
in Jena, um ein Auslandsjahr
zu machen

Ich war ziemlich nervös und hatte die Nacht kaum geschlafen. Ich saß im Flieger von Stansted nach Leipzig und dachte immer: „Ab jetzt wirklich alle Gespräche auf Deutsch." Als ich im Flughafen nach dem Weg fragte, antwortete der Mann sofort in Englisch. Das war zuerst komisch, ich hatte ja auf Deutsch gefragt, aber es war kein Problem. „Bei der nächsten Gelegenheit sprichst du Deutsch", dachte ich. Also stieg ich in den Zug und fragte eine junge Frau, wann der Zug in Jena ankommen würde. Sie antwortete mir im schönsten Englisch. Wir redeten lange und sie gab mir sogar ihre Adresse. Am Bahnhof angekommen, nahm ich mir vor, kein Wort Englisch mehr zu sprechen. Meine Mentorin begrüßte mich und erklärte mir, dass ich zum Wohnheim, ins Einwohnermeldeamt, zur Bank und ins Akademische Auslandsamt gehen müsste – ich verstand kein Wort! Das war doch nicht möglich! Also wiederholte sie alles auf Englisch. Ich war natürlich frustriert. Jetzt bin ich seit drei Monaten hier in Jena und habe viele nette Austauschstudenten kennen gelernt – und wir unterhalten uns auf Deutsch!

... war glücklich, dass sie ein
Zimmer im Studentenwohnheim
in Göttingen bekommen hat

Ich war fast einen ganzen Tag mit dem Flieger unterwegs. Von Tokio nach Shanghai, dort acht Stunden Aufenthalt und dann weitere fünf Stunden Flug bis nach Frankfurt. Zwei Stunden später kam ich in Göttingen an – ich war total müde und völlig kaputt. Aber zum Schlafen war keine Zeit. Mein Mentor ging mit mir zur Bank, ins Auslandsamt und zeigte mir auch die Uni. Ich war so müde, dass ich kaum ein Wort verstand und auch keine Fragen stellte. Das Einzige, woran ich mich erinnere: die schönen alten Häuser in Göttingen. Im Wohnheim sagte ich nur noch kurz „Hallo." zu meinem Mitbewohner Steffen und ging sofort ins Bett. Am nächsten Tag wollte ich im Supermarkt etwas einkaufen, aber kein Geschäft war offen. Ich hatte riesigen Hunger und keine Ahnung, warum die Geschäfte geschlossen waren. Hungrig ging ich nach Hause und traf meinen Mitbewohner – er hatte gerade Spaghetti gekocht und fragte mich, ob ich nicht Lust hätte, etwas zu essen. Ich war überglücklich. Jetzt wohne ich schon seit vier Monaten hier und Steffen ist ein guter Freund.

## Ayumi Nakahara
**aus Japan**

## Was kann man mit Erlebnisberichten machen **?!**

- die Berichte vergleichen: Was erlebt? Positiv/ negativ? Was gefühlt/gedacht?
- wenn man schon in DACH war: einen eigenen Bericht über den ersten Tag schreiben
- wenn man noch nicht in DACH war: schreiben, was man am ersten Tag in DACH machen möchte

### Hwei-Ching Lin
**aus Taiwan**

... sagt: „Deutschland ist ganz anders, aber schön." Sie kam an einem der letzten heißen Septembertage in Köln an, um einen Sprachkurs zu machen, und hat gleich angefangen zu staunen

„Hallo! Guten Tag!" hat der Zollkontrolleur zu mir gesagt. Das war der erste deutsche Satz, den ich hier gehört habe. Damals war ich sehr nervös und hatte auf einmal alle deutschen Wörter vergessen. Zum Glück hat er mir nicht so viele Fragen gestellt. Das war mein erster Kontakt und mein erster Tag in Deutschland. Ganz spannend und andersartig. Meiner Meinung nach ist Deutschland eine andere Welt.

Mittags ist das Wetter oft sehr heiß, wie in Taiwan, deswegen trage ich einfach nur ein T-Shirt, aber nach dem Unterricht wird das Wetter kalt und oft regnet es sogar. Ich finde es unglaublich, wie unterschiedlich hier die Temperaturen zwischen der Mittagszeit und dem Abend sind. In Deutschland muss man jeden Tag den Regenschirm mitnehmen, weil das Wetter sich so schnell ändern kann. In Taiwan ist das anders. Man nimmt dort den Regenschirm mit, um die Sonne zu meiden! Die Leute in Taiwan haben große Angst, zu braun zu werden. Das ist ein großer Unterschied.

Auch das Essen ist ein großes Problem. In Deutschland ist das wichtigste Nahrungsmittel das Brot. Man isst Brot zum Frühstück, Mittagessen und Abendessen. Bei uns zu Hause dagegen sind Reis und Nudeln am wichtigsten. Manche Leute essen zwar auch Brot zum Frühstück, aber nicht zu jeder Mahlzeit. Zu Mittag und Abend essen wir warm, z. B. gebratenen Reis mit Schweinefleisch und Ei und Fischsuppe ... Für uns ist

das Mittagessen wichtiger als das Frühstück, und das Abendessen ist am allerwichtigsten. [...]

Obwohl Wetter und Essen hier ganz anders sind, habe ich mich jetzt schon daran gewöhnt. Aber da gibt es noch die Sprache! Um mich an die Sprache zu gewöhnen, brauche ich mehr Zeit: ich muss mehr Wörter lernen, Hören und Sprechen üben. [...] Deutschland ist ganz anders, aber schön.

### Unursaikhan K.
**aus der Mongolei**

... ist von seiner Firma nach Osnabrück geschickt worden, damit er seine Deutschkenntnisse verbessert. Er traf auf ein ganz besonderes Ereignis

Der erste Tag der Fußballweltmeisterschaft war auch mein erster Tag in Deutschland. Obwohl ich mich nicht für Fußball interessiere, guckte ich alle wichtigen Spiele. Die Leidenschaft für Fußball ist sehr groß bei den Deutschen. Es war einfach ein tolles Gefühl, zusammenzusitzen und zu sehen, wie sie sich freuen, wenn die deutsche Mannschaft gut gespielt hatte. In meinem Heimatland interessieren sich die Leute nicht so sehr für Fußball. [...] Das Gefühl in Deutschland willkommen zu sein gibt mir eine bessere Lebensqualität, gute Möglichkeiten für Studium und Ausbildung. Ich finde es gut, dass hier alles so frei ist. Man fühlt sich auch sehr sicher.

# Test: Zertifikat Deutsch

Wenn Sie den Band **studio d B1** durchgearbeitet haben, können Sie Ihre Deutsch-kenntnisse mit der Prüfung Zertifikat Deutsch dokumentieren.

| Prüfungsteil | Ziel | Zeit | Punkte |
|---|---|---|---|
| **Schriftliche Prüfung** | | | |
| **Leseverstehen: Teil 1** | Globalverstehen | ca. 20 Min. | 25 |
| **Leseverstehen: Teil 2** | Detailverstehen | ca. 35 Min. | 25 |
| **Leseverstehen: Teil 3** | Selektives Verstehen | ca. 15 Min. | 25 |
| **Sprachbausteine: Teil 1** | Wortschatz und Grammatik | ca. 10 Min. | 15 |
| **Sprachbausteine: Teil 2** | Verknüpfungen, Präpositionen, Partikel | ca. 10 Min. | 15 |
| Pause | | 20 Min. | |
| **Hörverstehen: Teil 1** | Globalverstehen | | 25 |
| **Hörverstehen: Teil 2** | Detailverstehen | ca. 30 Min. | 25 |
| **Hörverstehen: Teil 3** | Selektives Verstehen | | 25 |
| **Schriftlicher Ausdruck** | Brief | 30 Min. | 45 |
| **Mündliche Prüfung** | Vorbereitungszeit | 20 Min. | |
| Teil 1 | Kontaktaufnahme | 3 Min. | |
| Teil 2 | Gespräch über ein Thema | 6 Min. | 75 |
| Teil 3 | Gemeinsames Aufgabenlösen | 6 Min. | |
| Insgesamt | | | 300 |

Sie bestehen die Prüfung Zertifikat Deutsch, wenn Sie folgende Punkte erreichen:
– in der schriftlichen Prüfung mindestens 135 Punkte.
– in der mündlichen Prüfung mindestens   45 Punkte.

Wir wünschen Ihnen viel Spaß und Erfolg beim **studio d**-Modelltest.

## Schriftliche Prüfung

**Leseverstehen, Teil 1 (Arbeitszeit: etwa 20 Minuten)**

**Lesen Sie zuerst die fünf Texte und dann die zehn Überschriften. Welche Überschrift (a–j) passt am besten zu welchem Text (1–5)? Sie können jede Überschrift und jeden Text nur einmal verwenden.**

Viele Familien kennen das: Die Kinder sind zwei oder drei Jahre alt und die Frau, die bisher in der Regel zu Hause war, will wieder arbeiten gehen. Dann stellt sich für viele Familien die Frage: Lohnt sich das überhaupt? Eine neue Studie zeigt: Finanziell lohnt sich das oft nicht wirklich. Eine verheiratete Frau mit Kind verdient so wenig, dass nach Steuern nicht viel übrig bleibt. Deswegen entscheiden sich viele Familien häufig gegen eine berufliche Tätigkeit beider Elternteile.

1

Jedes Jahr am Pfingstwochenende treffen sich in Berlin Menschen unterschiedlichster Nationen und feiern miteinander. Der „Karneval der Kulturen" hat bereits zum zwölften Mal in Berlin-Kreuzberg stattgefunden. Der Straßenumzug hat am Sonntag rund 600 000 Menschen angezogen. Wegen des schlechten Wetters kamen dieses Jahr aber etwas weniger Besucher. Den ganzen Tag hat es gedonnert, geregnet und geblitzt. Trotzdem tanzten über 90 Gruppen aus 70 Nationen an den Zuschauern vorbei.

2

Ist die Arbeit wichtiger als die Freizeit? Eine europaweite Umfrage zu diesem Thema hat folgende Ergebnisse gezeigt: 67 % der Griechen und 66 % der Spanier meinen, dass für sie die Freizeit wichtiger ist als die Arbeit. In Finnland, Großbritannien und Italien ist mehr als die Hälfte der Bevölkerung der gleichen Meinung. In Deutschland sieht es dagegen ganz anders aus: 73 % der Deutschen legen mehr Wert auf die Arbeit als auf die Freizeit. Und in der Türkei ist der Stellenwert der Arbeit noch höher. Für 81 % der Türken ist die Arbeit wichtiger als die Freizeit.

3

Mehr als 1000 Euro im Jahr kann eine Familie mit vier Personen sparen, wenn sie kein Mineralwasser kauft. Das Wasser zu Hause aus der Leitung ist gesund und billiger als das Mineralwasser aus dem Supermarkt. Wenn eine Person täglich 1,5 Liter Leitungswasser trinkt, kostet das nur 238 Euro im Jahr. Greift man aber zu Mineralwasser, kostet das jährlich 1100 Euro.

4

Ab jetzt telefonieren Sie mit Ihrem BICOM-Handy von 18 bis 24 Uhr in alle Mobilnetze für nur 10 Cent pro Minute. Mit unserem neuen Vertrag bekommen Sie dazu noch 100 kostenlose SMS und eine Überraschung: Wählen Sie sich eine BICOM-Handynummer von Ihren Freunden und telefonieren Sie miteinander rund um die Uhr kostenlos. Und das alles für nur 35 Euro im Monat! Ein neues Handy gibt es dazu für nur 1 Euro.

5

a **Griechen und Spanier schätzen ihre Freizeit mehr als die Arbeit**

b **Verheiratete Frauen mit Kindern können kein Geld verdienen**

c **Durst löschen und Geld sparen**

d **Schlechtes Wetter war für 600 000 Menschen kein Problem!**

e **Mit BICOM billiger telefonieren**

f **In Deutschland arbeiten nur 73 % der Bevölkerung**

g **Handytelefonate immer teurer**

h **„Karneval der Kulturen" wurde wegen des schlechten Wetters verschoben**

i **Keine Familie kann an Trinkwasser sparen**

j **Für Mütter lohnt sich die Arbeit oft nicht**

Text 1　Überschrift ▨

Text 2　Überschrift ▨

Text 3　Überschrift ▨

Text 4　Überschrift ▨

Text 5　Überschrift ▨

Lesen Sie den Zeitungsartikel und lösen Sie dann die Aufgaben 6–10.

# Und wovor haben Sie Angst?

Zehn Prozent der Deutschen sagen von sich, dass sie ängstlich sind. 28 Prozent geben an, dass sie ins Schwitzen kommen und keine Luft mehr kriegen, wenn sie Angst haben. Und mehr als jeder dritte Deutsche (35 Prozent) hat Angst vor Spinnen, vor dem Fliegen oder in engen Räumen. Dies sind Ergebnisse einer Umfrage für die Zeitung „Gesundes Leben".

Jeder Zehnte entwickelt mindestens einmal in seinem Leben eine Phobie – also eine übertriebene Angst vor bestimmten Situationen, Tieren oder Gegenständen, die eigentlich vollkommen ungefährlich sind. Aber, wie „Gesundes Leben" in der aktuellen Ausgabe berichtet, es gibt auch gute Nachrichten: Keine andere psychische Störung kann man so erfolgreich behandeln wie Phobien. Am besten helfen Verhaltenstherapie und Hypnose. Bei der Verhaltenstherapie wird das Verhalten der Patienten in Angstsituationen analysiert. Sie müssen sich in Gedanken die Angstsituationen vorstellen. Auch die Ursachen für die Ängste werden analysiert. Oft genügen 15 Sitzungen, um eine Phobie zu behandeln.

In 80 Prozent der Fälle werden die Patienten mit Hilfe der Verhaltenstherapie von ihren Ängsten befreit.

Für manche Menschen sind schon die Gedankenspiele und Ursachenanalyse in der Verhaltenstherapie zu viel. Solchen Patienten ist die Hypnose bei einem seriösen Therapeuten zu empfehlen. Im Traumzustand fällt es ihnen leichter, ihre Ängste zu bekämpfen.

Bei beiden Therapieformen steht am Ende der „Direktkontakt". Wer sich zum Beispiel fürchtet, in einem Fahrstuhl zu fahren, muss eines Tages wirklich hinein. Denn da sind sich die Therapeuten einig: Wer sich von seiner Phobie befreien will, muss die Angst in der Gefahrensituation bekämpfen.

---

Lösen Sie die Aufgaben 6 bis 10 und kreuzen Sie die richtige Lösung (a, b oder c) an. Achtung: Die Reihenfolge der einzelnen Aufgaben folgt nicht immer dem Text!

**Beispiel:** Eine Phobie
a) ☒ entwickelt jeder zehnte Deutsche.
b) ☐ haben 28 % der Deutschen.
c) ☐ ist vollkommen ungefährlich.

6. 35 Prozent der Deutschen
a) ☐ werden von ihren Ängsten befreit.
b) ☐ lesen die Zeitung „Gesundes Leben".
c) ☐ fürchten Spinnen und enge Räume oder haben Angst vor dem Fliegen.

7. Die Therapeuten sind sich einig,
a) ☐ dass man eine Phobie nicht bekämpfen kann.
b) ☐ dass man die Phobie in der Angstsituation bekämpfen muss.
c) ☐ dass der Direktkontakt nicht helfen kann.

8. Die Verhaltenstherapie
a) ☐ analysiert die Ursachen der Angstgefühle.
b) ☐ hilft nicht in 80 Prozent der Fälle.
c) ☐ ist ein Traumzustand.

9. Der Direktkontakt
a) ☐ ist nicht nötig, weil er nicht hilft.
b) ☐ steht am Ende der Verhaltenstherapie.
c) ☐ ist ein Kontakt mit einem Fahrstuhl.

10. Die Hypnose
a) ☐ ist eine Therapie im Traumzustand.
b) ☐ hilft nicht, sich von den Ängsten zu befreien.
c) ☐ ist eine Phobie.

Lesen Sie zuerst die zehn Situationen (11–20) und dann die zwölf Anzeigen (a–l). Welche Anzeige passt zu welcher Situation? Sie können jede Anzeige nur einmal verwenden. Es ist auch möglich, dass Sie *keine* passende Anzeige finden. In diesem Fall tragen Sie „x" in Ihre Lösungen ein.

11. ▢ Ihre Nachbarin, eine alte Frau, sucht eine WG.
12. ▢ Sie möchten sich von Ihrer Frau / Ihrem Mann trennen.
13. ▢ Sie suchen einen günstigen Frisörsalon.
14. ▢ Sie möchten heute Abend mit Ihrem Kind ins Kino gehen.
15. ▢ Ihre Eltern suchen jemanden, der ihnen im Haushalt hilft.
16. ▢ Ihre Freundin ist zu Ihnen nach Deutschland zu Besuch gekommen, wurde aber krank und muss ihr Visum verlängern.
17. ▢ Sie haben keinen Partner / keine Partnerin und möchten auf einer Tanzparty jemanden kennenlernen.
18. ▢ Sie suchen ein Abendkleid / einen Anzug für den Sommerball.
19. ▢ Zum Geburtstag Ihres Freundes suchen Sie eine Bauchtänzerin, um ihn und seine Gäste zu überraschen.
20. ▢ Für Ihr zehnjähriges Kind suchen Sie jemanden, der ihm bei den Mathe-aufgaben hilft.

**a**

**Öffnungszeiten Ausländerbehörde**

Mo, Fr  7:00 bis 12:00
Di  8:30 bis 12:00
Mi  geschlossen (Termine nach Vereinbarung)
Do  8:30 bis 12:00 und 14:00 bis 18:00

*Aufgaben:*
– Ausstellen von Einladungs- und Verpflichtungserklärungen
– Visumsverlängerungen
– Asylangelegenheiten
– Erteilung und Verlängerung von Aufenthaltserlaubnissen
– Erteilung von Niederlassungserlaubnissen
– Übertragung der Aufenthaltstitel in den Pass

**b**

**Haben Ihre Kinder Probleme in der Schule?**

❑ psychologische Beratung
❑ Nachmittagsbeschäftigung
❑ Nachhilfe in allen Schulfächern inkl. Fremd-sprachenunterricht

**Wir machen Ihren Alltag einfacher!**

**Moderne Schule**
Telefon: 030-33 56 70 21 /-

**c**

**Mathenachhilfe für Studenten!!!**
Günstig und verständlich für alle Studierenden! Wir sprechen auch Englisch! Telefon: 036 41 45 87 02,
mathefürstudis@gmx.de

**d**

*Night Club PARADISE lädt ein.*
*Tanzen ohne Ende!!!*

mittwochs
Orient(to)tal-Party mit DJ Salim und Bauchtanz
donnerstags
Salsa-Single-Party mit DJ Robi
freitags und samstags
Gesellschaftstanz für Jung und Alt mit Livemusik!

Am Theater 5 • www.paradise-tanz.de

**e**

**Reinigungsagentur Koch & Söhne**

• Gebäudereinigung
• Gartenpflege
• Schwimmbadpflege
• und vieles mehr!!!

*Wir putzen auch für Sie Ihr Zuhause.*

☏ (0211) 467 89 21

**f**  NEUERÖFFNUNG

❋❋❋❋**Boutique MARTHA**❋❋❋❋

Hochzeitskleider und Anzüge, Schuhe und Accessoires für den schönsten Tag im Leben. Neue Kollektion zum Kaufen und Ausleihen. Sie finden bei uns auch Abendkleider und elegante Anzüge.

Rosen-Passage, 1. Etage
Telefon: 050 872 54 83 • www.martha-kleid.de

**g**

Am 1. Juni ist in der Cinema-Welt
*Kinder-Kinotag!*
Von 10 bis 16 Uhr die schönsten Trickfilme und die besten Kinderfilme für die ganze Familie. Für Eltern mit Kindern alle Filme zum Kindertarif!
www.cinema-welt.de

**h**

Erleben Sie
die Kunst des Orients
mit der Showgruppe
**„Jasmina"**

Wir machen jedes Fest unver-gesslich! Unsere Shows be-geisterten bereits Tausende Zu-schauer. Sie können einzelne Tänzerinnen oder die ganze Showgruppe für Ihr Fest enga-gieren. Tel: 060/87 32 85 64,
www.jasmina.de

**i**

*Mitbewohnerin gesucht!!!*
Wir, drei freundliche Rentner, suchen eine nette Mitbewohne-rin. In unserem Haus steht ein großes, helles Zimmer zur Ver-fügung. Bei Interesse bitte an-rufen. Tel.: 08 23/84 75 62 90

**j**

Rechtsanwalt  Matthias Hausburg

Familienrecht  ▸ Eheverträge
▸ Scheidungen
▸ Unterhalt

Sprechstunden  Mo–Do 8–12 Uhr
Fon 030-896 52 43  matthias.hausburg@recht.de

**k**

Das Konsulat der Bundesrepublik Deutschland hat ab **1. 5. 2007** veränderte Sprechzeiten:

Mo–Do: 8⁰⁰–11⁰⁰, Fr 8⁰⁰–10⁰⁰

Das 30-tägige Visum nach Deutschland kostet ab 1. 5. 2007 **€ 35!**
Vom 26. 4. bis 30. 4. 2007 **geschlossen!**

**l**

**4U** Alles für nur € 13!!!

✔ waschen & schneiden
✔ waschen & fönen
✔ färben

Marktpassage, 2. OG
☏ 05 47-87 32 09 85

**Sprachbausteine, Teil 1** (Arbeitszeit: etwa 10 Minuten)

**Lesen Sie zuerst den Brief und kreuzen Sie dann für jede Lücke die richtige Antwort (a, b oder c) an.**

Liebe Dorit,

gestern __0__ ich aus Deutschland zurück nach Hause gekommen. Schade, dass wir __21__ nicht treffen konnten. Wer weiß, wann ich wieder nach Deutschland komme . . .

Endlich __22__ ich in Berlin gewesen. Meine Firma hat mich zu einem Seminar in die Hauptstadt geschickt! Zum Glück war es warm und es hat nicht geregnet. Am Wochenende war ich im Schloss Sanssouci. Es war sonnig und ich habe den Tag sehr __23__ . Berlin ist eine schöne Stadt, man merkt aber __24__ Unterschied zwischen Ost- und Westberlin immer noch. Am letzten Tag habe ich meine Schulfreundin besucht. Wir hatten uns sehr lange nicht gesehen. Ildiko lebt schon __25__ acht Jahren in Deutschland. Sie hat in Leipzig studiert und jetzt wohnt und arbeitet sie in Berlin. Seit einem Jahr ist sie __26__ und erwartet jetzt ein Baby. Die Ärzte sagen, es wird ein Mädchen und die beiden freuen sich sehr darüber. __27__ Mann ist Deutscher, er ist Dozent an der Technischen Universität Berlin. Er hat schon ein Kind aus __28__ Ehe, einen Jungen. Meiner Freundin gefällt es in Deutschland, sie spricht gut Deutsch und ist glücklich in __29__ Ehe. Wir hatten __30__ tollen Abend, haben zusammen gekocht und viel erzählt.

Es wird Zeit, dass wir uns auch mal wieder sehen.

Liebe Grüße

deine Angela

| Beispiel: | 22. | a) habe | 25. | a) ab | 28. | a) ersten |
| | | b) hatte | | b) vor | | b) erste |
| (0) a) war | | c) bin | | c) seit | | c) erster |
| b) X bin | | | | | | |
| c) habe | 23. | a) genießen | 26. | a) geheiratet | 29. | a) seiner |
| | | b) genossen | | b) heiratet | | b) ihrer |
| | | c) genoss | | c) verheiratet | | c) ihren |
| 21. a) euch | 24. | a) den | 27. | a) Sein | 30. | a) ein |
| b) uns | | b) der | | b) Dein | | b) einer |
| c) dich | | c) das | | c) Ihr | | c) einen |

## Sprachbausteine, Teil 2 (Arbeitszeit: etwa 10 Minuten)

Lesen Sie zuerst den Brief und entscheiden Sie, welches Wort (a–p) in die Lücken (31–40) passt. Sie können jedes Wort nur einmal verwenden. Nicht alle Wörter passen in den Brief.

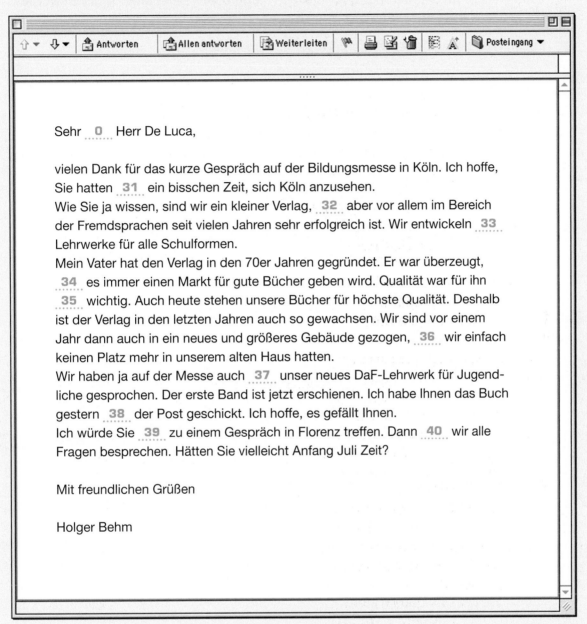

Sehr  0  Herr De Luca,

vielen Dank für das kurze Gespräch auf der Bildungsmesse in Köln. Ich hoffe, Sie hatten  31  ein bisschen Zeit, sich Köln anzusehen.

Wie Sie ja wissen, sind wir ein kleiner Verlag,  32  aber vor allem im Bereich der Fremdsprachen seit vielen Jahren sehr erfolgreich ist. Wir entwickeln  33  Lehrwerke für alle Schulformen.

Mein Vater hat den Verlag in den 70er Jahren gegründet. Er war überzeugt,  34  es immer einen Markt für gute Bücher geben wird. Qualität war für ihn  35  wichtig. Auch heute stehen unsere Bücher für höchste Qualität. Deshalb ist der Verlag in den letzten Jahren auch so gewachsen. Wir sind vor einem Jahr dann auch in ein neues und größeres Gebäude gezogen,  36  wir einfach keinen Platz mehr in unserem alten Haus hatten.

Wir haben ja auf der Messe auch  37  unser neues DaF-Lehrwerk für Jugendliche gesprochen. Der erste Band ist jetzt erschienen. Ich habe Ihnen das Buch gestern  38  der Post geschickt. Ich hoffe, es gefällt Ihnen.

Ich würde Sie  39  zu einem Gespräch in Florenz treffen. Dann  40  wir alle Fragen besprechen. Hätten Sie vielleicht Anfang Juli Zeit?

Mit freundlichen Grüßen

Holger Behm

**Beispiel:** Sehr (0) Herr De Luca,
**Lösung:**  p

| | | | | |
|---|---|---|---|---|
| a) noch | e) weil | i) mit | m) müssten | |
| b) dass | f) auf | j) wenn | n) jetzt | |
| c) könnten | g) über | k) besonders | o) denen | |
| d) der | h) für | l) gern | p) ~~geehrter~~ | |

31. ........   33. ........   35. ........   37. ........   39. ........

32. ........   34. ........   36. ........   38. ........   40. ........

**Hörverstehen** (Dauer: etwa 30 Minuten)

**Hörverstehen, Teil 1**

Sie hören fünf kurze Texte. Sie hören diese Texte *nur einmal*. Entscheiden Sie beim Hören, ob die Aussagen 41 bis 45 richtig oder falsch sind. Markieren Sie (R) gleich richtig oder (F) gleich falsch.

Lesen Sie zuerst die Aussagen 41 bis 45. Sie haben 30 Sekunden Zeit.

41. Die Sprecherin hatte mit ihrem Freund mehr als sieben Jahre lang eine Wochenendbeziehung.  R F
42. Die Sprecherin meint, dass Wochenendbeziehungen nicht funktionieren können.  R F
43. Der Mann hat seit drei Jahren eine Wochenendbeziehung.  R F
44. Die Frau ist nicht mehr mit ihrem Partner zusammen.  R F
45. Der Sprecher sagt, dass die Frau immer dem Mann folgen muss.  R F

 **Hören Sie jetzt die Interviews.**

2.2

**Hörverstehen, Teil 2**

Sie hören ein Gespräch. Sie hören das Gespräch *zweimal*. Entscheiden Sie beim Hören, ob die Aussagen 46 bis 55 richtig oder falsch sind. Markieren Sie (R) gleich richtig oder (F) gleich falsch.

Lesen Sie jetzt die Aussagen 46 bis 55. Sie haben eine Minute Zeit.

46. In Deutschland gibt es mehr als 350 Jugendmigrationsdienste.  R F
47. Es gibt ein großes Kurs- und Projektangebot.  R F
48. Die wichtigste Aufgabe des JMD ist die Organisation von Deutschkursen.  R F
49. Das Ziel ist es, Migranten in der ersten Zeit in Deutschland zu betreuen.  R F
50. Der JMD kooperiert nicht mit den sozialen Einrichtungen in Jena.  R F
51. Die Freiwilligen sind keine Migrantinnen und Migranten.  R F
52. Die Freiwilligen gehen mit den neuen Migranten zu den Ämtern.  R F
53. Die Freiwilligen arbeiten weniger als drei Stunden pro Woche.  R F
54. Die Migranten haben keine sprachlichen Schwierigkeiten.  R F
55. Alle Jugendlichen integrieren sich gut in die deutsche Gesellschaft.  R F

 **Hören Sie jetzt das Gespräch.**

2.3

**Hörverstehen, Teil 3**

Sie hören jetzt fünf kurze Texte. Sie hören jeden Text *zweimal*. Entscheiden Sie beim Hören, ob die Aussagen 56 bis 60 richtig oder falsch sind. Markieren Sie (R) gleich richtig oder (F) gleich falsch.

2.4

56. Um zum Alexanderplatz zu fahren, muss man die Regionalbahn von Gleis 12 nehmen.  R F
57. Bei Fragen zum Vertrag muss man die Zwei drücken.  R F
58. Alle Passagiere nach Wien müssen in die 1. Etage zur Information gehen.  R F
59. Samstags bleibt der Supermarkt geschlossen.  R F
60. Die Firma befindet sich am Alten Schloss.  R F

**Schriftlicher Ausdruck** (Arbeitszeit: 30 Minuten)

Im Flug von Deutschland nach Hause haben Sie ein nettes deutsches Paar kennengelernt, das Ihr Land besuchen wollte. Sie haben den beiden viel über Ihr Land erzählt und zusammen mit ihnen in Ihrer Stadt einiges unternommen. Als die beiden wieder in Deutschland waren, haben Sie von ihnen folgende E-Mail bekommen.

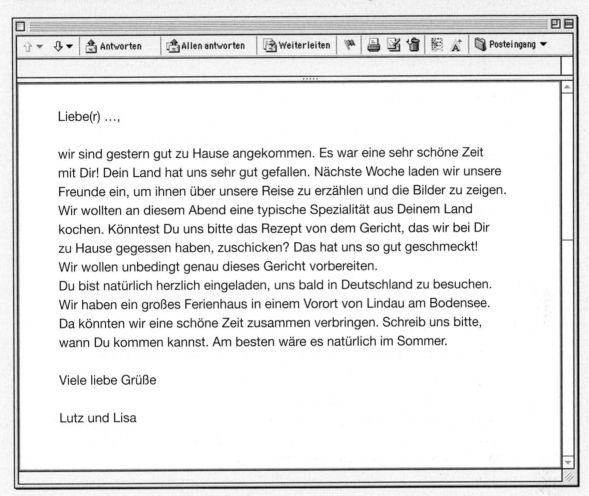

Liebe(r) ...,

wir sind gestern gut zu Hause angekommen. Es war eine sehr schöne Zeit
mit Dir! Dein Land hat uns sehr gut gefallen. Nächste Woche laden wir unsere
Freunde ein, um ihnen über unsere Reise zu erzählen und die Bilder zu zeigen.
Wir wollten an diesem Abend eine typische Spezialität aus Deinem Land
kochen. Könntest Du uns bitte das Rezept von dem Gericht, das wir bei Dir
zu Hause gegessen haben, zuschicken? Das hat uns so gut geschmeckt!
Wir wollen unbedingt genau dieses Gericht vorbereiten.
Du bist natürlich herzlich eingeladen, uns bald in Deutschland zu besuchen.
Wir haben ein großes Ferienhaus in einem Vorort von Lindau am Bodensee.
Da könnten wir eine schöne Zeit zusammen verbringen. Schreib uns bitte,
wann Du kommen kannst. Am besten wäre es natürlich im Sommer.

Viele liebe Grüße

Lutz und Lisa

**Schreiben Sie Lutz und Lisa eine E-Mail, die folgende Punkte enthält:**

– Zeitpunkt, wann Sie zu Lutz und Lisa kommen können

– was Lutz und Lisa ihren Freunden über Ihr Land unbedingt erzählen sollten

– die Angabe, dass Sie ein Rezept von einem typischen Gericht in Ihrem Land mitschicken

– bedanken Sie sich bei Lutz und Lisa für die Einladung nach Deutschland

**Überlegen Sie sich die passende Reihenfolge der Punkte, eine passende Einleitung und einen passenden Schluss. Vergessen Sie die Anrede nicht.**

# Mündliche Prüfung

## Teil 1: Kontaktaufnahme (Dauer: 3 Minuten)

Sprechen Sie mit Ihrer Partnerin / Ihrem Partner bzw. der Prüferin / dem Prüfer kurz über sich selbst. Die folgenden Punkte helfen Ihnen.

Name / Alter – Wohnort – Herkunft – Familie – Berufliche Tätigkeit / Ausbildung – wie lange und warum Sie schon Deutsch lernen – Sprachkenntnisse – Kontakt zu Deutschen

Die Prüferin / der Prüfer kann noch weitere Fragen stellen.

## Teil 2: Gespräch über ein Thema (Dauer: 6 Minuten)

Sehen Sie sich die Grafik an. Berichten Sie kurz, welche Informationen Sie bekommen. Danach berichtet Ihre Partnerin / Ihr Partner über die Informationen zum gleichen Thema auf Seite 207.
Berichten Sie dann von Ihren persönlichen Erfahrungen. Stellen Sie sich gegenseitig Fragen und reagieren Sie.

Mehr als 65 % der EU-Bürger sagen, dass es für sie leicht ist, sich gesund zu ernähren. Das ergab eine europaweite Befragung. Aber ist es denn wirklich leicht, sich gesund zu ernähren und was bedeutet das eigentlich? Hier sind einige Antworten:

### Für die Europäer bedeutet eine gesunde Ernährung:

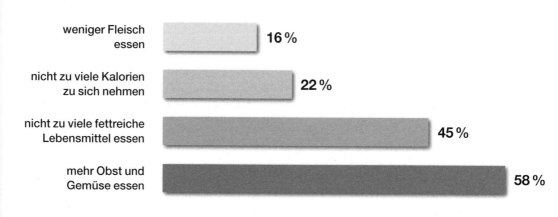

weniger Fleisch essen — 16 %
nicht zu viele Kalorien zu sich nehmen — 22 %
nicht zu viele fettreiche Lebensmittel essen — 45 %
mehr Obst und Gemüse essen — 58 %

## Teil 3: Gemeinsam eine Aufgabe lösen (Dauer: 6 Minuten)

Sie und Ihre Partnerin / Ihr Partner müssen für die nächste Deutschstunde ein Plakat zum Thema „Essen in Deutschland" machen und es präsentieren.
Überlegen Sie gemeinsam mit Ihrer Gesprächspartnerin / Ihrem Gesprächspartner, wie Sie die Präsentation und das Plakat gemeinsam vorbereiten. Entscheiden Sie in einem Gespräch, was alles zu tun ist und wer welche Aufgaben übernimmt.
Sie haben sich folgende Notizen vorbereitet:

– Treffpunkt und -zeit
– Recherche über das Thema: Informationen und Bilder im Internet sammeln
– ein Plakat selbst anfertigen oder am Computer machen
– die mündliche Präsentation dazu vorbereiten
– Arbeitsaufteilung während der Präsentation

# Partnerseiten

## Einheit 3, Aufgabe 1.4

**Partnerspiel: Pro und Contra. „Männer sollten mehr im Haushalt tun".**
Partner/in A hat die Pro-Karte auf Seite 48. Partner/in B die Contra-Karte.
Lesen Sie die Argumente und sammeln Sie mindestens zwei weitere.
Diskutieren Sie. Die Redemittel auf Seite 48 helfen Ihnen.

> Männer müssen mehr im Haushalt helfen.

> Das sehe ich nicht so. Frauen arbeiten oft nur halbtags.

Contra: Männer sollten nicht mehr im Haushalt tun
- Frauen machen das schon immer, sie können das besser
- Frauen haben mehr Zeit
- Männer arbeiten hart im Job

## Station 1, Aufgabe 2.2

**Flüsterdiktat.** Diktieren Sie nun Ihrem Partner / Ihrer Partnerin. Flüstern Sie!

> Isabella Schmitz ist müde.
> Kochen, waschen, Blumen gießen, einkaufen – sie
> ist Hausfrau und seit 25 Jahren mit Rüdiger verheiratet.
> Aber glücklich ist sie nicht. Wenn sie etwas Besonderes kocht,
> sagt er, dass es ihm zu modern ist. Dass sie zum Klavierunterricht
> geht, interessiert ihn nicht. Dass sie Gedichte schreibt, weiß
> er nicht. Aber jetzt ist Schluss! Nach dem Abwasch geht
> sie zum Computer und freut sich über eine Mail.
> Morgen wird alles anders!

## Station 1, Aufgabe 2.3

Haben Sie sich getestet? Hier finden Sie die Auswertung zum Test „Welcher Beziehungstyp sind Sie?" auf Seite 97. Zählen Sie die Punkte zusammen und lesen Sie das passende Profil vor.

### Auswertung

|   | 1 | 2 | 3 | 4 | 5 | 6 |
|---|---|---|---|---|---|---|
| a | 0 | 2 | 1 | 0 | 3 | 2 |
| b | 3 | 1 | 2 | 3 | 2 | 0 |
| c | 2 | 3 | 3 | 2 | 1 | 3 |

Punkte gesamt: .......................

**0–5 Punkte**

### der/die Egoist/in

Sie denken, Sie sind ein unkomplizierter Mensch? Sie meinen effektiv zu kommunizieren? Ihre Einstellung zur Beziehung: keine Kompromisse! Doch warum haben Sie eigentlich eine Beziehung? Machen Sie ab und zu einen Kompromiss – auch wenn Sie meinen, dass es für Sie unpraktisch und unbequem ist. Ihr/e Partner/in wird sich neu in Sie verlieben. Das ist sicher!

**6–12 Punkte**

### der/die Diplomat/in

Sie machen viel, aber nicht alles für Ihre/n Liebste/n? Sie suchen immer nach einer guten Lösung für beide Seiten? Richtig! Sie haben eigene Hobbys, aber auch Zeit für die Beziehung. Sie sind ein gefühlvoller Mensch und wissen, was Ihr/e Partner/in braucht. Sie gehen eigene Wege, sind aber auch kompromissbereit. Mit Ihnen kann man glücklich sein!

**13–18 Punkte**

### der/die Selbstlose

Sie machen alles für Ihren/Ihre Partner/in? Sie sind unfähig ‚Nein' zu sagen. Sind Sie ein romantischer und freundlicher Mensch? Ja! Es ist aber in einer Beziehung wenig sinnvoll, wenn man unkritisch mit dem/der Partner/in ist. Sind Sie nicht unehrlich, wenn Sie meinen, keine eigenen Wünsche zu haben? Sagen Sie auch mal ‚Nein'! Sie sind trotzdem ein sympathischer Mensch.

## Station 2, Aufgabe 1.5

**Rollenspiel.** Lesen Sie Ihre Rollenkarte und spielen Sie mit Ihrem Partner / Ihrer Partnerin, der/die die Karte auf Seite 187 benutzt. Das Schema dort hilft Ihnen.

**1b**
Eine Kollegin / ein Kollege holt Sie vom Flughafen ab. Der Flug hat vier Stunden gedauert, aber Sie haben zwei Stunden Verspätung. Sie sind zum ersten Mal in der Stadt. Fragen Sie nach dem Hotel, nach Sehenswürdigkeiten, wie lange Ihr Kollege / Ihre Kollegin schon in der Stadt wohnt und sprechen Sie über das Wetter bei sich zu Hause.

**2b**
Sie wissen nicht, wo der Bus zum Kongresszentrum abfährt und müssen einen/-e anderen/-e Kongressteilnehmer/in fragen. Sie unterhalten sich im Bus über Ihre Firmen, was sie produzieren, wo sie sind und wie lange Sie dort schon arbeiten. Sie fragen, ob der/die andere Lust hat, mit Ihnen zu Mittag zu essen.

# Modelltest

**Kandidat B**

Sehen Sie sich die Grafik an. Berichten Sie Ihrer Partnerin / Ihrem Partner kurz,
welche Informationen Sie bekommen. Ihre Partnerin / Ihr Partner hat eine andere
Information zum gleichen Thema auf Seite 204. Erzählen Sie dann von Ihren
persönlichen Erfahrungen. Stellen Sie sich gegenseitig Fragen und reagieren Sie.

Nach einer Befragung aus dem Jahr
2005 hat jeder fünfte Europäer in
den letzten 12 Monaten seine
Ernährungsgewohnheiten geändert
oder eine Diät gemacht. Gesunde
Ernährung bedeutet für viele
Europäer weniger Fett und mehr
Obst und Gemüse zu essen.
Hier sind noch weitere Meinungen:

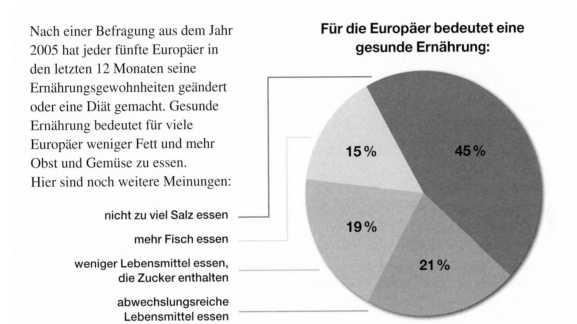

**Für die Europäer bedeutet eine
gesunde Ernährung:**

nicht zu viel Salz essen

mehr Fisch essen

weniger Lebensmittel essen,
die Zucker enthalten

abwechslungsreiche
Lebensmittel essen

15 %

45 %

19 %

21 %

# Grammatik auf einen Blick – *studio d B1*

## Sätze

### 1 Gleichzeitigkeit: Nebensätze mit *während*
E1

| Sarah | macht | Notizen, <u>während</u> sie (telefoniert). |

<u>Während</u> Sarah (telefoniert), macht sie Notizen.

**Regel** Im Nebensatz steht das Verb am Ende.
Der Nebensatz beginnt mit *während*, er kann
vor oder nach dem Hauptsatz stehen.

### 2 Gegensätze ausdrücken

E7 **1 Nebensätze mit *obwohl***

**Hauptsatz 1**
Nelli kennt ihren neuen Nachbarn nicht.

**Hauptsatz 2**
Sie besucht ihn.

**Hauptsatz**
Nelli besucht ihren neuen Nachbarn,

**Nebensatz**
<u>obwohl</u> sie ihn nicht (kennt).

**Nebensatz**
<u>Obwohl</u> sie ihn nicht (kennt),

**Hauptsatz**
besucht Nelli ihren neuen Nachbarn.

**Regel** Mit *obwohl* beginnt ein Nebensatz. Der *obwohl*-Satz drückt einen Gegensatz
aus. Er kann vor oder nach dem Hauptsatz stehen.

**Obwohl** das Baden im Brunnen verboten ist, spielen die Kinder im Wasser.

E10 **2 Hauptsätze mit *trotzdem***

Die EU wird oft kritisiert. **Trotzdem** wollen viele Länder Mitglied der EU werden.
Die EU ist eine große Wirtschaftsregion, **trotzdem** sind viele Europäer arbeitslos.

## 3 Zeitpunkte: Nebensätze mit *seit*

E8

**Hauptsatz**
Evi führt Tagebuch.

**Hauptsatz**
Oma freut sich über die blauen Tage.

**Nebensatz**
Seit Evi Tagebuch ( führt ),

**Hauptsatz**
freut sich Oma über die blauen Tage.

**Hauptsatz**
Oma freut sich über die blauen Tage, seit Evi Tagebuch ( führt ).

**Regel** Nebensätze mit *seit* meinen den Zeitpunkt des Beginns einer Handlung, die noch andauert.

## 4 Infinitiv mit *zu*

E3

Vergiss nicht, die Blumen **zu gießen**!

Peter versucht, seiner Freundin eine neue CD **mitzubringen**.

Hanna ist es wichtig, über wirkliche Probleme offen **zu sprechen**.

Die Müllers haben geplant, in den Ferien zusammen **zu verreisen**.

Karin hat keine Zeit, die Wohnung **aufzuräumen**.

Haben Sie Lust, einen Tanzkurs **zu machen**?

**Regel** Der Infinitiv mit *zu* steht oft am Ende des Satzes. Bei trennbaren Verben steht *zu* zwischen dem trennbaren Verbteil und dem Verbstamm.

## 5 Etwas begründen: *darum, deshalb, deswegen*

E2

Ich arbeite an einem neuen Projekt, **darum/deshalb/deswegen** komme ich oft spät nach Hause.

**Regel** Mit *darum/deshalb/deswegen* beginnt ein Hauptsatz, das Verb steht auf Position 2.

**Minimemo**
darum, deshalb, deswegen – drei Wörter, eine Bedeutung

## 6 Ratschläge, höfliche Bitten und irreale Wünsche ausdrücken: der Konjunktiv II (Präsens)

E2, E5

Du **solltest** gesünder leben.

Ihr **müsstet** mal wieder zusammen ausgehen.

Ich **hätte** gerne einen Kaffee!

**Könnten** Sie mir bitte ein Glas Wasser bringen?

Ich **wäre** gern 18!

Ich **wünschte**, die Schüler **wären** fleißiger.

Ich **würde** am liebsten sofort in den Urlaub fahren.

Wenn mir mein Mann im Haushalt helfen **würde**, **hätte** ich mehr Zeit.

*Das wäre schön!*

### 1 Bedingungen und Konsequenzen ausdrücken mit *je ..., desto ...*

**Je** weniger Schnee in den Alpen fällt, **desto** weniger Skiurlauber gibt es.

### 2 Widersprüche im Satz ausdrücken mit *nicht ..., sondern ...*

**Nicht** die Kraftwerke, **sondern** die Kühe sind das Klimaproblem Nr. 1.

E 7 ### 3 Aufzählungen mit *nicht nur..., sondern auch ... / weder ... noch ...*

Eine Hotelmanagerin muss **nicht nur** gut organisiert sein, **sondern auch** mehrere Sprachen sprechen.

Eine Hotelmanagerin sollte **weder** zu elegant **noch** zu sportlich gekleidet sein.

E 10 ### 4 Alternativen ausdrücken mit *entweder ... oder ...*

Das Europäische Parlament arbeitet **entweder** in Strassburg **oder** in Brüssel.
**Entweder** suche ich mir einen Job in Italien **oder** ich studiere weiter.

> Was machst du nach dem Examen?

> Entweder suche ich mir einen Job in Italien oder ich studiere weiter.

## 8 Fragesätze mit Fragewörtern: *woran, worüber, womit, wovon*

E 10

- ■ Woran denken Sie bei den Wort Europa?
- ◆ Ich denke **an** Reisen ohne Grenzen.

- ■ **Worüber** freuen Sie sich?
- ◆ Ich freue mich **über** die Erfolge beim Deutschlernen.

- ■ **Womit** bezahlst du die Rechnung?
- ◆ **Mit** meiner EC-Karte!

- ■ **Wovon** träumen Sie?
- ◆ Ich träume **von** einem schnellen Auto.

Damit!

## 9 Übersicht: Verben im Satz

### 1 Hauptsätze

|  |  | Position 2 |  |  |
|---|---|---|---|---|
|  | Ich | fahre | jetzt nach Hause. |  |
| lassen | Ich | lasse | Maria nach Hause | fahren. |
| brauchen | Ich | brauche | Maria nicht nach Hause | zu fahren. |
| Modalverb | Ich | muss | jetzt nach Hause | fahren. |
| Perfekt | Ich | bin | gestern zu spät nach Hause | gefahren. |
| Plusquam- perfekt | Ich | hatte | gestern versucht, dich | anzurufen. |
| Futur | Ich | werde | heute spät nach Hause | fahren. |
| Zeitangabe am Anfang | Gestern | bin | ich zu spät nach Hause | gefahren. |
| Imperativ | Fahren | Sie | nach Hause! |  |
| Frage | Fahren | Sie | nach Hause? |  |
|  | Sind | Sie | mit dem Auto nach Hause | gefahren? |
|  | Wann | fahren | Sie nach Hause? |  |
|  | Wovon | träumst | du? |  |
| Konj. II (Präsens) |  | Würden | Sie mich bitte | vorbeilassen? |
|  | Ich | würde | gern Urlaub | machen. |
|  | Du | solltest | zum Arzt | gehen. |
|  | Ich | hätte | gern einen Kaffee. |  |
|  | Sie | wäre | gern wieder 18. |  |

## 2 Hauptsätze vor Nebensätzen

| | | | | | |
|---|---|---|---|---|---|
| dass | Peter | hat | gesagt, | dass er keine Zeit | hat. |
| weil | Ich | kam | zu spät, | weil ich den Bus | verpasst hatte. |
| wenn | Ich | höre | gern Musik, | wenn ich gute Laune | habe. |
| damit | Ich | nehme | das Auto, | damit ich schneller | bin. |
| um ... zu | Ich | fahre | nach Tübingen, | um meine Mutter | zu besuchen. |
| Infinitiv mit zu | Sie | hat | keine Lust, | die Wohnung | aufzuräumen. |
| Relativsatz | Das | ist | die Frau, | die ich in der Stadt | gesehen habe. |
| als | Sie | hat | angerufen, | als ich nicht da | war. |
| während | Er | hört | Musik, | während er Zeitung | liest. |
| obwohl | Er | putzt | das Auto, | obwohl er keine Lust | hat. |
| seit | Clara | spielt | Klavier, | seit sie zur Schule | geht. |
| ob | Ich | möchte | wissen, | ob du morgen | kommst. |

## 3 Nebensätze vor Hauptsätzen

Position 2

| | | | |
|---|---|---|---|
| Weil ich den Bus verpasst hatte, | kam | ich zu spät. | |
| Wenn ich gute Laune habe, | höre | ich gern Musik. | |
| Damit ich schneller bin, | nehme | ich das Auto. | |
| Um meine Mutter zu besuchen, | fahre | ich nach Tübingen. | |
| Als ich krank war, | hat | meine Mutter | angerufen. |
| Während er Zeitung liest, | trinkt | er Kaffee. | |
| Obwohl er keine Lust hat, | putzt | er das Auto. | |
| Seit Clara zur Schule geht, | spielt | sie Klavier. | |

## 4 Hauptsätze und Hauptsätze

| | |
|---|---|
| Mein Freund möchte in den Urlaub fahren, | aber ich habe leider keine Zeit. |
| Ich habe mir ein neues Fahrrad gekauft, | denn mein altes Rad war kaputt. |
| Ich habe die Kinokarten gekauft, | und ich habe Paul angerufen. |
| Morgen gehe ich schwimmen, | oder ich mache einen Einkaufsbummel. |
| Ich arbeite oft sehr lange, | darum gehe ich selten ins Kino. |
| Die EU wird oft kritisiert, | trotzdem wollen viele Länder in die EU. |

## 10 Wortbildung

### 1 Nomen mit -ung

die Rechnung – rechnen
die Entscheidung – entscheiden
die Prüfung – prüfen
die Regierung – regieren
die Veranstaltung – veranstalten
die Leitung – leiten

| Rechnung | |
|---|---|
| Verzehr | EUR |
| **SPEISEN** | |
| Wiener Schnitzel | 12,50 |
| Steak 250 g | 14,00 |
| **GETRÄNKE** | |
| Eistee | 1,70 |
| Cola | 2,00 |
| insg. | 30,20 |

**! Lerntipp**

In Wörtern mit *-ung* findet man meistens ein Verb.

### E10 2 Nomen mit -heit, -keit

Für die Bürger der EU sind Mehrsprachigkeit und Reisefreiheit wichtig.

die Freiheit – frei
die Sicherheit – sicher
die Unabhängigkeit – unabhängig
die Mehrsprachigkeit – mehrsprachig

**! Lerntipp**

die Heitungkeit

**Regel** Nomen mit *-ung, -heit, -keit* haben den Artikel *die*.

### 3 Aus Verben Nomen machen

rauchen – Im Restaurant ist **das** Rauchen verboten!
lachen – Mediziner sagen, dass **das** Lachen gesund ist.
heiraten – Manche Leute denken, dass **das** Heiraten nicht mehr modern ist.
bauen – **Das** Bauen wird jedes Jahr teurer.

**Regel** Nomen aus Verben haben den Artikel *das*.

### E1 4 Nominalisierungen mit zum

lesen – zum Lesen
lernen – zum Lernen
arbeiten – zum Arbeiten

*Ich hätte gern mehr Zeit zum Lesen.*

### E4 5 Verkleinerungsformen mit -chen

die Suppe – das Süppchen
das Haus – das Häuschen
der Wein – das Weinchen

**Regel** Verkleinerungsformen haben den Artikel *das*.

**6 Adjektive in Gegensatzpaaren mit *un-*, *-voll* und *-los***

glücklich   – unglücklich
romantisch – unromantisch

humorvoll – humorlos
sinnvoll   – sinnlos

Ich hätte gerne einen romantischen
Mann. Mit unromantischen Männern
kann ich nichts anfangen!

**7 Adjektive mit *-ig* und *-lich***

traurig        – die Traurigkeit
unabhängig – die Unabhängigkeit
freundlich    – die Freundlichkeit
gemütlich     – die Gemütlichkeit
herzlich       – die Herzlichkeit

Ich mag lustige,
gemütliche und herzliche
Menschen!

**11** **Gründe: *wegen* + Genitiv**

**Wegen des** Klimawandels gibt es mehr
Umweltkatastrophen.

Klimaforscher machen sich **wegen des**
Wetters Sorgen.

**Wegen der** Erderwärmung schmelzen
die Gletscher.

Die Städte am Meer sind **wegen der**
Sturmfluten in Gefahr.

|          | *der*            | *das*        | *die*               |
|----------|------------------|--------------|---------------------|
| Nominativ | der Klimawandel  | das Wetter   | die Erderwärmung    |
| Genitiv   | des Klimawandels | des Wetters  | der Erderwärmung (!) |

*Lernen Sie extra:*

     der Student/   Kollege/ Junge/ Nachbar/ Bär/   Kunde/ Präsident

wegen **des** Studenten/Kollegen/Jungen/Nachbarn/Bären/Kunden/Präsidenten

Wegen **des** Eisbären
kommen viele Besucher
in den Berliner Zoo.

### 12 Possessivartikel im Genitiv
E8

Das ist Stefanie.     Das ist ihr Mann.     Bello ist der Hund **ihres** Mannes.

|  | *der/das* | *die / die (Pl.)* |
|---|---|---|
| ich | meines | meiner |
| du | deines | deiner |
| er/es | seines | seiner |
| sie | ihres | ihrer |
| wir | unseres | unserer |
| ihr | eures | eurer |
| sie/Sie | ihres/Ihres | ihrer/Ihrer |

### 13 Übersicht Possessivartikel

|  |  | *der* | *das* | *die* |
|---|---|---|---|---|
| Singular | Nominativ | mein Hund | mein Auto | meine Firma |
|  | Akkusativ | meinen Hund | mein Auto | meine Firma |
|  | Dativ | meinem Hund | meinem Auto | meiner Firma |
|  | Genitiv | meines Hundes | meines Autos | meiner Firma |
| Plural | Nominativ | meine Hunde/Autos/Firmen | | |
|  | Akkusativ | meine Hunde/Autos/Firmen | | |
|  | Dativ | meinen Hunden/Autos/Firmen | | |
|  | Genitiv | meiner Hunde/Autos/Firmen | | |

> **Minimemo**
> der/das
> → Genitiv -es
> die/die
> → Genitiv -er

**Regel** Alle Possessivartikel (*sein, dein, unser, …*) und auch
(k)ein haben die gleichen Endungen wie *mein-*.

### 14 Relativpronomen
E9

#### 1 Relativpronomen im Genitiv

Der Film, **dessen** Regisseur ausgezeichnet wurde, läuft jetzt im Kino.
Das Filmprojekt, **dessen** Finanzierung unsicher ist, wird verschoben.
Die Regisseurin, **deren** Film prämiert wurde, kommt aus Köln.
Die Schauspieler, **deren** Verträge enden, werden arbeitslos.

#### 2 Übersicht: Relativpronomen

| Singular | Nominativ | der | das | die |
|---|---|---|---|---|
|  | Akkusativ | den | das | die |
|  | Dativ | dem | dem | der |
|  | Genitiv | dessen | dessen | deren |
| Plural | Nominativ | die | | |
|  | Akkusativ | die | | |
|  | Dativ | denen | | |
|  | Genitiv | deren | | |

> **!** **Lerntipp**
> der/das → dessen
> die / die (Pl.) → deren

## 1 Adjektivdeklination: bestimmter Artikel

Nach dem bestimmten Artikel (*der, das, die*) können die Adjektive zwei verschiedene
Endungen haben: -e oder -*en*.

| Singular | *der* | *das* | *die* |
|---|---|---|---|
| Nominativ | der klein**e** Hund | das klein**e** Auto | die klein**e** Straße |
| Akkusativ | den klein**en** Hund | das klein**e** Auto | die klein**e** Straße |
| Dativ | dem klein**en** Hund | dem klein**en** Auto | der klein**en** Straße |
| Genitiv | des klein**en** Hundes | des klein**en** Autos | der klein**en** Straße |

| Plural | *die* |
|---|---|
| Nominativ | die klein**en** Hunde/Autos/Straßen |
| Akkusativ | die klein**en** Hunde/Autos/Straßen |
| Dativ | den klein**en** Hunden/Autos/Straßen |
| Genitiv | der klein**en** Hunde/Autos/Straßen |

> **!** **Lerntipp**
> Die häufigste Adjektiv-
> endung ist -en.

## 2 Adjektivdeklination: unbestimmter Artikel

| Singular | *der* | *das* | *die* |
|---|---|---|---|
| Nominativ | (k)ein groß**er** Hund | (k)ein groß**es** Auto | (k)eine groß**e** Straße |
| Akkusativ | (k)einen groß**en** Hund | (k)ein groß**es** Auto | (k)eine groß**e** Straße |
| Dativ | (k)einem groß**en** Hund | (k)einem groß**en** Auto | (k)einer groß**en** Straße |
| Genitiv | (k)eines groß**en** Hundes | (k)eines groß**en** Autos | (k)einer groß**en** Straße |

| Plural | *die* |
|---|---|
| Nominativ | keine groß**en** Hunde/Autos/Straßen |
| Akkusativ | keine groß**en** Hunde/Autos/Straßen |
| Dativ | keinen groß**en** Hunden/Autos/Straßen |
| Genitiv | keiner groß**en** Hunde/Autos/Straßen |

## 3 Adjektivdeklination: ohne Artikel

| Singular | Maskulinum | Neutrum | Femininum |
|---|---|---|---|
| Nominativ | grün**er** Wald | grün**es** Blatt | grün**e** Wiese |
| Akkusativ | grün**en** Wald | grün**es** Blatt | grün**e** Wiese |
| Dativ | grün**em** Wald | grün**em** Blatt | grün**er** Wiese |
| Genitiv | grün**en** Waldes | grün**en** Blattes | grün**er** Wiese |

| Plural | Maskulinum/Neutrum/Femininum |
|---|---|
| Nominativ | grün**e** Wälder/Blätter/Wiesen |
| Akkusativ | grün**e** Wälder |
| Dativ | grün**en** Wäldern |
| Genitiv | grün**er** Wälder |

Sympathischer, kreativer und
sportlicher (Tennis, Joggen)
Typ (32 / 175 cm / 75 kg) sucht
verrückte, intelligente, roman-
tische und fröhliche Traumfrau
für alles, was zusammen mehr
Spaß macht. Ein Bild von dir
wäre toll! Texas2005@gmx.net

> **!** **Lerntipp**
> **Adjektive (Singular)
> ohne Artikel**
>
> Der letzte Buchstabe im
> Adjektiv ist wie der letzte
> Buchstabe im Artikel:
>
> das Auto → neues Auto
> zu verkaufen

## 16 Partizip I

E7

Ein **überzeugendes** Argument ist
ein Argument, dass alle überzeugt.

*der* ein überzeugend**er** Bericht
*das* ein überzeugend**es** Argument
*die* eine überzeugend**e** Antwort

Schlafende
Hunde
mit Katze

überzeugen – überzeugen**d**, entscheiden – entscheiden**d**, lachen – lachen**d**

> **Regel** Das Partizip I = Verb (Infinitiv) + *d*. Vor einem Nomen wird das Partizip I
> wie ein Adjektiv dekliniert.

## 17 Graduierende Adverbien: *ein bisschen, ziemlich, sehr, besonders*

E2

Ich müsste abnehmen.      – Ich müsste **ein bisschen** abnehmen.

In der Firma haben wir viel zu tun.      – In der Firma haben wir **ziemlich** viel zu tun.

In diesem Restaurant ist die Pizza gut. – In diesem Restaurant ist die Pizza **sehr** gut.

Der Film war interessant.      – Der Film war **besonders** interessant.

Darf's ein bisschen *mehr* sein?

## 18 Indefinita – unbestimmte Menge (Personen und Sachen)

**a)** *etwas, nichts, alles* (Sachen)

Hast du **etwas** gehört? Nein, ich höre **nichts**. **Alles** in Ordnung.

**b)** *jemand, niemand, man* (Personen)

Kennst du **jemand(en)**, der Briefmarken sammelt? Nein, ich kenne **niemand(en)**.
**Man** kann ja mal in der Firma fragen.

**c)** *alle, viele, einige, manche, wenige, andere* (Personen und Sachen)

**Alle** Kinder kommen mit sechs Jahren in die Schule. **Viele** Schüler sind mit 14 oder
15 schulmüde. **Manche** haben auch Probleme zu Hause. **Wenige** Schüler machen
gerne Hausaufgaben. **Einige** Schüler haben Spaß am Lernen, **andere** nicht.

**d)** *irgend-*

*irgend-* + unbestimmter Artikel
**Irgendein** Problem gibt es immer.

*irgend-* + *etwas, jemand*
**Irgendetwas** suche ich immer! Hat **irgendjemand** meinen Schlüssel gesehen?

*irgend-* + Fragewort
Gibt es hier **irgendwo** ein Eiscafe? **Irgendwann** brauche ich eine Pause.

## Präteritum der regelmäßigen und unregelmäßigen Verben

**regelmäßig**

| ich | fragte | wir | fragten |
|-----|--------|-----|---------|
| du | fragtest | ihr | fragtet |
| er/es/sie | fragte | sie | fragten |

fragen – fragte – gefragt

> **Lerntipp**
>
> Das Präteritum in der 2. Person (du/ihr) verwendet man fast nur bei Modalverben und *haben* und *sein*.

**unregelmäßig**

| ich | ging | wir | gingen |
|-----|------|-----|--------|
| du | gingst | ihr | gingt |
| er/es/sie | ging | sie | gingen |

gehen – ging – gegangen

> **Lerntipp**
>
> Die unregelmäßigen Formen müssen Sie lernen. Sie finden eine Liste auf Seite 237.
>
> **Immer mit Rhythmus lernen:**
>
> gehen – ging – gegangen

## Plusquamperfekt

Omas Freundin **war** zu Besuch **gekommen**.

Nachdem Oma Besuch **bekommen hatte**, dachte sie über eine Senioren-WG nach.

Oma dachte über eine Senioren-WG nach, nachdem sie Besuch **bekommen hatte**.

**Plusquamperfekt**

| ich | hatte gelesen | war gegangen |
|-----|---------------|--------------|
| du | hattest gelesen | warst gegangen |
| er/es/sie | hatte gelesen | war gegangen |
| wir | hatten gelesen | waren gegangen |
| ihr | hattet gelesen | wart gegangen |
| sie/Sie | hatten gelesen | waren gegangen |

> **Lerntipp**
>
> *Haben* oder *sein* setzt man wie beim Perfekt ein!

> **Regel** Das Plusquamperfekt bildet man mit *haben* oder *sein* im Präteritum und dem Partizip II des Verbs.

## Futur

Die Temperaturen **werden** in den nächsten Jahren **steigen**.

Der Klimawandel **wird** zu Umweltkatastrophen **führen**.

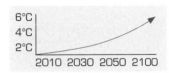

> **Regel** Das Futur bildet man mit *werden* + Infinitiv.
> Mit dem Futur drückt man zukünftiges Geschehen und Prognosen aus.

**Futur**

| ich | werde lesen | wir | werden lesen |
|-----|-------------|-----|--------------|
| du | wirst lesen | ihr | werdet lesen |
| er/es/sie | wird lesen | sie/Sie | werden lesen |

- Was machst du am Sonntag?

◆ Ich werde meine Oma besuchen.   1. Futur
◆ Am Sonntag besuche ich meine Oma.   2. Präsens mit Zeitangabe (in der Zukunft)
◆ Ich besuche meine Oma.   3. Präsens mit zukünftiger Bedeutung

## Übersicht: Konjunktiv II (Präsens) der Modalverben

Meine Mutter meint, ich müsste endlich ein Kind bekommen.

Mein Chef meint, ich könnte schneller arbeiten.

### sollen

| | Präsens | Präteritum | Konjunktiv |
|---|---|---|---|
| ich | soll | sollte | **sollte** |
| du | sollst | solltest | **solltest** |
| er/es/sie | soll | sollte | **sollte** |
| wir | sollen | sollten | **sollten** |
| ihr | sollt | solltet | **solltet** |
| sie/Sie | sollen | sollten | **sollten** |

### müssen

| | Präsens | Präteritum | Konjunktiv |
|---|---|---|---|
| ich | muss | musste | **müsste** |
| du | musst | musstest | **müsstest** |
| er/es/sie | muss | musste | **müsste** |
| wir | müssen | mussten | **müssten** |
| ihr | müsst | musstet | **müsstet** |
| sie/Sie | müssen | mussten | **müssten** |

### können

| | Präsens | Präteritum | Konjunktiv |
|---|---|---|---|
| ich | kann | konnte | **könnte** |
| du | kannst | konntest | **könntest** |
| er/es/sie | kann | konnte | **könnte** |
| wir | können | konnten | **könnten** |
| ihr | könnt | konntet | **könntet** |
| sie/Sie | können | konnten | **könnten** |

### dürfen

| | Präsens | Präteritum | Konjunktiv |
|---|---|---|---|
| ich | darf | durfte | **dürfte** |
| du | darfst | durftest | **dürftest** |
| er/es/sie | darf | durfte | **dürfte** |
| wir | dürfen | durften | **dürften** |
| ihr | dürft | durftet | **dürftet** |
| sie/Sie | dürfen | durften | **dürften** |

### wollen

| | Präsens | Präteritum | Konjunktiv |
|---|---|---|---|
| ich | will | wollte | **wollte** |
| du | willst | wolltest | **wolltest** |
| er/es/sie | will | wollte | **wollte** |
| wir | wollen | wollten | **wollten** |
| ihr | wollt | wolltet | **wolltet** |
| sie/Sie | wollen | wollten | **wollten** |

> **!** **Lerntipp**
>
> musste → müsste
>
> *aber:*
> sollte → sollte
> wollte → wollte

## Konjunktiv II (Präsens): *wäre, hätte, würde*

Wenn jetzt Ferien wären, hätte ich viel Zeit und würde jeden Tag *ausschlafen.*

### sein

| | Präsens | Präteritum | Konjunktiv II |
|---|---|---|---|
| ich | bin | war | wäre |
| du | bist | warst | wär(e)st |
| er/es/sie | ist | war | wäre |
| wir | sind | waren | wären |
| ihr | seid | wart | wär(e)t |
| sie/Sie | sind | waren | wären |

|  | haben | | | werden | | |
|---|---|---|---|---|---|---|
|  | Präsens | Präteritum | Konjunktiv II | Präsens | Präteritum | Konjunktiv II |
| ich | habe | hatte | hätte | werde | wurde | würde |
| du | hast | hattest | hättest | wirst | wurdest | würdest |
| er/es/sie | hat | hatte | hätte | wird | wurde | würde |
| wir | haben | hatten | hätten | werden | wurden | würden |
| ihr | habt | hattet | hättet | werdet | wurdet | würdet |
| sie/Sie | haben | hatten | hätten | werden | wurden | würden |

**Regel** Den Konjunktiv II (Präsens) der meisten Verben bildet man mit *würde* + Infinitiv.

 ### Konjunktiv II (Präsens) – Gebrauch
E2, E5

Den Konjunktiv II (Präsens) benutzt man in verschiedenen Funktionen:

| | |
|---|---|
| höfliche Bitten | – Könnte ich bitte einen Kaffee haben? |
| Ratschläge | – Du solltest mal wieder zum Friseur gehen. |
| Wünsche und nicht reale Dinge | – Wenn ich mehr Geld hätte, würde ich ein Haus kaufen. |

 ### Alternative zum Passiv: unpersönliches
E9  Pronomen *man*

Das Restaurant wird eröffnet.
Man eröffnet das Restaurant.

In Rosas Restaurant wird oft Pizza bestellt.
In Rosas Restaurant bestellt man oft Pizza.

 ### Besondere Verben
E9, E10

#### 1 *lassen* + Infinitiv

- Backt Romano die Pizza selbst?
- Nein, er lässt sie von Rosa backen.

- Kochst du für die Familienfeier selbst?
- Nein, ich lasse den Partyservice kommen.

Den Tisch decke ich selbst, aber den Blumenschmuck lasse ich aus der Gärtnerei bringen.

#### 2 *brauchen* + *zu* + Infinitiv (Verneinung)

Im Urlaub brauche ich nicht zu kochen.

Für eine Reise nach Italien brauchen EU-Bürger keinen Pass mitzunehmen.

**Regel** *Brauchen* + *zu* + Infinitiv immer mit Verneinung.

# Alphabetische Wörterliste

Die alphabetische Wörterliste enthält den Wortschatz von Einheit 1 bis Station 2 des Kurs- und Übungsbuchs. Zahlen, grammatische Begriffe sowie Namen von Personen, Städten und Ländern sind in der Liste nicht enthalten.

Wörter, die nicht zum Zertifikatswortschatz gehören, sind *kursiv* gedruckt. Sie müssen sie nicht unbedingt lernen.

Die Zahlen geben an, wo die Wörter zum ersten Mal vorkommen (z. B. 3/1.3 bedeutet Einheit 3, Block 1, Aufgabe 3 oder Ü 6/1 bedeutet Übungsteil zur Einheit 6, Übung 1).

Ein • oder ein – unter dem Wort zeigt den Wortakzent:
a̧ = kurzer Vokal
a̲ = langer Vokal

Nach den Nomen finden Sie immer den Artikel und die Pluralform:
" = Umlaut im Plural
* = es gibt dieses Wort nur im Singular
*,* = es gibt auch keinen Artikel
Pl. = es gibt dieses Wort nur im Plural

Abkürzungen:
*Abk.* = Abkürzung
etw. = etwas
jdn = jemanden
jdm = jemandem

## A

*Ạbbau, der, * 4/2.1a
ạbbauen 4/1.2
ạbbrechen, brach ạb, ạbgebrochen Stat. 1/2.3
*Ạbgas, das, -e, meistens Pl.* Stat. 2/3.2
ạbgeben, gab ạb, ạbgegeben Ü7/3a
ạbgegriffen 3/1.2b
Ạbgeordnete, der/die, -n 10/2.1
ạbheben, hob ạb, ạbgehoben 2/1.4a
ạbkühlen 10/5.2
Ạblehnung, die, -en Ü3/4a
*Ạbnahme, die, * Stat. 2/4.2
ạbrechnen 1/2.1a
ạbreißen, riss ạb, ạbgerissen 6/1.6a
ạbschaffen Stat. 2/2.1
Ạbschied, der, -e Ü10/6
ạbschmecken 9/3.4
*Ạbseits, das, * Stat. 1/5
Ạbstand, der, "-e 7/3.3a
*Ạbstieg, der, -e* Stat. 1/5
*abstrạkt* Ü3/2b
ạbtropfen 10/5.2
Ạbwasch, der, * (den … machen) 1/2.6b
ạbwaschen, wusch ạb, ạbgewaschen 3/2.1b
Ạcht geben (auf etw./jdn) 8/1.5
Ạchterbahn, die, -en Ü1/12a
AG, die, -s (*Abk.*: Ạrbeitsgemeinschaft) 5/2.2a
Agentu̲r, die, -en 2/2.1a
aggressi̲v 7/1.4
*Agra̲rprodukt, das, -e* 10/3.1a
ạhnen 1/2.1a
Ạkte, die, -n 4/3.3a
Aktio̲n, die, -en 10/1.1
aktuẹll 4/4.4
*akzepta̲bel* 10/3.1c
Ạlbum, das, Pl.: Ạlben 3/5.1
*ạll die Jahre* 1/2.1a
*alltạ̈glich* Stat. 1/3.6

Alternati̲ve, die, -n 5/1.1
Ạltersheim, das, -e 8/1.1b
*am ạllerwichtigsten* Stat. 2/5
*Ạmtssprache, die, -n* 10/1.1
*Ạmtszeit, die, -en* 10/2.1
ạnbauen Ü4/3a
ạnbraten, briet ạn, ạngebraten 9/3.4
*ạndauern* 10/3.1a
ạndererseits 6/1.2
*ạndersartig* Stat. 2/5
*aneinạnder vorbei̲reden* 3/4.1b
*ạnfauchen* 8/1.5
Ạngabe, die, -n Ü4/6b
ạnhalten, hielt ạn, ạngehalten Ü1/13
*ạnlegen* Ü4/3c
ạnmerken (sich etw. … lassen) Ü8/7a
ạnnehmen, nahm ạn, ạngenommen Ü7/5b
ạnpassen 3/2.1b
*Ạnpfiff, der, -e* Stat. 1/5
Ạnrede, die, -n Ü7/12b
*ạnrichten* 6/1.6a
*ạnrühren* Stat. 1/5
ạnschließen, schloss ạn, ạngeschlossen Stat. 1/1.1b
ạnschließend 10/5.2
Ạnschluss, der, "-e 2/1.1
Ạnteil, der, -e 6/4.1a
*Antikö̲rper, der, -* Ü2/14
Ạntrag, der, "-e 2/1.4a
*ạnwerben, warb ạn, ạngeworben* 9/1.2a
Ạnzeichen, das, - 6/1.2
ạnzeigen 2/1.5a
*Appara̲t, der, -e: hier: am Apparat* Ü2/4a
ara̲bisch 7/3.3a
Ạrbeitsbedingung, die, -en 4/2.1b
Ạrbeitserlaubnis, die, -se *Pl. selten* Ü9/7
Ạrbeitsgemeinschaft, die, -en 5/2.4c
Ạrbeitskraft, die, "-e 4/2.1a

*Arbeitsmigrant/in, der/die,*
*-en/-nen* 4/2.1a

*Arbeitsmigration, die, -en*
4/2.1a

Arbeitstag, der, -e Ü4/4a

Arbeitsunfall, der, "-e 4

*Arbeitsunterlage, die, -n*
2/2.1a

*Archivfoto, das, -s* 6/1.2

*argentinisch* Ü2/2b

Argument, das, -e 3/1.4

arm, ärmer, am ärmsten
1/1.4a

*Arm-Zone, die, -n* 7/3.3

*arrogant* Ü7/13

Art, die, -en Ü3/2b

Aspekt, der, -e 4/4.8b

*Assoziogramm, das, -e*
8/1.1a

Atmosphäre, die, * 10/1.1

*auf und davon* Ü9/1b

Aufbau, der, * 10/3.1a

aufbewahren 8/1.3

*Aufenthalt, der, -e* Stat. 2/5

Aufenthaltstitel, der, - Ü9/7

*auffressen, fraß auf, auf-*
*gefressen* 2/2.1a

aufgeben, gab auf, aufgege-
ben 8/1.8a

*aufgeschlossen* 3/4.1b

*aufhängen* Stat. 1/2.4

*aufhören* Stat. 2/2.2

aufmachen 3/1.2b

aufmerksam 3/5.1

Aufmerksamkeit, die, -en
7/4.5

aufregen 10/2.8

Aufschwung, der, * 4/2.3

aufsteigen, stieg auf, aufge-
stiegen 7/1.3b

aufstellen 5/2.4c

*Aufstieg, der, -e* Stat. 1/5

aufwachsen, wuchs auf,
aufgewachsen Ü9/1a

aufwärmen 8/1.3

Augenblick, der, -e Ü1/4

Augenbraue, die, -n 8/1.5

Au-Pair-Mädchen, das, -
10/1.1

*Aus, das, ** 6/2.1

ausarbeiten 10/2.1

ausbrechen, brach aus,
ausgebrochen (in Tränen
ausbrechen) 8/1.5

Ausdruck, der, "-e Start 2/2a

ausdrucken Ü2/4a

*Ausdrucksform, die, -en*
7/1.3b

ausfüllen 2/1.4a

*Ausgleich, der, -e* 2/2.1a

aushalten, hielt aus, aus-
gehalten 3/4.1b

auskommen, kam aus, aus-
gekommen (mit jdm) 8/1.9a

Ausländerbehörde, die, -n
Ü9/7

ausländisch 4/2.1c

*Auslandsamt, das, "-er*
Stat. 2/5

Auslandserfahrung, die,
-en 7/3.1a

auslassen, ließ aus, ausge-
lassen (etw. an jdn) Ü7/3a

auslösen 2/4.1a

Auslöser, der, - 7/1.3b

Ausnahme, die, -n 8/3.2

auspacken 8/2.1c

*Ausrede, die, -n* Stat. 2/3.3

ausreichend 5/2.2b

ausrutschen 4/4.4

Aussehen, das, * 7/3.3a

Außenpolitik, die, * 10/2.1

*außerdem* Stat. 1/1.1b

*äußere* Stat. 2/2.5a

äußern 5/3.2

ausstellen Ü9/7

*austauschen* Stat. 1/2.4

Austauschschüler/in, der/
die, -/-nen Ü9/9a

Auswanderer/Auswande-
rin, der/die, -/-nen 9/1

auswandern Ü8/13

Auswanderung, die, -en
9/1.2a

auswechseln 5/2.4c

auswendig lernen 1/1.4c

auszahlen 2/1.4a

*Auszahlungsquittung, die,*
*-en* 2/1.4a

Autofahren, das, * Ü10/11

*autonom* 5/5.1

*Autostopp, der, ** Ü1/12a

Autoverkehr, der, * Ü6/4b

Baby, das, -s 7/3.6

*Bachelorstudium, das, **
Stat. 1/4.4

Badesee, der, -n 4/2.3

Bahnhofshalle, die, -n 8/1.3

*Balkankrieg, der, -e* 10/3.1a

Basilikum, das, * 9/3.4

*basta* 3/4.3

Bau, der, * 1/3.2a

Beamte/Beamtin, der/die,
-n/-nen 2/1.5a

beantragen 2/1.4a

bedeuten 1/1.1

bedienen 7/2.3a

bedrohen 6/2.1

beeinflussen 2/4.1a

befreien 1/3.1

begehrt 9/4.1

begründen 2

Begrüßung, die, -en 7/4.5

Behandlung, die, -en 4/3.3a

behaupten 6/2.1

beherrschen 2/2.1a

Behörde, die, -n 6/1.2

beibringen, brachte bei,
beigebracht 5/4.2a

beides 6/1.2

beißen, biss, gebissen 7/3.6

beitragen, trug bei, beige-
tragen (zu etw.) Ü6/7b

Belastung, die, -en 7/1.3b

belegen 9/4.5

bellen 7/3.6

Benehmen, das, * 7/2

*Benzin, das, -e* Stat. 2/3.1a

*beobachten* Stat. 2/3.1a

Beobachtung, die, -en 6/2.1

bereit 3/5.1

Bergarbeiter/in, der/die,
-/-nen 4/1.1

*Bergarbeitersiedlung, die,*
*-en* 4/2.1a

Bergbau, der, * 4/2.1b

Bergmann, der, "-er 4/1.2

Bergwerk, das, -e 4/1.2

Bericht, der, -e 6/2.2a

*beriechen, beroch, bero-*
*chen* 3/5.1

Berliner/in, der/die, -/-nen
1/3.1

*Berufsfeld*, das, -er Stat. 2/4.2
*Berufsgenossenschaft*, die, -en 4/3.3
*Berufskrankheit*, die, -en 4/3.4
berufstätig 3/1.4
Berufswahl, die, * 5/2.4c
beschädigen 1/3.1
*Beschäftigte*, der/die, -n Stat. 2/4.3
bescheiden 4/4.8a
beschließen, beschloss, beschlossen Ü8/6
besiegen 1/3.1
besondere 1/3.4b
bestätigen 2/4.1a
bestehen, bestand, bestanden Ü8/1
*bestehend aus* 3/5.1
bestimmen 4/4.3
Bestseller, der, - 1/5.1
*bestürzt* 8/1.5
*Betracht (in Betracht kommen)* 8/1.9a
betragen, betrug, betragen 6/4.1a
betreffen, betraf, betroffen 7/3.3a
*betreten*, betrat, betreten Ü1/11
betreuen 7/3.1a
Betreuung, die, -en 8/1.8a
*Betriebsmannschaft*, die, -en Stat. 1/5
Bevölkerung, die, -en 4/2.1a
Beweis, der, -e 2/4.1a
*Beziehungsproblem*, das, -e 3/4.1
*Beziehungstyp*, der, -en Stat. 1/2.3
*Portal*, das, -e 4/3.4
*Bildergeschichte*, die, -n Stat. 2/2.6
Bildung, die, * 4/2.3
*Billigflug*, der, "-e 10/1.1
*Binnenmarkt*, der, "-e Ü10/2
Bio *(Kurzform f. Biologie, die,* *)* 5/2.2a
*Bioabfall*, der, "-e 7/4.4a
*biochemisch* 2/4.1a
*Biologe/Biologin*, der/die, -n/-nen 7/3.3a

*Biomasse*, die, * Stat. 2/4.1a
bisher 3/5.1
bisschen (ein bisschen) 2/1.3
bissfest 3/4.3
*Blatt*, das, "-er Stat. 2/2.5a
blättern Ü8/7a
blitzen Ü6/13
blockieren 6/1.2
*Blockschokolade*, die, -n 10/5.2
*böhmisch* 10/5.1a
bombardieren 4/2.3
*Boom*, der, -s Stat. 2/4.1b
Boot, das, -e 5/5.1
Boxen, das, * 3/1.2b
*Branche*, die, -n Stat. 2/4.3
brechen, brach, gebrochen (den Rekord) Ü1/12a
bremsen 4/3.3a
*Brennholz*, das, "-er 5/5.1
*Brieftaube*, die, -n 4/1.2
*Brieftaubenzucht*, die, -en 4/4.3
britisch Ü1/12a
Broschüre, die, -n 7/1.3a
Brust, die, "-e Ü1/4
Bude, die, -n 4/4.6
Buffet, das, -s 7/1.3b
bügeln 1/2.1a
Buggy, der, -s 3/1.1
bulgarisch 9/4.5
*bummeln* Stat. 1/3.6b
Bundeskanzler/in, der/die, -/-nen 10/2.2
Bundesliga, die, Pl.: Bundesligen 4/2.3
Bürger/in, der/die, -/-nen 10/2.1
Bürokauffrau, die, -en 4/3.3a
Bürokratie, die, -n 10/3.1a
Butterbrot, das, -e 9/4.5
bzw. (Abk.: beziehungsweise) 4/3.3a

**C**

*Camper/in*, der/die, -/-nen 6/1.2
*Champagner*, der, - Ü10/13
charmant 3/5.1

chatten Ü5/10
Chemie, die, * 5/2.2a
Chemieunterricht, der, -e Ü5/5a
*Chiffre*, die, -n Ü3/10a
chronologisch Ü9/1a
$CO_2$, das, * 6/2.1
Cola, die, -s 4/4.6
contra 3/1.4

**D**

dafür 3/1.2b
*dampfen* 9/2.2a
dänisch 10/5.1a
daran Start 1/1
darauf 5/5.2a
darin Ü8/7b
darüber 2/2.4
darum 2
*Dasein*, das, * 1/5.1b
Datum, das, * Ü2/2b
*Dauerfahren*, das, * Ü1/12a
dazwischen (kommen) Ü1/6
*Debütalbum*, das, Pl.: *Debütalben* 3/5.1
Demokratie, die, -n 10/4.3
demokratisch 10/3.1a
derselbe, dieselbe, dasselbe 1/2.1a
*Designer/in*, der/die, -/-nen Ü10/8
deswegen 2
Detail, das, -s 2/1.5a
Deutsche Demokratische Republik (DDR), die, * 1/3.1
Diät, die, -en Ü2/9
Dichter/in, der/die, -/-nen Ü1/11
Diebstahl, der, "-e 2/1.5a
*Dienstleistungsbereich*, der, -e 4/2.3
dienstlich 4/4.4
Dienstreise, die, -n 2/2.1a
*Dienstwagen*, der, - Ü4/8a
Diktatur, die, -en 10/3.1a
*diktieren* Stat. 1/2.2
*Diplomkauffrau/-mann*, die/der, -en/"-er Stat. 1/4.4
Direktor/in, der/die, -en/-nen Ü4/3a

*Diskussionsleiter/in, der/
die, -/-nen* 8/1.8b
*Dokumentarfilm, der, -e*
9/2.2a
**Donner,** der, - 8/1.9a
**doppelt** Ü3/1b
**dorthin** 4/3.3a
**Dreck,** der, * 4/4.8a
**Drehbuch,** das, "-er 9/2.6
**drehen** (einen Film) Ü9/4a
**dreigliedrig** 5/1.1
**Droge,** die, -n 10/4.2
**dröhnen** 8/1.5
*dual* Stat. 1/4.4
*Du Arme!* 2/3.9a
**dumm,** dümmer, am
dümmsten Ü10/10
**Dumm gelaufen!** 7/1.1b
**durchfallen,** fiel durch,
durchgefallen 5/2.2b
*durchführen* Stat. 1/1
**durchschnittlich** 1/2.1a
**durchsetzen** 9/4.5
**Dürre,** die, -n 6/2.1

**E**

**ebenfalls** Ü6/1b
**ebenso** 9/2.6
*Eck, das, -s* Stat. 1/5
**EC-Karte,** die, -n 2/1.1
**Effekt,** der, -e 2/4.1a
**effektiv** Ü3/12a
**Ehe,** die, -n 9/2.2a
*Eheberater/in, der/die,
-/-nen* Ü3/7
**ehemalig** 4/2.3
*Eigenproduktion, die, -en*
10/3.1a
*einbauen* Stat. 1/1.1b
**einerseits** 6/1.2
*eines Tages* 9/2.2a
**einfallen,** fiel ein, eingefal-
len (jdm etw.) 1/1.1
*einfangen, fing ein, einge-
fangen* Stat. 1/5
**Einfluss,** der,"-e 10/3.1a
**einführen** 5/2.4c
**einhalten,** hielt ein, einge-
halten 10/2.1
**Einheit,** die, -en (2) 10/5
**einigen** (sich) 10/2.2

**Einkauf,** der, "-e 8/1.4
**Einkaufszentrum,** das, *Pl.:*
Einkaufszentren 4/1.1
**Einleitung,** die, -en Ü7/12b
**einmischen** (sich) 8/1.5
**einparken** 3/1.2b
**einsammeln** 10/2.8a
**Einsatz,** der, "-e 6/1.2
*einschiffen* 9/1.2a
**einschlafen,** schlief ein,
eingeschlafen 3/4.1b
**einsetzen** 8/2.2
*Einspruch* (einlegen) Ü2/3
**einstellen** 6/1.4
*einstimmig* 10/2.1
*Einstimmigkeit, die, *
10/4.2
*Eintagsfliege, die, -n* Ü1/5
**Eintrag,** der, "-e Ü8/2
*Eintragung, die, -en* 8/1.4
**einwandern** 9/1.2a
**Einwanderung,** die, -en
9/1.2a
**Einweihungsfeier,** die, -n
Ü8/6
*Einzelverbindungsnach-
weis, der, -e* Ü2/3
**einzige** 5/5.1
**eisig** Ü6/14
**Eiweiß,** das, -e 10/5.2
**Elefant,** der, -en Ü1/5
**elegant** 7/4.6
*Elfmeter, der, -* Stat. 1/5
**Ellenbogen,** der, - 7/3.3a
**Elternteil,** der, -e 8/1.8a
**Elternversammlung,** die,
-en Ü4/3a
**Emigrant/in,** der/die,
-en/-nen 9/1.2a
**empfinden,** empfand, emp-
funden 7/3.3a
**energisch** 3/4.4c
**Ente,** die, -n Ü7/2b
**Entscheidung,** die, -en
10/2.1
**entschließen,** entschloss,
entschlossen (sich) 9/2.2a
**entsetzt** Start 2/1
*entsperren* 2/1.4a
**entstehen,** entstand, entstanden 6/4.1a
**Entstehung,** die, -en 4/2

*Enttäuschung, die, -en*
Stat. 1/5
**entweder ... oder** 3/4.1b
*erbleichen* 1/5.2
**Erdbeben,** das, - 6/1.7
*Erderwärmung, die, -en*
6/4.1b
**Ereignis,** das, -se 1/3.3
**erfahren,** erfuhr, erfahren
4/1.1
*ergotherapeutisch* 4/4.4
**Erinnerung,** die, -en Start 1/1
**Erklärung,** die, -en Ü3/1a
*Erlebnis, das, -se* Stat. 2/5
**erledigen** Ü3/6a
**Ernährung,** die, * Ü4/3a
**erreichbar** 2/2.1a
**erscheinen,** erschien,
erschienen 3/5.1
**erst mal** 3/2.1b
*erträumen (sich)* 8/5.1
**erwachsen** 8/3.2
**Erwärmung,** die, -en 6/2.1
**erwarten** 3/5.1
*Erwerbstätigkeit, die, -en*
Ü3/1a
**erziehen,** erzog, erzogen
3/1.2b
**es gut haben** Ü5/6a
**Ethik,** die, * 5/2.2a
**etwa** 4/3.4
*etwas Neues* 1/1.4b
*EU-Generaldirektion, die,
-en* 10/1.1
*Euphorie, die, -n* Stat. 1/5
*Europäische Gerichtshof,
der, * 10/2.1
*Europäische Kommission,
die, * 10/1.1
*Europäische Parlament,
das, * 10/1.1
*Europäische Rat, der, *
10/2.1
*Europäische Zentralbank,
die, * 10/2.1
*Eurozone, die, -n* 10/4.1a
**eventuell** 5/1.1
*Ex, der/die, * Stat. 1/2.3
**Exil,** das, -e Ü9/1a
*exotisch* Ü6/7b
**Experte/Expertin,** der/die,
-n/-nen 6/2.1

**F**

Fach, das, "-er 4/2.2a
Fachabitur, das, * 5/1.1
*Fachkraft, die, "-e*
Stat. 2/4.1b
*Fachoberschule, die, -n*
5/1.1
*Fachwort, das, "-er* Stat. 2/4.1
Fahne, die, -n Ü4/5b
Fähre, die, -n Ü6/1a
Fahrlehrer/in, der/die,
-/-nen 3/1.3
Fahrstuhl, der, "-e Start 2/1
*Fakir, der, -e* 9/3.3c
*Fakt, der, -en* 6/2.1
*Faktor, der, -en* 3/4.1b
Fall (1), der, "-e 4/4.4
Fall (2), der, * Ü1/11
*Familienbericht, der, -e*
Ü3/1b
*Familienfeier, die, -n*
Stat. 2/3.3
Familienstand, der, * Ü2/2b
*Fanmeile, die, -n* Stat. 1/5
Farsi (Sprache) 9/4.5
fassen (das ist doch nicht
zu fassen) 7/4.3a
*Feedback, das, * 3/4.1b
fegen 6/1.2
*Fehltritt, der, -e* Ü7/1a
Feier, die, -n 10/1.1
fein 4/4.8a
*Ferne, die, * 9/4.1
*Fernsehzeitschrift, die, -en*
Ü9/5a
Fernverkehr, der, * 6/1.4
fest 3/1.2c
Feuerlöscher, der, - 4/3.2
Feuilleton, das, -s 6/1.1
*Filmcrew, die, -s* 9/2.2a
*filmen* Stat. 1/5
Finanzen, die, Pl. 10/2.1
finanzieren 10/3.1a
*Finanzminister/in, der/die,*
-/-nen 10/2.1
Fingerspitze, die, -n 7/3.3a
*finnisch* Ü3/1b
*fixieren* Ü1/4
*Flagge, die, -n* Stat. 1/5
fleckig 8/1.9a
fleißig Ü3/1b

*Flieger, der, -* Stat. 2/5
fließen, floss, geflossen
4/2.1c
flirten 3/5.1
Floh, der, "-e 9/3.3c
*fluchen* Stat. 2/3.1a
*Flucht ergreifen, ergriff,*
*ergriffen* 3/5.1
*Flugsicherheitsbeauftrag-*
*te, der/die, -n* Ü7/3a
Flugverkehr, der, * Ü6/4b
Fluss, der, "-e 4/2.1a
flüssig (sprechen) 8/3.3b
*Flüsterdiktat, das, -e*
Stat. 1/2.2
*fönen* Stat. 1/2.4
fordern Ü4/3a
fördern 10/3.1a
Förderturm, der, "-e 4/1.1
Forderung, die, -en 10/2.10
*Formel 1, die, * (Renn-*
*sport)* 3/1.2b
*fossil* Stat. 2/4.3
Fragebogen, der, "- 8/5.2a
*Frauchen, das, -* Ü1/12a
frech Ü10/10
Frechheit, die, -en 7/4.3a
*frei haben (einen Wunsch)*
5/2.4c
Freiheit, die, -en 9/1.2a
*Freistoß, der, "-e* Stat. 1/5
*Freizeitpark, der, -s* 4/2.3
*Fremde, der/die, -n* Ü2/7
*Fremdheit, die, * 9
Fremdwort, das, "-er 4/2.1a
*fressen, fraß, gefressen (jdm*
*aus der Hand)* 3/5.1
*Freudenfeier, die, -n*
Stat. 1/5
Freundeskreis, der, -e
3/4.1b
Frieden, der, * 10/3.1a
*Friedensperiode, die, -n*
10/3.1a
Frost, der, * Ü6/13
Frührente, die, -n 4/2.3
Frust, der, * 4/3.3a
*frustriert* Stat. 2/5
führen (ein Interview) Ü5/6a
führen (zu etw.) 3/4.1b
führen (Buch führen) 8/1.4
fürchten 8/1.3

*Fußballstadion, das, Pl.:*
Fußballstadien 4/2.3
*Fußballtor, das, -e* Stat. 1/5
*Fußballweltmeisterschaft,*
*die, -en* 1/3.1

**G**

*Gang, der, "-e* Ü2/3
*Gang (ein Gespräch in*
*Gang halten)* Stat. 2/1.3
garantieren 10/2.1
*Gartenkolonie, die, -n* 4/1.2
Gas, das, -e Ü6/11
*Gassi gehen, ging, gegangen*
7/2.3b
*Gastarbeiter/in, der/die,*
-/-nen 9/1.2a
*Gebäck, das, -e* Ü6/7b
Gebiet, das, -e Ü3/2a
Gebrauchsanweisung, die,
-en Ü2/13a
Geduld, die, * 8/1.5
Gefahr, die, -en Ü5/12
*Gefährlichkeit, die, -en*
10/4.2
gefallen, gefiel, gefallen
(sich etw. ... lassen) Ü9/5b
gefühllos 3/4.1b
gefühlvoll 3/4.2
gegeneinander 10/3.1a
Gegensatz, der, "-e 6/2.2b
Geheimzahl, die, -en 2/1.1
gehorsam 8/1.4
*Gehstock, der, "-e* Ü4/8b
*geizen* 3/5.1
Geldautomat, der, -en 2/1.1
*Geldpolitik, die, * 10/2.1
*Gelegenheit, die, -en*
Stat. 2/4.1b
Gemeinsamkeit, die, -en
3/2.1c
gemütlich Ü10/5
Gemütlichkeit, die, * 8/1.3
Generation, die, -en 8
genervt 7/1.4
genießen, genoss, genossen
8/1.3
Geografie, die, -n Ü10/8
geografisch 4/2.1b
*geradeso gut* Ü8/7a
Geräusch, das, -e 7/4.5

Gericht, das, -e Ü2/3
Gesamtschule, die, -n 5/1.1
Geschäftliche, das, * 7/3.1b
Geschäftsführer/in, der/
die, -/-nen Ü4/10b
Geschäftsverhandlung,
die, -en 7/3.3a
gescheit 1/1.4a
Geschlecht, das, -er Ü3/2a
Geschwätz, das, * 1/5.1b
Geschwindigkeit, die, -en
6/1.2
Gesellschaft, die, -en 7/3.3a
Gesetz, das, -e Ü7/12a
gesetzlich 4/3.3a
Gesprächseinstieg, der, -e
7/3.3a
Geste, die, -n 7
gestresst (sein) Ü2/5
gesundheitlich Ü6/7b
Getreide, das, - 3/5.1
Gewalt, die, -en Ü4/5b
gewerblich 4/3.4
Gewicht, das, -e 3/5.1
Gewissen, das, * 2/2.1a
Gewitter, das, - 6/1.7
gewöhnen (sich an etw.)
Stat. 2/5
gießen, goss, gegossen
1/2.6a
Gift, das, -e 4/3.2
Gips, der, -e 4/3.3a
glatt 4/3.2
Glatze, die, -n 3/5.1
Glaube, der, * Ü9/2a
gleichberechtigt 3/1.4
Gletscher, der, - 6/2.1
Gliederung, die, -en
Stat. 1/1.2
Globus, der, Pl.: Globen
Ü8/7a
Glühbirne, die, -n 5/2.4c
Gold, das, * 4/2.1a
Gras, das, "-er 9/3.3c
grinsen Stat. 1/4.2
Grundstück, das, -e Ü4/3a
Gründung, die, -en 10/3.1a
Grüne, der/die, -n 10/2.1
Grüß Gott! Ü7/4a
grüßen Ü7/3a
Gymnasiast/in, der/die,
-en/-nen 5/1.1

## H

Haken, der, - Stat. 2/4.1b
Halbfinale, das, - Stat. 1/5
halbieren 9/3.4
halbtags 3/1.4
Halbzeit, die, * 1/1.1
Handball, der,* (Sport)
5/2.2a
Handel, der, * 4/2.3
handeln 10/2.10
Handgelenk, das, -e 7/3.3a
Handgepäck, das, -e Ü7/3a
Handinnenfläche, die, -n
7/5.2
Handwerk, das, -e Stat. 2/4.2
Hantel, die, -n 3/1.1
harmonisieren 10/2.1
Hauptschule, die, -n 5/1.1
Hauptteil, der, -e Ü7/12b
Hauptverband, der, "-e
4/3.4
Hausanzug, der, "-e 9/4.5
Hausarbeit, die, -en Ü3/1c
Hausfrau, die, -en 3/2.1b
Hausmeister/in, der/die,
-/-nen 5/2.4c
Hausmüll, der, * 7/4.3a
Haut, die, "-e 4/4.8a
hebräisch 9/4.5
Hefekuchen, der, - Ü10/13
Heim, das, -e 8/1.5
Heimatstadt, die, "-e
9/2.2a
Heizung, die, -en 5/2.4c
Hektik, die, * 7/3.2
Helm, der, -e 7/1.1a
herausgeben, gab heraus,
herausgegeben 6/1.2
herausschreien, schrie heraus, herausgeschrien 8/1.5
herkommen, kam her, her-
gekommen 3/5.1
herrschen Ü9/3
herumliegen, lag herum,
herumgelegen 5/2.4c
Himmelsrichtung, die, -en
Ü3/2a
hin oder her 3/4.3
hinaus 10/3.1a
hinfahren, fuhr hin, hinge-
fahren Start 2/3

hinterhersehen, sah hin-
terher, hinterher gesehen
Ü1/4
hinterherlaufen, lief hinterher, hinterhergelaufen
3/2.1b
hinterherschauen 3/5.1
hinwegfegen 6/1.2
Hinweis, der, -e Ü8/2
hinzukommen, kam hinzu,
hinzugekommen 4/2.1a
historisch 1/3.4b
Hitzewelle, die, -n 6/2.1
Hobbykicker/in, der/die,
-/-nen Stat. 1/5
hochholen 4/4.8a
höchstens 2/1.1
Hochwasser, das, - 6/1.7
Höhe, die, -n 6/2.2a
Höhenlage, die, -n 6/1.2
Höhepunkt, der, -e 1/3.1
holen 4/1.2
Holz, das, "-er 5/5.1
Hörspiel, das, -e 1/5.1
hübsch Ü10/6
humorlos 3/4.2
humorvoll 3/4.1b
hungrig Stat. 2/5
Hurrikan, der, -e 6/2.1


## I

Ich muss mal! 2/3.1
Igel, der, - Ü1/5
im Grünen Ü4/3c
im Schnitt Ü1/4
Impressum, das, Pl.:
Impressen 4/3.4
indem 10/2.2
indirekt 7/3.3a
indiskret Ü7/13
Industrialisierung, die, *
4/2.1a
Industrieanlage, die, -n
4/2.3
Informatiker/in, der/die,
-/-nen Ü9/9a
Ingenieur/in, der/die,
-e/-nen 3/2.1b
inhaltlich Ü10/2
innere Stat. 2/2.5a
installieren 5/3.7a

Institution, die, -en 10
Integration, die, -en 10/2.1
intensiv 3/4.1b
Intercity, der, -s Ü4/2a
interpretieren Ü7/3a
intolerant Ü7/13
Intonation, die, -en 2/3.10
Inuk, der/die, Pl.: Inuit
- 5/5.1
investieren 10/3.1a
Investition, die, -en Ü10/7
inzwischen 2/2.1a
Iraner/in, der/die, -/-nen
Ü9/2a
irgendwo 3/5.1
irisch 10/2.2
Irreale, das, * 5

**J**

Jagd, die, -en 5/5.1
Jahrestag, der, -e 10/2
Jahreszeit, die, -en 6/1.2
jahrzehntelang 10/3.1a
je ... desto 6
jobben 10/4.4
Jude/Jüdin, der/die, -n/-nen
9/1.2a
Jugendaustausch-
programm, das, -e 10/1.1
Jugendsachbuch, das, "-er
8/5.1
Jungs, die, Pl. 3/5.1
juristisch 10/2.1

**K**

Kabine, die, -n Stat. 1/5
Kajak, das, -s 5/5.1
Kajakbau, der, * 5/5.1
Kamerad/in, der/die,
-en/-nen 4/1.2
Kampf, der, "-e 3/4.1b
kämpfen 1/5.1
kanadisch Ü1/12a
kapieren 3/5.1
karrierebewusst Stat. 1/2.1a
Kaufkraft, die, * 10/3.1a
kaum 2/3.7
Kebab, der, -s Ü9/8
keiner Stat. 1/5
Kennzeichen, das, - Ü10/3a

Kerzenlicht, das, -er Ü3/9a
Kette, die, -n 4/4.5b
Kfz-Mechaniker/in, der/
die, -/-nen 4/3.3a
Kinderarbeit, die, * 4/2.1a
Kindergeburtstag, der, -e
7/2.3b
Kindheit, die, -en 8/1.1a
Kindheitswunsch, der, "-e
8/5.3
Kiosk, der, -e 5/2.4c
Kirschsahnetorte, die, -n
10/5.2
Kirschtomate, die, -n 9/3.4
Kiwi, die, -s Ü6/7b
klappen 3/4.1b
klar (es ist klar) Start 2/1
klarkommen, kam klar,
klargekommen (mit etw.)
5/2.4c
Klassenarbeit, die, -en
Ü5/6a
Klassenraum, der, "-e 5/2.4c
Klatschen, das, * 1/4.5
Kleingarten, der, "- 4/1.2
Kleinigkeit, die, -en Ü2/1
Klima, das, * 6
Klimakatastrophe, die, -n
6/1
Klimakiller, der, - 6/4.1a
Klimaschützer/in, der/die,
-/-nen 6/4.1a
Klimawandel, der, - 6/1.4
klingeln Ü7/5a
Klinik, die, -en Ü4/8a
Klischee, das, -s 3
Klo, das, -s (Abk.: Klosett =
WC) 9/2.2a
klug, klüger, am klügsten
Ü3/4b
knallrot 7/2.3a
knapp bei Kasse (sein)
Stat. 1/2.3
Knigge, der, * 7/2
Knoblauchzehe, die, -n
9/3.4
Kochtopf, der, "-e 3/1.1
Kohle, die, -n 4/1.2
Kohlekonzern, der, -e 4/2.1a
Kohlendioxid, das, * 6/4.1a
komisch Stat. 2/5
Kommentar, der, -e Ü3/4b

kommentieren 10/2.10
Kommissar/in, der/die, -e/-
nen 10/2.1
Kommission, die, -en 10/2.1
Kommunikationsregel,
die, -n 7/3.3a
Kommunist/in, der/die,
-en/-nen 9/1.2a
komplett 4/2.3
Kompliment, das, -e 7/3.3a
Kondition, die, * 2/3.10a
Konditor/in, der/die,
-en/-nen 10/5.1a
Konflikt, der, -e 5/2.4c
Kongress, der, -e Stat. 2/1.5
Kongresszentrum, das, Pl.:
Kongresszentren Stat. 2/1.5
Königreich, das, -e 5/5.1
Konsument/in, der/die,
-en/-nen 10/3.1a
Kontaktanzeige, die, -n
Ü3/10a
Kontext, der, -e 6/2.2
Konto, das, Pl.: Konten
2/1.4a
Kontoinhaber/in, der/die,
-/-nen Ü2/2b
Kontonummer, die, -n
2/1.4a
Kontrolle, die, -n Ü7/3a
Konzentration, die, * 1/2.3
konzentrieren (sich auf
etw.) 6/4.1a
Konzern, der, -e 4/2.1a
kooperativ Ü7/3a
Kopfball, der, "-e Stat. 1/5
Kopfnicken, das, * 1/4.5
Kopiergerät, das, -e 5/2.4c
Korkenzieher, der, - 3/1.1
körperlich 7/3.3a
korrekt Ü7/3a
Korrektur, die, -en Ü5/7b
Kosmetik, die, Pl.: Kosme-
tika 3/1.1
Kosten, die, Pl. 4/3.3a
köstlich Stat. 1/1.3b
Krach, der, "-e (= Streit)
3/2.1b
Kraftwerk, das, -e 6/4.1a
Krankenwagen, der, - 2/1.1
kreativ 3/4.5

*Krebs-Mann, der,* "*-er
(Sternzeichen)* Ü3/10a
*Kreis, der, -e* Stat. 2/2.5a
*Kreißsaal, der,* "*-e* 2/4.2
**Kreuzworträtsel,** das, - Ü2/6
**Krieg,** *der, -e* 1/3.1
**kriegen** 4/4.6
*Kringel, der, -* Ü10/13
**Kritikpunkt,** *der, -e* 10/3.1b
**kritisch** 3/4.1b
*Kubikmeter, der, -* 6/4.1a
**Kuchenform,** die, -en 10/5.2
**Kugelschreiber,** der, - 1/2.4
*kulinarisch* 10/5
*Kultfilmer/in, der/die,
-/-nen* 9/2.6
**Kumpel,** der, - 3/1.2b
*kurios* Ü1/12
**kurzfristig** 2/2.1a
**Küste,** die, -n 6/1.4
*Küstenregion, die, -en* 6/2.1


**L**

**lächeln** 2/4.1b
**Lachen,** das, * 2/4.1a
**lahmlegen** 6/1.2
**Landbesitz,** der, -e 9/1.2a
*Landgut, das,* "*-er* Stat. 1/3.2
**Landschaft,** die, -en Ü3/2b
**Landwirtschaft,** die, * 6/2.1
*landwirtschaftlich*
Stat. 1/3.2
*Landwirtschaftsminister/
in, der/die, -/-nen* 10/2.1
**Länge,** die, -n (etw. in die
Länge ziehen) 2/2.1a
**längst** Ü8/5
**lassen,** ließ, gelassen (etw.
lässt jdm Zeit) 1/5.1b
**lästig** 8/1.5
*Laube, die, -n* Ü4/3a
**Lawine,** die, -n 6/2.1
**Lebensabschnitt,** der, -e 8
**Lebensbedingung,** die, -en
9/3.6a
*Lebenseinstellung, die, -en*
7/3.1b
*Lebensqualität, die, *
Stat. 2/5
**Lebenszeit,** die, * 1/1.1

*legal* 10/4.2
*Lehre, die, -n* Stat. 1/3.2
**leiden,** litt, gelitten Ü6/7b
*Leidenschaft, die, -en*
Stat. 2/5
*Lernzeit, die, -en* 1/1.1
*Liberale, der/die, -n* 10/2.1
**liebenswert** 7/1.3b
**Liebeslied,** das, -er 3/5.2
**Liebling,** der, -e 1/2.1a
**liefern** 2/4.1a
*Liga, die, Pl.: Ligen* 4/2.3
**literarisch** 8
**Lob,** das, -e 7/3.3a
**loben** 7/3.3a
**Loch,** das, "-er 7/2.3b
**logisch** 7/1.1a
*lokal* 7/3.3a
**Lokal,** das, -e 9/2.2a
**Lokalteil,** der, -e 6/1.1
**Lotto,** das, * 5/3.6
*Loveparade, die, * 1/3.1
*lyrisch* 1/1.4


**M**

*Machtkampf, der,* "*-e* 3/4.1b
*Machtübernahme, die, n*
1/3.1
*mahlen, mahlte, gemahlen*
10/5.2
*Mahlzeit, die, -en* Stat. 2/5
**Make-up,** das, * 4/4.8a
*malochen* 4/1.2
*Malocher/in, der/die, -/-nen*
4/1.2
**mangelhaft** 5/2.2b
*männerdominiert* Stat. 2/4.2
**männlich** Ü1/4
**Margarine,** die, * 10/5.2
*maßschneidern* 9/2.6
*Materialliste, die, -n*
Stat. 1/1.1b
**Mathe** (*Kurzform f. Mathematik, die, * *)* 5/2.2a
*Meeresspiegel, der, -* 6/2.1
*mega (Jugendsprache)* 9/4.5
**mehrsprachig** 10/3.1a
**Mehrsprachigkeit,** die, *
10/3.1a
*meiden, mied, gemieden*
Stat. 2/5

**meist** 5/5.2a
**Menge,** die, -n 4/3.3a
**menschlich** 2/4.1a
*Mentor/in, der/die, -en/-nen*
Stat. 2/5
**Menü,** das, -s Ü3/6a
*Merkbuch, das,* "*-er* 8/1.1b
**Merkmal,** das, -e 6/1.2
*Messegelände, das, -*
Stat. 2/1.3
**Metall,** das, -e 4/1.2
*Meteorologe/Meteorolo-
gin, der/die, -n/-nen* 6/1.2
*Methangas, das, ** 6/4.1a
**Migration,** die, -en 4/2.1a
**Mineralien,** die, Pl. 4/1.2
*Mini-Album, das, Pl.:
Mini-Alben* 3/5.1
*Ministerrat, der,* "*-e* 10/2.1
*Missgeschick, das, -e* 7/4.2a
*Mist, der, ** Stat. 2/2.1
**mitarbeiten** 5/2.4c
*Mitbewohner/in, der/die,
-/-nen* Stat. 2/5
**miteinander** 3/4.1b
*Mitgliedsland, das,* "*-er*
10/2.1
**Mitschüler/in,** der/die,
-/-nen Ü5/7b
*mitsingen, sang mit, mitge-
sungen* Stat. 1/5
**Mittagsruhe,** die, * 9/4.5
**mitten** 1/3.1
*mittendrin* Stat. 1/5
**mittlere** 8/1.1a
**Möbeltischler/in,** der/die,
-/-nen Ü5/2b
**Mobilität,** die, * 10/3.1a
**Modell,** das, -e Ü8/7a
**Moderator/in,** der/die,
-en/-nen 3/1.3
*Monstersturm, der,* "*-e* 6/1.2
**montieren** Ü7/12a
*motivieren* Stat. 2/4.2
*Mountainbike, das, -s*
Stat. 1/2.3
**Müll,** der, * 3/2.1b
**Müllcontainer,** der, - 7/4.3a
**Mülltonne,** die, -n 7/4.3a
*Musterbrief, der, -e* Ü2/4a
*Mut, der, ** Stat. 1/5

na klar 2/1.1

Na und! 7/1.3b

*Übersee (nach ...)* 9/1.2a

nach wie vor 9/4.1

Nachbarstaat, der, -en 10/3.1a

nachdem 8/2.1b

*nacheinander* Stat. 1/2.3

nacherzählen Start

*Nachfrage, die, -n* Stat. 2/4.2

nachkommen, kam nach, nachgekommen Ü9/3

Nachkriegszeit, die, * 4/2.3

nachreisen 9/1.2a

nachsehen, sah nach, nachgesehen 2/1.1

*Nachtmusik, die, * Ü5/3

nackt Ü8/11a

nah, näher, am nächsten 4/4

*Nahe, das, * 1/1.4a

*nähen* Stat. 2/3.4

*Nahrungsmittel, das, -* Stat. 2/5

Nahverkehr, der, * 6/1.4

naiv 3/4.4c

*Narr(e), der, -n (= der Dumme)* 1/1.4a

*Naschen, das, * 8/4.1

nass Ü6/13

Nation, die, -en 7/3.3a

*Nationalfeiertag, der, -e* 10/4.2

Nationalität, die, -en Ü2/2b

*Nationalsozialist/in, der/die, -en/-nen* 1/3.1

*Naturwissenschaft, die, -en* Stat. 1/4.4

Nazi, der, -s 9/1.2a

*Nebel, der, -* Stat. 2/2.5a

*Nebensache, die, -n* Stat. 1/5

neidisch Ü7/12a

*Neige (zur Neige gehen)* Stat. 2/4.1b

Nerven, die, *Pl.* Ü2/5

*nervig* 2/1.3

*Neue, der/die, -n* Stat. 1/2.2

neuerdings 8/1.3

neulich 7/1.4

*Neurologe/Neurologin, der/die, -n/-nen* 3/1.3

nicht ..., sondern 6

*nichts zu danken* Ü2/4a

Nichtstun, das, * 6/2.1

nicken 7/5.2

*Niedrigpreis, der, -e* 10/3.1a

niesen 9/4.5

*Nix da!* Stat. 1/2.3

*nonverbal* 7/5.2

*Nordatlantiktief, das, -s* 6/1.2

*Nordseeküste, die, -n* 6/1.2

*Notdienst, der, -e* Ü6/1b

Note, die, -n 4/2.2b

Notizbuch, das, "-er 8/1.4

Notruf, der, -e Ü1/12a

notwendig 10/2.1

nun 8/1.4

Oberarm, der, -e 7/3.3a

oberflächlich 7/3.3a

*Oberleitung, die, -en* 6/1.6b

Objekt, das, -e Ü3/2b

Obststand, der, "-e 2/1.5a

obwohl 7

öffentlich 6/1.4

Öffentlichkeit, die, * 7/2

offiziell 2/2.1a

*Ökonom/in, der/die, -en/-nen* 6/2.1

ökonomisch 10/3.1a

*Olive, die, -n* Stat. 2/3.2

Optiker/in, der/die, -/-nen Ü5/2b

optimal 4/3.3a

*optisch* 7/3.1a

Ordnung, die, -en, *hier:* in Ordnung sein 2/2.1a

*Ordnungsdienst, der, -e* 5/2.4c

*Organismus, der, Pl.: Organismen* 2/4.1a

Orientierungssinn, der, -e Ü3/2a

Orkan, der, -e 6/1.2

Päckchen, das, - 10/5.2

*Pädagoge/Pädagogin, der/die, -n/-nen* Stat. 1/3.2

*Paella, die, -s* Ü10/12

*Papa, der, -s* 8/1.5

*Pappe, die, -n* 5/1.1

*Parkanlage, die, -n* Ü4/9

Parklücke, die, -n 3/1.2b

Parlament, das, -e 10/1.1

*Partei, die, -en* 10/2.1

*Partnerschaft, die, -en* 2/2.1a

*Partylaune, die, * Stat. 1/5

Pech, das, * 7/1

peinlich 3/2.1b

*Peinlichkeit, die, -en* 7/4.2a

Periode, die, -n 6/2.1

Personalausweis, der, -e 2/1.4a

*Personalberater/in, der/die, -/-nen* Ü9/9a

*Perspektive, die, -n* Start 2/2c

Pfleger/in, der/die, -/-nen 8/1.8a

Phänomen, das, -e 6/1.2

Physik, die, * 5/2.2a

*Physiotherapeut/in, der/die, -en/-nen* Ü3/5a

Pilot/in, der/die, -en/-nen Ü5/14

*pinkfarben* Stat. 1/3.5

Pizzeria, die, *Pl.:* Pizzerien 9/2.2a

*Plattenfirma, die, Pl.: Plattenfirmen* 3/5.1

plaudern 9/3.1b

Pleite, die, -n 7/1

Po, der, -s Ü1/4

Pol, der, -e 6/2.1

Politiker/in, der/die, -/-nen 6/2.1

*Polizeibericht, der, -e* Ü1/13

Polizist/in, der/die, -en/-nen Ü1/12a

polnisch 10/1.1

Pool, der, -s Ü10/12

*Pop-Band, die, -s* 3/5.1

*Pott, der, * 4/1.2

Praline, die, -n 7/4.6

Preisverleihung, die, -en 9/2.2b

*Premierminister/in, der/die, -/-nen* 10/2.2

*Pressemeldung, die, -en* 4/3.4

*preußisch* 1/3.1

**Prinzip**, das, -ien (im Prinzip) 4/4.4

*Private, das,* * 7/3.3a

**Privatleben**, das, * 2/2.1a

**professionell** 7/3.3a

**Prognose**, die, -n 6

*Prominente, der/die, -n* 7/3.3a

**Protokoll**, das, -e 2/1.5a

*Prototyp, der, -en* Stat. 1/1.1b

*Psyche, die, -n* 2/4.1a

*Psychologie, die, -n* 3/4.1b

*Pulsschlag, der,* "-e 4/4.8a

*Punktspiel, das, -e* Stat. 1/5

**Putzeimer**, der, - 3/1.1

**Putzfrau**, die, -en 5/4.1

**Q**

*quadratisch* Ü1/11

**Quatsch**, der, * 3/4.4a

**Quittung**, die, -en 2/1.6a

**R**

*Radiosendung, die, -en* 2/2.3b

*Rage (in Rage bringen)* 8/1.5

**Rand**, der, "-er 9/3.3c

**Rasen**, der, - Ü4/5a

**Rat**, der, * (1) (*einen Rat geben*) 2/3.4

**Rat**, der, "-e (2) 10/2.1

**Ratschlag**, der, "-e 2/3

**Rauchverbot**, das, -e Ü10/7

**räumen** (Schnee räumen) 5/2.4c

**räuspern** (sich) 7/4.5

**real** ≠ irreal 5/3.4

**realisieren** Ü9/4a

**Realität**, die, -en 5/3.1

**Realschule**, die, -n 5/1.1

*rechnen (mit etw.)* Stat. 2/4.1b

*recht* 8/1.9a

**Recht**, das, -e 10/2.1

**Recht haben** 3/1.3b

*Rechtschreibproblem, das, -e* 7/1.1a

*Rechtssystem, das, -e* 10/2.2

*Rede, die, -n (eine Rede halten)* Stat. 2/2.1

**Redensart**, die, -en 3/1.2b

**reduzieren** Ü1/7c

**Regel** (in der Regel) 5/1.1

**regeln** 10/2.2

**Regenschirm**, der, -e 8/2.3

**Regierung**, die, -en 1/3.1

*Regierungschef/in, der/die, -s/-nen* 10/2.1

*Regionalschule, die, -n* 5/1.1

**registrieren** 4/3.4

*regnerisch* Ü6/13

**reich** 1/1.4b

**Reiche**, der/die, -n 1/1.4a

**reichen** Ü2/3

**Reisefreiheit**, die, -en 10/4.2

**Reisende**, der/die, -n 6/1.6b

*Reiz, der, -e* 3/5.1

**Reklamation**, die, -en 3/5.1

**Rekord**, der, -e Ü1/12a

**Religion**, die, -en, *hier:* Schulfach 5/2.2a

**religiös** 7/4.3a

*Rennpferd, das, -e* 4/1.2

*Reporter/in, der/die, -/-nen* Ü6/2

**respektieren** 8/1.5

**Restmüll**, der, * 7/4.3a

*Rettungshubschrauber, der, -* Ü4/8a

**Revier**, das, * 4/1.2

**Rhythmus**, der, *Pl.:* Rhythmen 1/4.3

**Richtlinie**, die, -n 10/2.1

**riechen**, roch, gerochen 3/5.1

*riesig* Stat. 2/5

**Risiko**, das, *Pl.:* Risiken 4/3.4

**riskieren** 4/3.4

*rollen* Stat. 1/5

*Romanfigur, die, -en* 8/1.6

*Röte, die,* * 8/1.9a

*Rotwerden, das,* * 7/1.3b

**Routine**, die, -n 3/4.1b

**Rubrik**, die, -en 6/1.1

*Rückfrage, die, -n* Stat. 2/1.5

**Rückkehr**, die, * 9/4.2

**rückläufig** 4/3.4

**Ruhrfilmtage**, die, *Pl.* 9/2.2a

**Ruhrgebiet**, das, * 4/1

*Ruhrpott, der,* * Ü4/5c

*rund herum* Ü8/7b

**rund um** 5/4.2

**runterbringen**, brachte runter, runtergebracht 3/2.1b

**russisch** Ü9/8

**S**

*Sachertorte, die, -n* Ü10/13

*Salami, die, -s* Stat. 2/3.2

*Salsakurs, der, -e* 3/3.1

**sauber** 3/3.3

**sauber halten**, hielt sauber, sauber gehalten 5/2.4c

*Sauerkirsche, die, -n* 10/5.2

**Sauerkraut**, das, * Ü9/8

**Schaden**, der, "- 6/1.6b

*Schadstoffbelastung, die, -en* Ü6/7b

*Schalke (Fußballverein)* 4/2.1a

**schämen** (sich) 7/1.2a

**Scheidung**, die, -en 3/4.1b

**scheinen**, schien, geschienen Ü6/14

**Scheitern**, das, * 3/4.1b

*Scherengeklapper, das,* * 1/5.1b

*scheußlich* Stat. 2/1.5

**Schiebedach**, das, "-er 9/4.5

**schieben**, schob, geschoben 8/1.4

*schießen, schoss, geschossen* Stat. 1/5

**Schild**, das, -er 4/3.2

**schimpfen** Ü8/4

**Schirm**, der, -e 8.2.3

**Schlaf**, der, * Ü1/5

**Schlafanzug**, der, "-e Ü1/12a

**Schläfe**, die, -n 7/5.2

*schlagfertig* 5/5.2a

**Schlagsahne**, die, * 10/5.2

**schließlich** 8/1.3

*Schlosser/in, der/die, -/-nen* 5/2.4c

**Schlüssel**, der, - 2/1.1

*Schmatz!* 5/5.3

**schmelzen**, schmolz, geschmolzen 1/1.4b

**Schminke**, die, * 4/4.8a

**schmücken** Ü5/12

**schmutzig** 4/2.1a

**schnalzen** 7/4.5

**Schneesturm**, der, "-e 6/1.7

*Schneider/in*, der/die, -/-nen Ü3/5a

**schnippsen** 7/5.3

**Schnitzel**, das, - Ü10/12

**schockieren** 6/4.1a

**Schönheit**, die, -en 4/4.8a

**Schrebergarten**, der, "- 4/1.2

**schreien**, schrie, geschrien 7/3.6

**Schriftsteller/in**, der/die, -/-nen Ü9/1a

**schüchtern** 3/4.4c

*Schulbeginn*, der, * 5/2.2b

*Schuld haben* (an etw.) Stat. 1/5

*Schuldirektor/in*, der/die, -en/-nen Ü4/3a

**Schulhof**, der, "-e Ü8/4

*schulmüde* 5/2.4c

**Schulsachen**, die, *Pl.* 8/1.3

*Schulsozialarbeiter/in*, der/die, -/-nen 5/2.4c

**Schulsystem**, das, -e 5/1.1

**Schulter**, die, -n Start 2/1

**Schultüte**, die, -n 5/1.1

**Schulwechsel**, der, - 5/1.1

**Schulzahnarzt/ärztin**, der/die, "-e/-nen 5/4.2a

*Schuss*, der, "-e Stat. 1/5

**schütteln** Ü7/14a

**Schutz**, der, * 8/1.5

*Schwager/Schwägerin*, der/die, -/-nen Stat. 2/3.6a

**Schwangerschaft**, die, -en Ü1/5

*schwedisch* Ü3/1b

**schweigen**, schwieg, geschwiegen 3/5.1

*Schwerarbeiter/in*, der/die, -/-nen 4/1.2

**Schwierigkeit**, die, -en 3/2.1b

*Seifenschaum*, der, * 1/5.1b

*seitdem* Stat. 1/5

**Serie**, die, -n 6/1.2

**seufzen** 8/1.3

**Sicherheit**, die, -en Ü7/3a

**sicherlich** 3/2.1b

**Sicht**, die, * 4/3.3b

**Siedlung**, die, -en 4/2.1a

*Sightseeing*, das, * 7/3.1b

**sinken**, sank, gesunken 6/2.1

**Sinn**, der, * 8/1.4

**sinnlos** 3/4.1b

*Sitte*, die, -n 7/3.3a

**Sitz**, der, -e (1) Ü7/3a

**Sitz**, der, -e (2) 10/2.1

**sitzen bleiben**, blieb sitzen, sitzen geblieben 5/2.2b

**sitzen**, saß, gesessen (2) 7/1.1a

**Sitzung**, die, -en 2/2.1a

*skandinavisch* 7/3.3a

**Skigebiet**, das, -e 6/2.1

*Slogan*, der, -s 1/5.1d

*Smalltalk*, der, -s Stat. 2/1

*Snowboard*, das, -s 6/1.2

**sodass** Ü6/14

*so mancher* 3/4.1b

**Solidarität**, die, * Ü10/8

*Sommermärchen*, das, - Stat. 1/5

**sondern** 2/2.1a

*Sonnenkollektor*, die, -en Ü6/11

**Sorgen** (sich … machen) 8/1.1b

**sozial** Ü10/2

**Sozialarbeiter/in**, der/die, -/-nen 5/2.4a

*Sozialgesetzgebung*, die, -en 4/2.1a

*Sozialist/in*, der/die, -en/-nen 10/2.1

**sozialistisch** 10/3.1a

**Sozialversicherung**, die, -en 4/2.1a

**spanisch** 3/1.2b

**spannend** 2/3.9a

*Spätaussiedler/in*, der/die, -/-nen 9/1.2a

*spätestens* Stat. 1/3.6b

**Speise**, die, -n 7/3.3a

**sperren** 2/1.1

*Spezialklinik*, die, -en 4/3.3a

**spinnen**, spann, gesponnen 3/4.4a

*spitze* 9/4.5

*Spitze*, die, -n (an der … stehen)

**Sportart**, die, -en Ü4/5c

*Sportfanatiker/in*, der/die, -/-nen Ü3/10a

**Sportteil**, der, -e 6/1.1

**Sportwagen**, der, - 3/1.1

*Sprichwort*, das, "-er 2/4.1b

**Spruch**, der, "-e 5/5.2a

*Spülmaschine*, die, -n Stat. 1/2.3

**Spur**, die, -en 6/1.2

**Staat**, der, -en 1/3.1

**stabil** 10/2.1

**Stabilität**, die, * 10/2.5

*Stadtteilschule*, die, -n 5/1.1

**Stadttor**, das, -e 1/3.1

**Stahl**, der, * 4/1.1

*Stahlproduktion*, die, -en 4/2.1a

**Stahlwerk**, das, -e 4/1.1

*Stammkneipe*, die, -n 4/2.1a

**staubsaugen** 3/3.3

*staunen* Stat. 2/5

**stehlen**, stahl, gestohlen 1/5.1

**steif** 10/5.2

**steigen**, stieg, gestiegen 4/2.3

*Steigerungsform*, die, -en 9/4.5

**steil** 4/3.3a

*Stelle* (an Ihrer Stelle) Ü7/12b

*Stereotyp*, der, -en 3/1.2c

**Steuer**, die, -n 10/2.1

**Stichpunkt**, der, -e 8/5.2a

**Stift**, der, -e 8/1.4

*Stilcoach*, der, -s Stat. 2/4.4

**still** 8/1.5

**stillstehen**, stand still, still gestanden 6/1.2

*Stimmung*, die, -en Stat. 1/5

**Stipendium**, das, *Pl.*: Stipendien 10/1.1

*Stolpergefahr*, die, -en 4/3.2

stolpern 4/3.3a
Störung, die, -en Ü6/1a
Strafe, die, -n Ü1/13
Strafzettel, der, - 2/1.1
stranden 6/1.6a
*Straßenbahnschiene, die,*
*-n* 6/1.2
Straßenverkehr, der, *
6/4.2b
streichen, strich, gestri-
chen 6/1.2
streiten, stritt, gestritten
3/2.1b
*Streitschlichter/in, der/die,*
*-/-nen* 5/2.4c
stressen 2/1.3
*Stressfaktor, der, -en* 2/2.1
streuen 10/5.2
Strom, der, * 4/3.2
*Stromausfall, der, "-e* Ü6/1b
*Stromleitung, die, -en*
Stat. 1/1.1b
Studie, die, -n 2/4.1a
Studienplatz, der, "-e 5/1.1
Stundenplan, der, "-e
5/2.2a
Sturm, der, "-e 6/1.2
*Stürmer/in, der/die, -/-nen*
Stat. 1/5
Sturmflut, die, -en 6/1.2
*Sturmtief, das, -s* 6/1.2
*subtil* 3/5.1
*Summe, die, -n* Ü2/3
*sündigen* Ü6/11
*Süße* 3/5.1
sympathisch 3/4.1b


**T**

tabu 7/3.3a
tagelang 7/3.1b
Tageszeit, die, -en 10/5.1a
*Talkrunde, die, -n* 3/1.3
tasten 8/1.3
*Taubenzüchter/in, der/die,*
*-/-nen* 4/1.1
*Taxifahren, das, * * Ü7/3a
*Technik, die, -en* Stat. 1/4.4
*Techno, der, ** 1/3.1
Technologie, die, -n 10/3.1a
*Teekanne, die, -n* Stat. 1/1.3a

Teenager/in, der/die, -/-nen
Ü9/4a
teilen 1/3.1
Teilnehmer/in, der/die,
-/-nen 3/1.3
*Teilsatz, der, "-e* 8/2.1b
Teilung, die, -en 1/3.2a
teilweise 7/3.3a
*Telefongesellschaft, die, -en*
Ü2/3
*Texter/in, der/die, -/-nen*
2/2.1a
Textstelle, die, -n 8/1.6a
*Theaterfestspiele, die, Pl.*
Ü4/2a
Theorie, die, -n 7/3.3a
tief 4/4.4
Tief, das, -s 6/1.2
*Todesopfer, das, -* Ü6/1b
*todmüde* Stat. 1/3.4
*tolerant* Stat. 1/2.1a
*Topstar, der, -s* 10/5.1a
*Tor, das, -e (Fußball)* Stat. 1/5
*Tortenboden, der, "-* 10/5.2
Touristenführer/in, der/
die, -/-nen 10/4.4
Trainingsanzug, der, "- e
9/4.5
*Transportcontainer, der, -e*
6/1.2
*Traumberuf, der, -e* Ü5/6a
träumen Ü1/9b
*Traumfabrik, die, -en* 4/2.3
*Trauschein, der, -e* 3/2.1b
treffen, traf, getroffen
(Entscheidungen) 10/2.1
*treffen auf, traf auf, getrof-*
*fen auf* Stat. 2/5
treiben, trieb, getrieben
(Sport) 2/2.3c
Trend, der, -s 6/2.1
treu 4/2.1a
Trinkgeld, das, -er 7/2.3b
Trockenheit, die, * 6/2.1
*Tropensturm, der, "-e* 6/2.1
tropfen 7/3.6
*Türke/Türkin, der/die,*
*-n/-nen* Ü9/2.6
Türkisch, das, * Ü9/1b
Tüte, die, -n 5/1.1

u. a. (= unter anderem)
4/2.1a
überall 2/2.1a
Überfall, der, "-e 1/3.1
*überglücklich* Stat. 2/5
überhaupt (nicht) Ü3/9a
überlegen Start 2/1
übernehmen, übernahm,
übernommen 4/3.3a
überprüfen Ü4/10c
überreden 3/2.1b
Überschrift, die, -en Ü1/12a
*Überschwemmung, die, -en*
Stat. 2/2.5a
Überstunde, die, -n 2/2.1a
überwachen 5/2.4c
üblicherweise 9/4.5
umblättern 8/1.4
umdrehen Ü8/7a
Umgang, der, "-e 7/2
Umgangssprache, die, -n
9/4.5
umgekehrt 10/3.1a
umkehren 6/2.1
umschreiben, schrieb um,
umgeschrieben Ü5/7c
umso 6/2.1
umstürzen 6/1.2
Umweg, der, -e Start 2/1
Umwelt, die, -en 6
*umweltbewusst* Ü6/10a
Umweltschutz, der, * 10/4.3
unabhängig 7/3.3a
unbegrenzt 9/4.1
unbezahlt 2/2.1a
*Und nun?* Stat. 1/3.4
unerfreulich 7/1.1b
*Unfallhäufigkeit, die, -en*
4/3.4
ungarisch 10/5.1a
ungefähr 2/1.4a
ungenügend 5/2.2b
*UN-Klimareport, der, -e* 6/2
unnütz 1/5.1c
Unsicherheit, die, -en
7/1.3b
*Unsumme, die, -n* 10/3.1a
*unter Tage arbeiten* 4/1.2
unterheben, hob unter,
untergehoben 10/5.2

unterkriegen (sich ... lassen) 8/1.4

Unternehmen, das, - 7/3.3a

unternehmen, unternahm, unternommen Ü3/9a

*unterrepräsentiert* Stat. 2/4.2

unterschätzen 10/4.2

unterstützen 7/5.1a

*Unterzeichnung, die, -en* 10/2

Unwetter, das, - 6/1

Ursache, die, -n 6/2

usw. (*Abk.*: und so weiter) Ü10/5

## V

Vanillinzucker, der, - 10/5.2

Variante, die, -n Ü7/12a

Vegetarier/in, der/die, -/-nen 6/4.1a

Veränderung, die, -en 1/5.2

*verbauen* 4/4.8a

verbrauchen 1/5.1c

Verbraucher/in, der/die, -/-nen Ü2/3

*Verbraucherzentrale, die, -n* Ü2/3

*Verdammt noch mal!* Stat. 1/4.1b

vereinbaren Ü3/8

Verfassung, die, -en 10/3.1a

*verfilmen* 1/5.1

verfolgen 9/1.2a

Verfolgung, die, -en 9/1.2a

Vergangene, das, * 8/2.1

vergehen, verging, vergangen 1/1.2a

*vergesslich* Start 2/1

Vergesslichkeit, die, * 8/1.1b

*vergewissern (sich)* 7/4.2a

verhalten, verhielt, verhalten (sich) Ü7/3a

Verhalten, das, * Ü4/10b

Verhaltensregel, die, -n 7

verhindern 10/3.1a

*Verkehrsbehinderung, die, -en* Ü6/1a

Verkehrskontrolle, die, -n Ü7/5a

verlängern 2/4.1b

*verlegen* Stat. 1/1.1b

Verlegenheit, die, -en 7/1.3b

Verletzte, der/die, -n Ü4/6b

Verletzung, die, -en Ü4/6b

vermissen 3/2.1b

vermuten 2/4.1a

vermutlich Ü8/1.1b

vernünftig Ü6/11

veröffentlichen 6/2.1

versammeln 10/2.1

*verschanzen* 8/1.5

verschieben, verschob, verschoben 2/2.1a

verschiedene Ü9/8

*verschießen, verschoss, verschossen* Stat. 1/5

verschlafen, verschlief, verschlafen 2/2.2

verschlechtern 9/3.6b

Versehen, das, - 7/4.2a

Versicherte, der/die, -n 4/3.4

Versicherung, die, -en 4

*Versicherungsagent/in, der/die, -en/-nen* Ü2/5

versprechen, versprach, versprochen 8/1.3

verständnisvoll 2/2.1a

verstärken 2/3.9

*verstauben* 4/4.8a

verstoßen, verstieß, verstoßen 7/4.3a

versuchen 3/2.1b

vertreten, vertrat, vertreten Ü10/2

verunsichert 7/1.4

Verwaltung, die, -en Ü10/4b

verwirrt 8/1.6b

Verzeihung! 7/4.2a

Vielfalt, die, * 10/3.1a

Vokabellernen, das, * Ü8/4

Volk, das, "-er 10/3.1a

*Volleyballspielen, das, * 7/2.3b

völlig 2/2.1a

*vollständig* Stat. 1/2.3

vor allem 4/2.3

voraussagen 6/2.1

Voraussetzung, die, -en 7/3.3a

Vorfahre/Vorfahrin, der/die, -n/-nen 9/1.2a

vorkommen, kam vor, vorgekommen 3/1.3b

vorlassen, ließ vor, vorgelassen 2/1.1

Vormittag, der, -e Ü8/4

*vornehmen, nahm vor, vorgenommen* Stat. 2/5

*vorrechnen* 1/5.1c

Vorsatz, der, "-e 6/4.5b

Vorsitz, der, -e 10/2.1

vorspielen 2/1.5b

Vorstellung, die, -en 3/1.2c

*vortragen, trug vor, vorgetragen* Stat. 2/2.3b

Vorurteil, das, -e 3/1.2c

vorwurfsvoll 8/1.3

## W

wachsen, wuchs, gewachsen (über den Kopf wachsen) 8/1.9a

*Wahlfach, das, "-er* 5/2.2a

*Wahnsinn, der, * * Stat. 1/3.6

wahnsinnig (jdn ... machen) 2/1.3

wahr 7/4.2a

während 1

Währung, die, -en 10/3.1a

*Wahrzeichen, das, - * 1/3.1

Wandel, der, - 4/2

Wanderung, die, -en 3/3.1

Wange, die, -n 8/1.9a

warnen 6/1.2

*Warnhinweis, der, -e* 4/3.2

Wartezeit, die, -en 1/1.1

Wäsche, die, * 3/3.3

waschen, wusch, gewaschen 1/2.1a

Wasserhahn, der, "-e 7/3.6

*Wasserleitung, die, -en* Stat. 1/1.1b

*Wasserverbrauch, der, * * 6/2.1

Wechsel, der, - 5/1.1

wecken Ü1/12a

weder ... noch 7

wegbringen, brachte weg, weggebracht 3/3.3

wegen 3/2.1b

**wegfahren**, fuhr weg, weggefahren 8.2.3

**weglaufen**, lief weg, weggelaufen 8/1.9a

**wegrutschen** 4/3.3a

**wegwerfen**, warf weg, weggeworfen 7/4.3a

**wehen** Ü6/13

**weiblich** 3/1.1

*Weide, die, -n* Stat. 2/2.1

**weiterarbeiten** Ü10/11

**weitermachen** Ü1/12a

**weiterziehen**, zog weiter, weitergezogen 6/1.2

*Weizen, der, -* 3/5.1

*Weltmeistertitel, der, -* Stat. 1/5

**Weltreise**, die, -n 10/4.4

*Weltrekord, der, -e* Ü1/12a

*Weltstadt, die, "-e* 4/4.8a

**weltweit** 6/1.4

*wenden* (sich an jdn) Ü2/3

*weniger ist oft mehr* 3/5.1

*Werbeagentur, die, -en* 2/2.1a

*Werbeaktion, die, -en* Stat. 1/1.1b

*Werkunterricht, der, \** 5/5.1

**Werkzeugkasten**, der, "- 3/1.1

**Wetterdienst**, der, -e 6/1.2

**Wetterkatastrophe**, die, -n Ü6/4b

*Wetterphänomen, das, -e* 6/1.2

**widersprechen**, widersprach, widersprochen 3

**Widerspruch**, der, "-e Ü3/4

*Wiederaufbau, der, \** Ü1/11

**wiedersehen**, sah wieder, wiedergesehen 9/3.6b

**wiedervereinigen** 1/3.1

*wiegen, wog, gewogen* Stat. 2/3.2

*willkommen* Stat. 2/5

*Windgeschwindigkeit, die, -n* 6/1.2

*Windkraftanlage, die, -n* Stat. 2/4.2

**winken**, winkte, gewunken (*auch:* gewinkt) Ü7/14a

*Winterschlaf, der, \** Ü1/5

**Wintersport**, der, \* 6/1.2

**Wirbelsäule**, die, -n 4/3.3a

**wirken** 2/4.1b

**wirtschaftlich** 4/2.3

*Wirtschaftskrise, die, -n* 4/2.3

*Wirtschaftswunder, das, -* 9/1.2a

**Wissenschaft**, die, -en 10/3.1a

**Wissenschaftler/in**, der/die, -/-nen 1/2.1a

**wissenschaftlich** 2/4.1a

**Witz**, der, -e 1/2.3

**witzig** 7/4.6

**wochenlang** 4/3.3a

**wohl fühlen** (sich) Ü9/1a

*wohltuend* 8/1.5

**Wohngemeinschaft**, die, -en 8/1.1b

*Wohnheim, das, -e* Stat. 2/5

**woran** Ü8/13

**wortlos** 7/2.3b

*Wucht, die, \** (*mit voller Wucht*) 6/1.2

**wühlen** 8/1.4

**wundern** (sich) 1/2.1b

*wunderschön* Stat. 1/2.2

**wundervoll** 8/1.1b

*Wunschzeit, die, -en* 1/2.5

*Wurm, der, "-er* Stat. 2/2.6

## Z

*zahlreich* Stat. 2/3.1a

*Zahnbürste, die, -n* Stat. 1/1.3a

*zappen* 3/1.2b

*Zärtlichsein, das, \** 1/2.3

**zaubern** 5/3.6

**Zeche**, die, -n 4/1.2

**Zeh**, der, -en Ü1/7b

**Zeichen**, das, - 7/4.5

*Zeichensprache, die, -n* 7/5.1

**Zeitdruck**, der, \* 1/1.1

*Zeitgefühl, das, \** 1/1

*Zeitgeschichte, die, \** 1/3

*zeitlos* 1/1.1

**Zeitmangel**, der, \* 3/4.1b

**Zeitplan**, der, "-e 1/1.1

*Zeitsparer/in, der/die, -/-nen* 1/5.1d

**zeitweise** 6/1.2

**zerbrechen**, zerbrach, zerbrochen 3/4.1b

*zergehen, zerging, zergangen* (*sich etw. auf der Zunge … lassen*) 8/1.4

**zerstören** Ü1/11

**Zeugnis**, das, -se 5/2.2b

*Zielland, das, "-er* 9/4.1

**Zirkus**, der, -se 6/1.2

*Zitrusfrucht, die, "-e* Ü6/8a

*Zollkontrolleur/in, der/die, -e/-nen* Stat. 2/5

**Zoo**, der, -s Ü1/7b

**Zufall**, der, "-e 6/2.1

*zufrieden* (*sich … geben mit etw.*) Ü8/7a

**Zufriedenheit**, die, \* 9/4.2

**Zugbegleiter/in**, der/die, -/-nen 2/1.6a

**Zugverbindung**, die, -en 6/1.6b

**zuhören** 3/1.2b

*Zuhörer/in, der/die, -/-nen* Stat. 1/1.2

**zulächeln** 8/1.3

**zum Teil** 9/4.1

**zumindest** 7/2.3b

**zunächst** 6/1.2

**Zunge**, die, -n 7/4.5

**zurückdrängen** 8/1.5

**zurückgehen**, ging zurück, zurückgegangen Ü8/2

**zurückkehren** 9/1.2a

**zurückkommen**, kam zurück, zurückgekommen 2/2.1a

**zurückziehen**, zog zurück, zurückgezogen Ü1/11

**Zusammenarbeit**, die, \* Ü10/8

**zusammenarbeiten** Ü5/7b

**zusammenbleiben**, blieb zusammen, zusammengeblieben 3/2.1b

**Zusammenfassung**, die, -en 4/2.4

**zusammengehören** 9/4.5

**zusammenlegen** 5/1.1

**Zusammensein,** das, *
Ü3/10a

*zusammensitzen, saß
zusammen, zusammengeses-
sen* Stat. 2/5

**zusammenstellen** Ü8/7b

**zusammenwachsen,** wuchs
zusammen, zusammenge-
wachsen 7/3.3a

*zusammenzählen* Stat. 1/2.3

*zusammenzucken* Start 2/1

**Zuschauer/in,** *der/die,
-/-nen* Stat. 1/2.1a

**zuschicken** 2/1.4a

**zuständig** (sein) 10/2.2

**zustimmen** (jdm) 3

**Zustimmung,** die, -en Ü3/4

**zwar** Ü3/1c

**Zweite Weltkrieg,** der, *
1/3.1

**Zweitwagen,** der, - Ü6/11

*zweiwöchig* 5/2.2a

# Liste der unregelmäßigen Verben

Die Liste enthält alle unregelmäßigen Verben von studio d **A1**, studio d **A2**
und studio d **B1**.
Die meisten trennbaren Verben finden Sie unter der Grundform.
Beispiele: mitbringen → bringen; abfahren → fahren

| Infinitiv | Präsens | Präteritum | Perfekt |
|---|---|---|---|
| abreißen | er reißt ab | riss ab | hat abgerissen |
| anbraten | sie brät an | briet an | hat angebraten |
| anfangen | er fängt an | fing an | hat angefangen |
| beschließen | sie beschließt | beschloss | hat beschlossen |
| besprechen | er bespricht | besprach | hat besprochen |
| bestehen | sie besteht | bestand | hat bestanden |
| betragen | er beträgt | betrug | hat betragen |
| backen | sie bäckt | backte/buk | hat gebacken |
| beginnen | er beginnt | begann | hat begonnen |
| bekommen | sie bekommt | bekam | hat bekommen |
| benennen | er benennt | benannte | hat benannt |
| beraten | sie berät | beriet | hat beraten |
| beschreiben | er beschreibt | beschrieb | hat beschrieben |
| bewerben (sich) | sie bewirbt sich | bewarb sich | hat sich beworben |
| bieten | er bietet | bot | hat geboten |
| bitten | sie bittet | bat | hat gebeten |
| bleiben | er bleibt | blieb | ist geblieben |
| brechen | sie bricht | brach | hat gebrochen |
| brennen | es brennt | brannte | hat gebrannt |
| bringen | er bringt | brachte | hat gebracht |
| denken | sie denkt | dachte | hat gedacht |
| dürfen | er darf | durfte | hat gedurft |
| einladen | sie lädt ein | lud ein | hat eingeladen |
| empfinden | er empfindet | empfand | hat empfunden |
| entscheiden | sie entscheidet | entschied | hat entschieden |
| entschließen (sich) | er entschließt sich | entschloss sich | hat sich entschlossen |
| entstehen | es entsteht | entstand | ist entstanden |
| erkennen | er erkennt | erkannte | hat erkannt |
| erscheinen | sie erscheint | erschien | ist erschienen |
| erziehen | er erzieht | erzog | hat erzogen |
| essen | sie isst | aß | hat gegessen |
| fahren | er fährt | fuhr | ist gefahren |
| fallen | sie fällt | fiel | ist gefallen |
| fernsehen | er sieht fern | sah fern | hat ferngesehen |
| finden | sie findet | fand | hat gefunden |
| fliegen | er fliegt | flog | ist geflogen |
| fließen | es fließt | floss | ist geflossen |
| geben | sie gibt | gab | hat gegeben |
| gefallen | es gefällt | gefiel | hat gefallen |
| gehen | er geht | ging | ist gegangen |
| genießen | sie genießt | genoss | hat genossen |
| gewinnen | er gewinnt | gewann | hat gewonnen |
| gießen | sie gießt | goss | hat gegossen |

| halten | er hält | hielt | hat gehalten |
| hängen | es hängt | hing | hat gehangen |
| heben | sie hebt | hob | hat gehoben |
| heißen | er heißt | hieß | hat geheißen |
| helfen | sie hilft | half | hat geholfen |
| kennen | er kennt | kannte | hat gekannt |
| klingen | es klingt | klang | hat geklungen |
| kommen | sie kommt | kam | ist gekommen |
| können | er kann | konnte | hat gekonnt |
| lassen | sie lässt | ließ | hat gelassen |
| laufen | er läuft | lief | ist gelaufen |
| leiden | sie leidet | litt | hat gelitten |
| leidtun | es tut ihr leid | es tat ihr leid | hat ihr leidgetan |
| lesen | er liest | las | hat gelesen |
| liegen | sie liegt | lag | hat gelegen |
| losrennen | er rennt los | rannte los | ist losgerannt |
| lügen | sie lügt | log | hat gelogen |
| mögen | er mag | mochte | hat gemocht |
| müssen | sie muss | musste | hat gemusst |
| nehmen | er nimmt | nahm | hat genommen |
| nennen | sie nennt | nannte | hat genannt |
| pfeifen | er pfeift | pfiff | hat gepfiffen |
| raten | sie rät | riet | hat geraten |
| reiten | er reitet | ritt | ist geritten |
| riechen | sie riecht | roch | hat gerochen |
| rufen | er ruft | rief | hat gerufen |
| schlafen | sie schläft | schlief | hat geschlafen |
| schließen | er schließt | schloss | hat geschlossen |
| scheinen | sie scheint | schien | hat geschienen |
| schieben | er schiebt | schob | hat geschoben |
| schießen | sie schießt | schoss | hat geschossen |
| schmelzen | es schmilzt | schmolz | ist geschmolzen |
| schneiden | er schneidet | schnitt | hat geschnitten |
| schreiben | sie schreibt | schrieb | hat geschrieben |
| schreien | er schreit | schrie | hat geschrien |
| schweigen | sie schweigt | schwieg | hat geschwiegen |
| schwimmen | er schwimmt | schwamm | ist geschwommen |
| sehen | sie sieht | sah | hat gesehen |
| sein | er ist | war | ist gewesen |
| singen | sie singt | sang | hat gesungen |
| sinken | es sinkt | sank | ist gesunken |
| sitzen | er sitzt | saß | hat gesessen |
| spinnen | sie spinnt | spann | hat gesponnen |
| sprechen | er spricht | sprach | hat gesprochen |
| springen | sie springt | sprang | ist gesprungen |
| stehen | er steht | stand | hat gestanden |
| stehlen | sie stiehlt | stahl | hat gestohlen |
| steigen | er steigt | stieg | ist gestiegen |
| sterben | sie stirbt | starb | ist gestorben |
| streichen | er streicht | strich | hat gestrichen |
| streiten | sie streitet | stritt | hat gestritten |
| tragen | er trägt | trug | hat getragen |

| | | | |
|---|---|---|---|
| treffen | sie trifft | traf | hat getroffen |
| treiben | er treibt | trieb | hat getrieben |
| trinken | sie trinkt | trank | hat getrunken |
| tun | er tut | tat | hat getan |
| übertreiben | sie übertreibt | übertrieb | hat übertrieben |
| unterbrechen | er unterbricht | unterbrach | hat unterbrochen |
| unterhalten | sie unterhält | unterhielt | hat unterhalten |
| unterstreichen | er unterstreicht | unterstrich | hat unterstrichen |
| verbinden | sie verbindet | verband | hat verbunden |
| verbringen | er verbringt | verbrachte | hat verbracht |
| vergehen | sie vergeht | verging | ist vergangen |
| vergessen | er vergisst | vergaß | hat vergessen |
| vergleichen | sie vergleicht | verglich | hat verglichen |
| verhalten (sich) | er verhält sich | verhielt sich | hat sich verhalten |
| verlassen | sie verlässt | verließ | hat verlassen |
| verlieren | er verliert | verlor | hat verloren |
| verschieben | sie verschiebt | verschob | hat verschoben |
| verschlafen | er verschläft | verschlief | hat verschlafen |
| versprechen | sie verspricht | versprach | hat versprochen |
| verstehen | er versteht | verstand | hat verstanden |
| vertreiben | sie vertreibt | vertrieb | hat vertrieben |
| vorschlagen | er schlägt vor | schlug vor | hat vorgeschlagen |
| wachsen | sie wächst | wuchs | ist gewachsen |
| waschen | er wäscht | wusch | hat gewaschen |
| wehtun | es tut weh | tat weh | hat wehgetan |
| werden | er wird | wurde | ist geworden |
| werfen | sie wirft | warf | hat geworfen |
| widersprechen | er widerspricht | widersprach | hat widersprochen |
| wiegen | sie wiegt | wog | hat gewogen |
| winken | er winkt | winkte | hat gewunken/gewinkt |
| wissen | sie weiß | wusste | hat gewusst |
| zerbrechen | er zerbricht | zerbrach | hat zerbrochen |
| ziehen | sie zieht | zog | hat gezogen |

# Liste der Verben mit Präpositionen

Die Liste enthält alle Verben mit festen Präpositionen von studio d **A1**, studio d **A2** und studio d **B1**.

## Akkusativ

| | | |
|---|---|---|
| achten | auf | Bitte achten Sie auf den Verkehr. |
| anmelden (sich) | für | Du musst dich morgen für den Kurs anmelden. |
| antworten | auf | Bitte antworten Sie auf meine Frage. |
| ärgern (sich) | über | Manchmal ärgere ich mich über dich. |
| aufpassen | auf | Lars muss auf seinen kleinen Bruder aufpassen. |
| bewerben (sich) | um | Frau Kalbach bewirbt sich um die Stelle. |
| bitten | um | Sophie bittet ihre Freundin um einen Tipp. |
| denken | an | Ich habe den ganzen Tag an dich gedacht. |
| diskutieren | über | Sie diskutieren immer über das gleiche Problem. |
| entschuldigen (sich) | für | Pedro entschuldigt sich für seinen Fehler. |
| erinnern (sich) | an | Ich kann mich nicht an den Film erinnern. |
| freuen (sich) | über | Franziska freut sich über ihren Erfolg. |
| freuen (sich) | auf | Die Kinder freuen sich auf Weihnachten. |
| gewöhnen (sich) | an | Ich habe mich an das deutsche Essen gewöhnt. |
| informieren (sich) | über | Ich möchte mich über den Kurs informieren. |
| investieren | in | Die EU investiert viel Geld in die Landwirtschaft. |
| interessieren (sich) | für | Er interessiert sich für Architektur. |
| kämpfen | gegen | Momo kämpft gegen die „grauen Herren". |
| konzentrieren (sich) | auf | Die Medien konzentrieren sich auf den Autoverkehr. |
| kümmern (sich) | um | Wir kümmern uns um Ihre Probleme. |
| nachdenken | über | Ich denke über den Deutschkurs nach. |
| reagieren | auf | Wir müssen schnell auf seine Frage reagieren. |
| schämen (sich) | für | Die Mutter schämt sich für ihr Kind. |
| sprechen | über | Katrin und Jan sprechen über ihre Zukunft. |
| streiten | über | Wir streiten oft über Kleinigkeiten. |
| trauern | um | Peter trauert um seinen Vater. |
| verlieben (sich) | in | Nadine hat sich in einen großen Mann verliebt. |
| verstoßen | gegen | Man sollte nicht gegen diese Regel verstoßen. |
| vorbereiten (sich) | auf | Wir müssen uns auf den Test vorbereiten. |
| warten | auf | Fabian wartet auf seinen Vater. |
| wenden (sich) | an | Bei Problemen wenden Sie sich an die Verbraucherzentrale. |
| zuständig sein | für | Der Europäische Gerichtshof ist für das europäische Rechtssystem zuständig. |

## Dativ

| | | |
|---|---|---|
| auskommen | mit | Oma kommt gut mit Frau Kalbach aus. |
| auslassen | an | Die Kunden lassen ihre schlechte Laune an mir aus. |
| beitragen | zu | Internationale Lebensmitteltransporte tragen zum Klimawandel bei. |
| beschäftigen (sich) | mit | Wir beschäftigen uns heute mit dem Thema „Medien". |
| besprechen | mit | Georg bespricht das Problem mit seiner Frau. |

| | | |
|---|---|---|
| bestehen | aus | Der Test besteht aus zwei einfachen Aufgaben. |
| ekeln (sich) | vor | Manche Menschen ekeln sich vor einer Spinne. |
| fragen | nach | Der Tourist fragt nach dem Weg. |
| führen | mit | Wir haben ein Interview mit einem Lehrer geführt. |
| führen | zu | Routine kann zum Scheitern einer Beziehung führen. |
| gehören | zu | Das Saarland gehört zur Euregio SaarLorLux. |
| gratulieren | zu | Wir gratulieren dir zu deinem neuen Job! |
| klarkommen | mit | Ich komme mit dieser Übung nicht klar. |
| leiden | unter | Unter dem hohen Energieverbrauch leidet auch die Umwelt. |
| mischen | mit | Man mischt Mehl und Backpulver mit Eiern und Zucker. |
| passen | zu | Die grüne Hose passt nicht zum rosa Hemd. |
| schützen | vor | Die Jacke schützt vor dem Regen. |
| träumen | von | Ich träume von einer Weltreise. |
| treffen (sich) | mit | Heute treffen wir uns mit guten Freunden. |
| trennen (sich) | von | Peter hat sich von seinem Freund getrennt. |
| verabreden (sich) | mit | Wann verabreden wir uns endlich mit deinem Freund? |
| verbinden | mit | Können Sie mich bitte mit dem Sekretariat verbinden? |
| verloben (sich) | mit | Heute hat sich Jens mit seiner Freundin verlobt. |
| verstehen (sich) | mit | Verstehst du dich gut mit deinen Kollegen? |
| warnen | vor | Der deutsche Wetterdienst warnt vor einem Sturm. |
| zerbrechen | an | Manche Beziehungen zerbrechen an der Routine. |
| zusammenarbeiten | mit | Die Eltern sollten mit den Lehrern zusammenarbeiten. |

# Hörtexte

Hier finden Sie alle Hörtexte, die nicht oder nicht komplett in den Einheiten und Übungen abgedruckt sind.

**1** 2

**a)**

1. + Wann vergeht Zeit langsam, wann vergeht sie schnell?
   – Zeit vergeht für mich langsam, wenn ich nichts zu tun habe. Wenn ich auf irgendwas warten muss, zum Beispiel in der Arztpraxis oder an der Bushaltestelle oder so. Zeit vergeht für mich schnell, wenn ich im Stress bin, zum Beispiel auf der Arbeit. Oder auch, wenn ich mit netten Menschen zusammen bin.
2. + Wann vergeht Zeit langsam, wann vergeht sie schnell?
   – Zeit vergeht schnell für mich, wenn ich mit Leib und Seele bei der Sache bin und Dinge gerne tue, zum Beispiel, wenn ich mich mit meiner Freundin unterhalte oder wenn ich tanzen gehe oder bowlen gehe. Sie vergeht für mich langsam, wenn ich Dinge tun muss, die ich nicht tun möchte, zum Beispiel Hausarbeit oder einen langweiligen Vortrag anhören muss.

**3** 4

**a)**

*Interview 1*

+ Herr Weimann, können Sie sich daran erinnern, was Sie gemacht haben, als 1989, im November, die Mauer geöffnet wurde?
– Ja, das kann ich. Es war ein besonderer Tag, ich war nämlich in Israel und hörte die Nachricht im Radio und bin an diesem Tag nach Tel Aviv gefahren und badete im Mittelmeer. Und gleichzeitig dachte ich an Deutschland und wie komisch es ist, an diesem historischen Tag in Israel zu sein und nicht in Deutschland.

*Interview 2*

Ja, den 9.11.1989, den werde ich ganz bestimmt nicht vergessen. Ich weiß noch genau, dass es ein Donnerstagabend war, denn wir waren auf der Demo. Also, die berühmten „Montagsdemonstrationen" waren in Jena am Donnerstagabend, und wir sind gemeinsam mit Freunden auf der Demonstration gewesen, mit Kerzen durch die Stadt gezogen. Es war ein ziemlich kalter Abend und als wir nach Hause kamen, wollten wir uns erst mal ein bisschen aufwärmen, haben den Fernseher angemacht, um Nachrichten zu sehen. Aber es kamen keine, es kam nur eine kurze Mitteilung, und es war die Rede von Reisefreiheit und offenen Grenzen, und wir haben uns angeschaut und haben gedacht: „Was war das jetzt? Das kann doch alles nicht wahr sein!" Und dann haben wir natürlich versucht, alle möglichen Programme, die wir empfangen konnten, anzuschalten, Nachrichtensendungen zu finden.

Und dann haben wir eben diese Nachricht gesehen, die um die Welt gegangen ist: Günter Schabowski sitzt da und zieht sein Zettelchen aus der Tasche und liest vor, dass ab 24 Uhr die Grenzen offen sind und Reisefreiheit für alle ist. Und wir waren natürlich total überrascht und total glücklich und haben noch die ganze Nacht vor dem Fernseher gesessen und auch die Sendungen gesehen, die von den Grenzübergängen kamen, von den Kontrollen, Interviews mit Leuten, die zum ersten Mal über die Grenze gegangen sind – und das war einfach eine tolle Nacht!

*Interview 3*

+ Frau Finster, was haben Sie gerade gemacht, als Sie 1989, im November, von der Öffnung der Mauer hörten?
– Ich bin kerzengerade aus meinem Bett aufgestanden und habe leider es nicht direkt mitgekriegt, weil ich ausgerechnet zu dieser Zeit in Spanien weilte, obwohl ich selbst in Berlin lebe. Wir sind dann daraufhin sofort zu jedem Zeitungskiosk gerannt und in jede Bar, in der es einen Fernseher gab, und haben fassungslos die Nachrichten verfolgt, weil damit hätten wir nie gerechnet.

**4** 3

gehen – ging – gegangen
sehen – sah – gesehen
trinken – trank – getrunken
essen – aß – gegessen
helfen – half – geholfen
bringen – brachte – gebracht
denken – dachte – gedacht
schreiben – schrieb – geschrieben
fahren – fuhr – gefahren
wissen – wusste – gewusst

**5** 1

**b)**

*Teil 1*

*Erzähler:* Da war zum Beispiel Herr Fusi, der Friseur. Eines Tages stand er vor seinem Laden und wartete auf Kundschaft. Er sah zu, wie der Regen auf die Straße platschte, es war ein grauer Tag, und auch in Herrn Fusis Seele war trübes Wetter.

*Herr Fusi:* Mein Leben geht so dahin mit Scherengeklapper und Geschwätz und Seifenschaum. Was hab' ich eigentlich von meinem Dasein? Ja, wenn ich das richtige Leben führen könnte, dann wär' ich ein ganz anderer Mensch! Aber für so etwas lässt mir meine Arbeit keine Zeit.

*Erzähler:* In diesem Augenblick fuhr ein feines, aschengraues Auto vor und hielt genau vor Herrn Fusis Friseurgeschäft. Ein grauer Herr stieg aus und betrat den Laden. Er hängte seinen runden steifen Hut an den Kleiderhaken, setzte sich auf den Rasierstuhl, nahm sein Notizbüchlein aus seiner bleigrauen Aktentasche und begann darin zu blättern, während er an seiner kleinen grauen Zigarre paffte. Herr Fusi schloss die Ladentür, denn es war ihm, als würde es plötzlich ungewöhnlich kalt im Raum.

*Herr Fusi:* Womit kann ich dienen, der Herr, rasieren oder Haare schneiden?

*Grauer Herr:* Keines von beidem. Ich komme von der Zeit-Sparkasse. Ich bin Agent Nr. XYQ/ 384. Wir wissen, dass Sie ein Sparkonto bei uns eröffnen wollen.

*Herr Fusi:* Ah, das ist mir neu. Offen gestanden, ich wusste bisher nicht einmal, dass es ein solches Institut überhaupt gibt.

*Grauer Herr:* Nun, jetzt wissen Sie es. Sie sind doch Herr Fusi, der Friseur?

*Herr Fusi:* Ja, ganz recht, der bin ich.

*Grauer Herr:* Sie sind Anwärter bei uns.

*Herr Fusi:* Wie das?

*Grauer Herr:* Sehen Sie, lieber Herr Fusi, Sie vergeuden Ihre Zeit mit Scherengeklapper, Geschwätz und Seifenschaum. Wenn Sie Zeit hätten, das richtige Leben zu führen, dann wären Sie ein ganz anderer Mensch. Alles, was Sie also benötigen, ist – Zeit. Hab' ich recht?

*Herr Fusi:* Ja, darüber hab' ich mir eben Gedanken gemacht.

## c)
*Teil 2*

*Grauer Herr:* Finden Sie nicht, dass Sie so nicht weiterwirtschaften können, Herr Fusi? Wollen Sie nicht lieber anfangen zu sparen?

*Herr Fusi:* Ja, ja, ja.

*Grauer Herr:* Es ist niemals zu spät. Wenn Sie wollen, können Sie noch heute anfangen.

*Herr Fusi:* Und ob, und ob ich will! Was muss ich tun?

*Grauer Herr:* Aber, mein Bester, Sie werden doch wissen, wie man Zeit spart! Sie müssen zum Beispiel einfach schneller arbeiten. Statt einer halben Stunde widmen Sie sich einem Kunden nur noch eine Viertelstunde. Sie geben Ihre Mutter in ein gutes, billiges Altersheim, wo für sie gesorgt wird. Schaffen Sie den unnützen Wellensittich ab! Und vertun Sie Ihre kostbare Zeit nicht mehr so oft mit Singen, Lesen oder gar mit Ihren sogenannten Freunden.

*Herr Fusi:* Gut, gut, das alles kann ich tun. Aber die Zeit, die mir auf diese Weise übrig bleibt – was soll ich mit ihr machen? Muss ich sie abliefern? Und wo?

*Grauer Herr:* Das überlassen Sie ruhig uns. Sie können sicher sein, dass uns von Ihrer eingesparten Zeit nicht das kleinste Bisschen verloren geht. Sie werden es schon merken, dass Ihnen nichts übrig bleibt.

*Herr Fusi:* Also gut, ich verlass' mich drauf.

*Grauer Herr:* Tun Sie das getrost, mein Bester. Ich darf Sie also hiermit in der großen Gemeinde der Zeitsparer als neues Mitglied begrüßen, Herr Fusi.

*Herr Fusi:* Müssen wir denn nicht irgendeinen Vertrag abschließen?

*Grauer Herr:* Wozu? Das Zeitsparen lässt sich nicht mit irgendeiner anderen Art des Sparens vergleichen. Es ist eine Sache des vollkommenen Vertrauens – auf beiden Seiten! Uns genügt Ihre Zusage. Sie ist unwiderruflich. Und wir kümmern uns um Ihre Ersparnisse. Wieviel Sie allerdings ersparen, das liegt ganz bei Ihnen. Wir zwingen Sie zu nichts. Leben Sie wohl, Herr Fusi.

## d)
*Teil 3*

Sobald der Agent in seinem Auto davongebraust war, verschwanden die Zahlen auf dem Spiegel. Und im selben Augenblick war auch die Erinnerung an den grauen Besucher in Herrn Fusis Gedächtnis ausgelöscht – die an den Besucher, nicht aber an den Beschluss, von jetzt an Zeit zu sparen! Den hielt er nun für seinen eigenen. Von dieser Stunde an befolgte Herr Fusi alle Ratschläge des grauen Herrn und sparte Zeit, wo er nur konnte. Aber er wurde immer nervöser und ruheloser, denn eines war seltsam: Von all der Zeit, die er einsparte, blieb ihm tatsächlich niemals etwas übrig. Sie verschwand einfach auf rätselhafte Weise und war nicht mehr da. Wie Herrn Fusi, so ging es schon vielen Menschen in der großen Stadt. Und jeden Tag wurden es mehr, die damit anfingen, das zu tun, was sie „Zeit sparen" nannten. Täglich wurden im Rundfunk, im Fernsehen und in den Zeitungen die Vorteile neuer zeitsparender Einrichtungen gepriesen, und auf den Anschlagsäulen klebten Plakate, auf denen stand: ZEITSPARERN GEHÖRT DIE ZUKUNFT! Oder: MACH MEHR AUS DEINEM LEBEN – SPARE ZEIT! Aber die Wirklichkeit sah ganz anders aus. Zwar verdienten die Zeitsparer mehr Geld und konnten mehr ausgeben, aber sie hatten missmutige, müde oder verbitterte Gesichter. Deutlich zu fühlen jedoch bekamen es die Kinder. Denn auch für sie hatte nun niemand mehr Zeit.

## Ü 1

*Situation 1*

+ Hallo, ich bin's, Eva.
– Hallo, ich wollte dich gerade anrufen. Also, Jens und Susanne kommen auch. Jetzt ist die Frage: Wann und wo treffen wir uns?
+ Carsten und wir treffen uns um halb acht am Marktplatz. Schaffst du das?
– Ja, ich denke schon. Bis später.
+ Okay, tschüss.

*Situation 2*

Bitte Vorsicht auf Gleis 1. Es fährt ein: der Regionalexpress aus Augsburg mit Weiterfahrt nach Günzburg, Ulm, Stuttgart um 13.45 Uhr.

*Situation 3*

Das Nachmittagsprogramm bei SWR 3. Nach den Nachrichten senden wir das Radiohörspiel „Der kleine König Dezember" von Axel Hacke. Jazz-Liebhaber können sich auf die Sendung „Jazz and more" um 16.30 Uhr freuen. Heute mit Musik von Charlie Parker, Miles Davis und Dizzy Gillespie.

*Situation 4*

Liebe Zuschauer, das war's von der Tagesschau. Wir sind nach dem Spielfilm mit den Tagesthemen um 22.15 Uhr wieder für Sie da. Wir wünschen Ihnen einen schönen Abend.

### Ü 6

+ Hallo, schön dich zu sehen!
– Grüß dich, du, ich muss gleich weiter …
+ Was denn, hast du nicht mal Zeit für einen Kaffee?
– Nein, ich hab's total eilig! Aber wie wär's nächsten Montag?
+ Ja, wann denn? So gegen zwölf?
– Ja, das ist okay, und wo?
+ Na, wie immer, im Café Einstein.
– Ja, klingt gut …
+ Ich ruf dich an, wenn etwas dazwischen kommt.
– Alles klar, bis dann!

### Ü 7

c)

1. zusammen sein – 2. zu viel – 3. süß – 4. sicher – 5. zu Hause – 6. reduzieren – 7. zurück – 8. zahlen – 9. organisieren

### Ü 13

Am Dienstagmorgen haben mein Kollege und ich einen Wagen kontrolliert. Das Auto ist irgendwie zu langsam gewesen. Auf jeden Fall ist der Fahrer nicht normal gefahren. Deshalb haben wir das Auto angehalten. Im Auto saß ein Vater mit seinem fünfjährigen Sohn. Der Vater hat seinen Sohn von den Großeltern bis nach Hause fahren lassen. Eine Strecke von 150 Metern. Der Mann hat dann von uns eine Strafe von 200 Euro bekommen.

## 2 Alltag

### 1 2

1. + Da kommt ja schon wieder ein Krankenwagen. Oder ist das die Feuerwehr? Ist das hier immer so laut?
   – Ja, das Krankenhaus ist hier in der Nähe. Ich überlege schon, ob ich mir eine andere Wohnung suche.
2. + Ein Strafzettel – oh nein! Ich steh' höchstens seit zwei Minuten hier, ich hab' nur etwas abgeholt!
   – Aber Sie sehen doch, dass man hier nicht parken darf! Erst ab 18 Uhr!
3. + Ich hab' eine Panne, können Sie mir helfen?
   – Na klar, kein Problem! In zwei Stunden ist alles fertig.

4. + Der Geldautomat hat meine EC-Karte gesperrt.
   – Da haben Sie sicher die falsche Geheimzahl eingegeben. Das darf man nur zweimal. Beim dritten Mal wird die Karte gesperrt.
5. + Entschuldigung, könnten Sie mich bitte vorlassen? Ich habe nur eine Milch und ein Brot.
   – Na, dann gehen Sie schon!
6. + Was suchst du denn jetzt schon wieder?
   – Ach, ich kann meinen Schlüssel und das Portemonnaie nicht finden!
7. + 25 Minuten Verspätung! Da ist ja mein Anschluss in Koblenz weg! Wie komme ich denn jetzt nach Karlsruhe weiter?
   – Moment bitte, ich seh' mal nach. Also, Koblenz – Karlsruhe ist kein Problem.
8. + Entschuldigung, könnten Sie vielleicht aufstehen und Ihren Platz der alten Dame mit der schweren Tasche geben?
   – Aber natürlich! Bitte sehr.

### 2 3

b)

Deutschlandfunk, 10.10 Uhr. Guten Tag, liebe Hörerinnen und Hörer, herzlich willkommen zur aktuellen Ausgabe unseres Gesundheitsmagazins „Sprechstunde". In der heutigen Sendung geht es um die Frage: „Was tun gegen Stress?" Dazu begrüße ich in unserer Expertenrunde Frau Dr. Brigitte Künert, Psychotherapeutin im Stressberatungszentrum Heidelberg, und Herrn Prof. Dr. Müller von der Universitätsklinik München. Beide stehen Ihnen anschließend – wie immer – zur telefonischen Beantwortung Ihrer Fragen zur Verfügung.

Viele Menschen klagen heute über Stress, und zwar aus ganz unterschiedlichen Gründen: die einen, weil sie zu viel Arbeit haben – die anderen, weil sie keine Arbeit finden können. Viele Menschen haben immer weniger Zeit für ihr Privatleben und für die Familie. Andere sind von familiären Pflichten – wie zum Beispiel der Pflege und Betreuung alter oder kranker Familienmitglieder – so stark belastet, dass kaum Zeit und Kraft für die ganz persönlichen Interessen bleibt. Deshalb beschäftigt viele Menschen die Frage: „Was kann man gegen Stress im Alltag tun?"

Wir haben Leute auf der Straße dazu befragt. Hören Sie zunächst einige Antworten.

c)

1. + Hallo. Wir diskutieren jetzt die Frage, wie man Stress im Alltag bewältigen kann. Darf ich Sie fragen: Was tun Sie gegen Stress?
   – Ach, eigentlich habe ich ganz gerne mal so ein bisschen Stress, aber wenn mir alles zu viel wird, ja, dann treffe ich mich mit Freunden oder gehe mit meinem Hund spazieren. Manchmal mache ich auch einfach gar nichts oder ich gehe in die Sauna. Ja, aber eigentlich, wie gesagt, ich habe gerne Stress.
2. + Und was tun Sie gegen Stress?
   – Ich gehe ins Kino und sehe mir einen schönen Film an oder ich höre gute Musik oder ich fahre mit dem Fahrrad, also, ich treibe Sport.
3. + Darf ich Sie auch fragen, was Sie gegen Stress im Alltag tun?

– Oh, ich hasse Stress, also, ich kann Stress überhaupt nicht ab, aber wenn ich Stress habe, dann
schlafe ich lange und im Sommer gehe ich ganz
gerne mal schwimmen, ja, und abends schaue
ich natürlich fern.

## Ü 2

### a)

+ Guten Tag, kann ich Ihnen helfen?
– Ja, ich möchte ein Konto eröffnen.
+ Moment, da brauche ich Ihren Personalausweis
oder Reisepass.
– Bitte, hier ist mein Reisepass.
+ Sie kommen also nicht aus Deutschland. Haben Sie
eine Meldebescheinigung vom Einwohnermelde-
amt?
– Ja, die ist hinten im Reisepass.
+ Ah ja … hier. Dann füllen Sie mal das Antragsfor-
mular aus, bitte. Ich mache schnell eine Kopie von
Ihrem Pass.
– Bekomme ich auch eine EC-Karte?
+ Ja, natürlich. Aber das kann ein oder zwei Wochen
dauern. Aber Sie können kommen, wenn Sie eine
Überweisung machen oder Geld abheben möchten.

### b)

+ Hier haben Sie Ihren Pass zurück.
– Vielen Dank. Können Sie mir bitte beim Ausfüllen
des Formulars helfen?
+ Natürlich. Es geht vielleicht am schnellsten, wenn
Sie mir die Informationen sagen. Also, Name und
Vorname.
– Estévez-Martín, Marta. Marta ohne h.
+ Gut. Wo sind Sie gemeldet, ich meine, wie ist Ihre
Meldeadresse? Ich brauche die Straße und Haus-
nummer.
– Vogelweg 5.
+ Hier in Offenburg?
– Ja.
+ Und Ihre Postleitzahl?
– Moment, ich glaube, das ist 77656 … Ja, 77656.
+ Jetzt brauche ich noch Ihr Geburtsdatum und den
Geburtsort.
– Ich bin am 13. 4. 1971 in Buenos Aires geboren.
+ Okay, sind Sie verheiratet?
– Nein, ich bin geschieden.
+ Und Ihre Nationalität?
– Ich komme aus Argentinien.
+ Aha, also argentinisch. … Und was machen Sie
beruflich?
– Ich bin Krankenschwester am Stadt-Krankenhaus
Offenburg.
+ Dann brauche ich noch Ihre Telefonnummern.
Zuerst bitte die von zu Hause.
– Das ist 88 86 54 und die Vorwahl von Offenburg ist
063 48, aber das wissen Sie ja sicher auch.
+ Und im Krankenhaus? Können wir Sie da auch
telefonisch erreichen?
– Eigentlich nicht so gut. Das wird bei uns nicht gern
gesehen. Sie können mich am besten zu Hause
anrufen.
+ Haben Sie eine E-Mail-Adresse?
– Ja, die kann ich Ihnen geben. Das ist *em-marta@
gmx.de*. Alles kleine Buchstaben.

+ So, und heute ist der 8. 6. 2007. Das ist auch schon
alles. Bitte sehen Sie sich an, ob alles richtig ist.
Dann brauche ich hier eine Unterschrift von Ihnen.

## Ü 4

### b)

+ Verbraucherzentrale, Beratungsservice, Petra Evers
am Apparat. Guten Tag.
– Guten Tag, Eva Kirchner hier. Ich habe eine Frage
zu meiner Telefonrechnung.
+ Ja, was für ein Problem haben Sie?
– Also, die Rechnung stimmt nicht. Drei oder vier
Anrufe stehen dort zweimal.
+ Dann sollten Sie zuerst einen Einspruch an die
Telefongesellschaft schicken. Sie können sich einen
Musterbrief von unserer Internetseite ausdrucken.
– Und den Brief schicke ich an die Telefongesell-
schaft?
+ Ja. Bezahlen Sie aber trotzdem schon einen Teil der
Rechnung.
– Gut, das mache ich. Vielen Dank.
+ Nichts zu danken. Auf Wiederhören.
– Auf Wiederhören.

## Ü 13

### b)

1. Ich kann dich nicht verstehen. Sprich bitte langsamer!
2. Lies doch die Gebrauchsanweisung, wenn du nicht
weißt, wie das Gerät funktioniert!
3. Hast du Kopfschmerzen? Nimm doch eine Aspirin.
4. Hallo Mischa und Frank, ich komme gleich. Fangt
schon mal ohne mich an!
5. Frau Mohr, ich kann heute nicht zum Bahnhof
fahren. Holen Sie bitte Herrn Huber um 11.30 Uhr
am Bahnhof ab.

## 3 Männer – Frauen – Paare

### 1 3

*Birkner:* Herzlich willkommen, liebe Zuschauer und
Zuschauerinnen. In unserer Talkrunde geht
es heute um ein ziemlich heißes Thema.
Wir diskutieren, ob Frauen tatsächlich
nicht einparken können und Männer wirk-
lich nie zuhören. Wir haben zwei Gäste ins
Studio eingeladen, die etwas dazu sagen
können. Guten Tag, Herr Ebert. Was macht
Sie zum Experten?
*Ebert:* Ich bin seit zwölf Jahren Fahrlehrer und er-
lebe täglich Frauen beim Einparken.
*Birkner:* Unser Publikum liebt das Thema. Und Sie,
Frau Löscher? Was macht Sie zur Expertin?
*Löscher:* Ich bin Neurologin. Mich interessiert ganz
besonders der Unterschied zwischen dem
männlichen und dem weiblichen Gehirn.
Und da gibt es schon Interessantes.
*Birkner:* Na klar! Das hoffe ich doch! Kommen wir
auf unsere Frage zurück. Wer kann denn
nun besser einparken, Herr Ebert?

*Ebert:* Das kann man nicht so einfach sagen. Es gibt Frauen, bei denen ich Angst habe. Ich meine nicht nur beim Einparken, wirklich, aber das geht mir bei manchen Männern auch so. Ich denke, Frauen fahren anders als Männer. Nicht schlechter, aber vorsichtiger. Das ist natürlich nur so ein Gefühl. Ich erforsche das ja nicht.

*Birkner:* Also ist es generell sehr schwer, eine klare Aussage zu machen, oder?

*Ebert:* Da bin ich ganz Ihrer Meinung. Ich finde es dumm zu sagen, dass Männer die besseren Autofahrer sind. Das ist doch ein Klischee.

*Birkner:* Das sehe ich nicht so wie Sie! Ich kann nicht einparken, meine Freundinnen können nicht einparken und alle Männer, die ich kenne, können es aber sehr gut. Was nun?

*Löscher:* Na ja, Frau Birkner – das ist nicht ganz richtig, was Sie da sagen. Wenn Sie das Einparken üben, dann können Sie es auch. Ihr Gehirn muss es nur lernen.

*Birkner:* Ich glaube, mein Gehirn will das Einparken nicht mehr lernen.

*Löscher:* Sehen Sie – genau das ist das Problem. Das Gehirn kann sehr schnell viele Dinge lernen. Wenn Sie aber immer nur denken, dass Sie nicht einparken können, dann haben Sie Angst und üben es auch nicht. Ihr Gehirn hat also keine Chance, es zu lernen. So geht es wahrscheinlich vielen Frauen. Wir leben in Klischees und fühlen uns noch gut dabei.

*Birkner:* Verstehe ich Sie richtig, Frau Löscher, dass ich zum Beispiel fünf Mal am Tag einparken muss und dann kann ich es, weil es mein Gehirn gelernt hat?

*Löscher:* Ja, so einfach ist das.

*Ebert:* Das stimmt. Viele Frauen haben am Anfang des Kurses Angst. Ich höre ihnen sehr genau zu, um zu verstehen, was ihr Problem ist, warum sie Angst haben. Ich erkläre dann alles sehr ruhig und langsam, tja, und nach zwei, drei Versuchen ist das alles gar kein Problem mehr.

*Löscher:* Ganz genau! Nur so lernt man.

*Birkner:* Und damit hat Herr Ebert bereits meine zweite Frage beantwortet – auch Männer können zuhören.

## 4 4

**b)**

Lea, die Nudeln sind zu weich.
Ach Quatsch, Lorenz.
Bissfest, wie immer.
Verstehst du, zu weich.
Jetzt spinnst du aber, Lorenz.
Wie lange hast du sie denn gekocht, Lea?
Wie es auf der Packung steht.
Sieben kurze Minuten.
Ich habe das im Gefühl.
Bissfeste Nudeln kleben nicht.

## Ü 3

*Moderator:* Wir wollen heute wieder Ihre Meinung zum Thema „Single-Leben: ja oder nein?" wissen. Rufen Sie uns an! Und wen haben wir denn da als ersten Anrufer?

*Paul:* Ja, hallo. Paul Kernten aus Berlin.

*Moderator:* Was meinen Sie zum Single-Leben?

*Paul.:* Ich bin seit sieben Jahren solo und ich will das auch so. Single sein bedeutet für mich frei sein. Ich kann tun und lassen, was ich will. Komme ich um drei Uhr früh nach Hause, steht keine Frau an der Tür, mit der ich mich streiten muss. Für mich ist das wichtig.

*Moderator:* Ich bin mir nicht sicher, ob unsere nächsten Anrufer das auch so sehen. Wer ist am Apparat?

*Wolfgang & Herta:* Wolfgang und Herta Wegner aus Rheda-wiedenbrück.

*Wolfgang:* Ich stimme Herrn Kernten nicht zu. Frei kann man auch mit einem Partner sein. Ich habe einen festen Freundeskreis und wir haben beide unsere Hobbys und Freiräume …

*Herta:* Ganz genau! Das ist doch Quatsch, wenn Singles behaupten, dass man weniger Freiheiten hat. Wolfgang fährt mit seinen Kumpels in den Segelurlaub, ich gehe mit Freundinnen aus. Wir streiten über ganz andere Dinge. Singles wollen eigentlich einen Partner, aber finden keinen.

*Moderator:* Klare Worte von Frau Wegner. Was sagt unsere nächste Anruferin dazu?

*Siri:* Hi, ich heiße Siri und ich sehe es auch so. Ich bin zwar Single, aber Spaß macht mir das nicht. Ich will nicht mehr allein sein, möchte gern einen Partner, aber ich finde nicht den Richtigen. Aber dass man als Single mehr Freiheiten hat – das stimmt! Da hat Paul Recht. Ich will jedenfalls nicht mehr allein sein.

*Moderator:* Dann hoffen wir für Sie, dass Sie bald einen Partner finden. Und für heute der letzte Anruf. Wen haben wir jetzt an der Leitung?

*Roman:* Hier spricht Roman Pitschel.

*Susan:* Und Susan Wegerer. Wir rufen aus Bayreuth an.

*Moderator:* Was meinen Sie zu unserem heutigen Thema?

*Susan:* Das Single-Leben kann Spaß machen. Das sehe ich auch so. Ich war drei Jahre Single, bevor ich Roman kennen gelernt habe. Aber jetzt ist alles anders. Ich kann mir nicht mehr vorstellen allein zu sein. Aber was Frau Wegner sagte – dass sich jeder Single nur einsam fühlt und nach einem Partner sucht –, da stimme ich absolut nicht zu. Es gibt viele glückliche Singles, und ich war auch einer.

*Roman:* Na ja, Susan. Das kann man so nicht sehen. Ich bin der Meinung, dass kein Mensch gern länger als zwei, drei Jahre Single ist.

*Moderator:* Ich danke für die Anrufe und wir spielen jetzt ein Lied für alle einsamen oder auch glücklichen Singles da draußen …

## Ü 5

*Interviewer:* Wo haben Sie sich kennen gelernt und wie lange sind Sie bereits ein Paar?

*Ingeborg:* Wir sind seit fast 50 Jahren verheiratet. Eine lange Zeit. Wir haben uns beim Dorftanz kennen gelernt. Gerthold war damals der beste Tänzer von allen.

*Moderatorin:* 50 Jahre. Das ist eine lange Zeit. Wollten Sie eigentlich so jung heiraten?

*Gerthold:* Ich bin streng katholisch erzogen. Deswegen haben wir nach vier Monaten geheiratet.

*Ingeborg:* Da gab es aber noch einen anderen Grund, Gerthold. Die Ursula war ja schon unterwegs. Heute muss man nicht mehr verheiratet sein, um Kinder zu bekommen. Aber damals …!

*Interviewer:* Wie viele Kinder haben Sie denn?

*Ingeborg:* Insgesamt fünf. Ursula, Wolfgang, Gert, Roland und Sigrid.

*Interviewer:* So viele Kinder – das war ja früher normal, aber sicherlich auch nicht immer einfach für Sie …

*Gerthold:* Ja, das war nicht immer einfach, aber wir haben sie alle groß bekommen. Ursula, unsere Älteste, ist Ärztin. Wolfgang, Gert und Roland arbeiten in der gemeinsamen Malerfirma und Sigrid ist Physiotherapeutin. Die leben viel freier und besser als wir damals.

*Interviewer:* Sie sind bestimmt sehr stolz …

*Ingeborg:* Ja, wir sind sehr stolz auf unsere Kinder, aber dass Wolfgang nicht heiraten will und Ursula eine Putzfrau für den Haushalt bezahlt – das verstehen wir alten Leute nicht mehr.

*Interviewer:* Sie haben erzählt, was Ihre Kinder beruflich tun. Was sind Sie von Beruf?

*Gerthold:* Ich bin Elektriker, habe aber in den letzten Jahren vor der Rente zum Schlosser umgeschult. Ich bin dann mit 62 in Frührente gegangen.

*Interviewer:* Und Sie, Frau Ludwig? Bei fünf Kindern …

*Ingeborg:* Ja, ja, ich weiß schon, was Sie sagen wollen. Stimmt ja auch. Ich habe von früh bis spät in die Nacht Essen gekocht, Wäsche gewaschen, die Kinder versorgt. Als Roland dann in die Schule kam, habe ich halbtags als Schneiderin gearbeitet.

*Interviewer:* Und jetzt sind Sie beide in Rente. Wer macht denn da den Haushalt?

*Ingeborg:* Ich mache den Haushalt. Das ist doch normal. Gerthold hilft mir, seit er in Rente ist.

*Gerthold:* Wenn ich nur einen Topf in die Hand nehme, wirft mich Ingeborg aus der Küche.

## 1 3

+ Frau Kowalski, können Sie uns ein bisschen über Ihre Familie erzählen?
– Ja, ich würde sagen, ich komme aus einer typischen Bergarbeiterfamilie. Mein Urgroßvater und meine Urgroßmutter, also die Großeltern meines Vaters, kommen aus Oberschlesien. Die Kowalskis sind 1905 ins Ruhrgebiet eingewandert. Mein Urgroßvater war damals 23 und meine Urgroßmutter 20. Damals sind viele Polen ins Ruhrgebiet gezogen, weil es dort Arbeit im Bergbau gab. Die Arbeit unter Tage war hart und ungesund. Mit 45 konnte er schon nicht mehr arbeiten. Er hat sich dann um das kleine Häuschen gekümmert und um seine Brieftauben.
+ Und Ihr Großvater?
– Mein Großvater wurde 1915 geboren. Er war auch Bergmann. 1943 ist er im Krieg gefallen. Mein Vater hat nach dem Krieg bei Krupp in Essen gearbeitet. 1966 gab es eine Wirtschaftskrise. Das Stahlwerk musste schließen und er war arbeitslos. Er hat dann eine Umschulung gemacht und ab 1970 dann in einem Supermarkt gearbeitet. Meine Mutter hat in der Zeit angefangen, halbtags in einer Firma im Büro zu arbeiten.
+ Haben Sie Geschwister?
– Ja, einen Bruder, Bernd. Wir haben beide studiert. Bernd arbeitet in Köln beim WDR als Fernsehredakteur und ich als Lehrerin in Wanne-Eickel.

## 4 6

Ich bin in Doatmund groß gewoaden. Bei uns gabs jed'n Sonntach nache Kirche wat Feines: Ka'toffeln, Gemüse und 'n oadentliches Stück Fleisch. Man wa' ja nich' bei arme Leuten, ne? Im Somma wuad dann teechlich Guakensalaat gegess'n – die mussten ja wech, die Guaken ausm Gaaten. Dat hat mein'm Vadda ga' nich' gefall'n. Der wa' ja im Beeachbau und wollt was Gescheites ham. Abends isser dann nache Buude, ne, 'n Bierchen trinken, mit sein' Kumpel Hoast, ne. Ich hab dann so lange gequengelt, bis ich 'n Eis krichte oder Gemischtes für'n Groschen.

## Ü 5

**b)** und **c)**

+ Henning Baum ist Sportdirektor eines Fußballvereins im Ruhrgebiet. Wir haben mit ihm ein Interview gemacht. Herr Baum, wie kann man sich die große Begeisterung für den Fußball im Ruhrgebiet erklären?
– Ja, da muss man sich zuerst mit der Geschichte des Ruhrgebiets beschäftigen. Das Ruhrgebiet ist ja nicht nur eine starke Wirtschaftsregion in Deutschland. Hier leben viele Menschen auf engem Raum.
+ Wie würden Sie die Menschen denn beschreiben?
– Viele der Familien, die hier leben, sind nicht von hier. Oft sind schon die Väter und Großväter im 19. Jahrhundert als Bergarbeiter in die Region gekommen. Die Arbeit in den Bergwerken und in der Stahlindustrie war hart und ungesund.

+ Aber was hat das mit dem Fußball zu tun?

– Der Sport war am Anfang ein Ausgleich zur harten Maloche. Man konnte bei einem spannenden Spiel den Alltag vergessen. Das ist heute eigentlich auch noch so. Im Sport gibt es keine Grenzen. Im Verein ist es egal, ob Sie aus Polen, Italien, Deutschland oder der Türkei kommen. Es spielt auch keine Rolle, ob Sie arm oder reich sind.

+ Fußball ist also so etwas wie eine Sprache, die alle verbindet?

– Ja, das könnte man so sagen. Sehen Sie sich zum Beispiel mal Schalke 04 an. Die Mitglieder kommen auch heute noch aus ganz unterschiedlichen Ländern und gesellschaftlichen Bereichen. Im Verein gibt es zum Beispiel Arbeiter, Angestellte und Akademiker, und die Spieler kommen aus vielen Ländern.

+ Was bedeutet der Verein denn für diese Menschen?

– Man kann sagen, dass der Verein so etwas wie eine zweite Heimat ist. Der FC Schalke 04 hat zum Beispiel über 57 000 Mitglieder und ist der zweitgrößte Fußballverein Deutschlands. Und auf die moderne Veltins-Arena, die 2001 eröffnet wurde, sind die Mitglieder besonders stolz!

## Ü 6

+ Notrufzentrale, Möller, guten Tag.

– Hallo, mein Name ist … Ich möchte einen Unfall melden.

+ Wo ist der Unfall passiert?

– Im Mikado. Das ist ein japanisches Restaurant in der Ulmenstraße 5.

+ Wie viele Verletzte gibt es?

– Mein Chef ist auf der Treppe ausgerutscht und kann nicht mehr aufstehen.

+ Jetzt mal ganz langsam. Welche Verletzungen hat er denn?

– Er kann das rechte Bein nicht bewegen und hat starke Schmerzen im Rücken.

+ Kann der Verletzte sprechen?

– Ja, er hat mich ja selbst gerufen.

+ Sie sind also im Mikado in der Ulmenstraße 5?

– Ja, das ist richtig.

+ Ich schicke Ihnen sofort einen Rettungswagen.

– Vielen Dank. Hoffentlich dauert es nicht so lange!

## Ü 10

### a)
1. nette – 2. 26-jähriger – 3. verrückten –
4. überraschten – 5. jungen – 6. letzten –
7. kleinen – 8. großes

### c)
Ein 26-jähriger Angestellter wurde schwer verletzt, als er vor den Augen der überraschten Kollegen ein großes Bierglas essen wollte. Man weiß noch nicht, was den jungen Mann zu dieser verrückten Idee führte. Wie der Geschäftsführer der kleinen Firma unserer Zeitung sagte, fiel der sonst immer nette Mann in der letzten Zeit nicht durch sein Verhalten auf.

### 1 🔢

+ Karina, du hast gerade dein Abi gemacht. Auf welche Schulen bist du gegangen?

– Ich bin mit drei in den Kindergarten gekommen und mit sechs in die Grundschule. Auf der Grundschule war ich vier Jahre lang, und dann war ich von 1999 bis 2001, also zwei Jahre, auf dem Gymnasium, aber meine Noten waren zu schlecht, sodass ich dann auf die Realschule gegangen bin. Da war ich dann viel besser. Nach meinem Realschulabschluss in der 10. Klasse, also mit 16, bin ich dann wieder aufs Gymnasium gegangen, zwei Jahre lang. Nach der 12. Klasse hab ich dann mein Abi gemacht, das war im Mai. Die Prüfungen waren schon hart und stressig, aber ich hab's geschafft!

### 2 🔢

**b)**

+ Ja, hallo Lennart, du kommst gerade aus der Schule, wie sieht denn eigentlich ein normaler Schultag bei dir aus?

– Also, meine Schule beginnt 8.15 Uhr, da fahre ich mit dem Bus hin, dann haben wir acht Stunden Unterricht, nach der Schule haben wir dann noch AGs, wo wir Sport machen und anderes, und dann fahre ich mit'm Bus wieder nach Hause.

+ Aha, und was ist denn eigentlich dein Lieblingsfach?

– Sport, weil wir da immer so viele Spiele machen.

+ Gibt's auch ein Fach, das du nicht so sehr magst?

– Ja, das ist Deutsch, weil wir immer so viel schreiben.

+ Und wie sieht es denn bei dir mit den Noten aus?

– Sehr gut in fast allen Fächern.

+ Oh, das ist schön.

### 3 🔢

1. Du magst Urlaub in den Bergen? Das wäre mir zu langweilig.
2. Besuchst du deine Oma regelmäßig? Ich würde sie besuchen.
3. Ich sollte ein neues Computerprogramm installieren. Aber ich wusste nicht, wie es geht.
4. Du hast Montag Prüfung? Ich hätte echt Stress vor der Prüfung.
5. Kennst du Klaus? Er konnte mir sofort helfen.
6. Wie ihr Zeugnis wird? Sie müsste die Klasse wiederholen.

### Ü 2

*Text 1*

Also, ich bin Michaela und komme aus Hannover. In diesem Jahr mache ich meinen Realschulabschluss. Ich bin zuerst vier Jahre zur Grundschule gegangen. Da hat mir das Lernen noch viel Spaß gemacht. Danach bin ich in die Orientierungsstufe gekommen. Das war schon schwieriger. Die neue Schule, die neuen Lehrer … Im siebten Schuljahr bin ich dann in die Realschule gekommen. Jetzt bin ich in der zehnten

Klasse. Ich habe lange überlegt, was ich nach dem Realschulabschluss machen soll. Ich könnte jetzt doch noch aufs Gymnasium gehen und das Abitur machen, aber ich fange am 1. August eine Ausbildung zur Optikerin an. Wenn ich möchte, kann ich danach immer noch das Fachabitur oder Abitur machen und studieren.

## Text 2

Hallo, ich bin der Cemal und komme aus der Türkei. Meine Mutter ist Deutsche. Deshalb habe ich zwei Jahre die deutsche Schule in Istanbul besucht. Dann sind wir nach Berlin gezogen. Am Anfang war es ziemlich schwierig für mich. Ich konnte zwar schon sehr gut Deutsch, aber meine Freunde aus Istanbul haben mir gefehlt. Trotzdem bin ich gerne zur Schule gegangen. Weil ich in der Schule gut war, konnte ich gleich nach der Grundschule aufs Gymnasium gehen. Meine Eltern fragen mich dauernd, was ich nach dem Abitur machen will. Sie möchten am liebsten, dass ich Medizin studiere und Arzt werde, aber das passt irgendwie nicht zu mir.

## Text 3

Mein Name ist Jan. Ich bin jetzt 16 und echt froh, dass ich schon in der neunten Klasse bin und dieses Jahr endlich meinen Hauptschulabschluss machen kann. Ich möchte danach eine Ausbildung zum Möbeltischler machen. Ich habe schon als Kind viel gebastelt. Den ganzen Tag am Schreibtisch sitzen und lernen war noch nie etwas für mich. Ich mag lieber etwas Praktisches. In der Grundschule hatte ich in Deutsch eine Sechs, und deshalb musste ich das vierte Schuljahr wiederholen. Meine Eltern haben sich damals große Sorgen gemacht. Auf der Hauptschule hat es mir schon besser gefallen. Ich hatte weniger Probleme und wir haben im Unterricht oft praktische Dinge gelernt. Natürlich muss ich in meiner Ausbildung auch zur Berufsschule gehen, aber das schaffe ich schon irgendwie.

## Ü 12

der Bauer – die Bäuerin
der Koch – die Köchin
der Arzt – die Ärztin
das Dorf – die Dörfer

die Angst – ängstlich
die Gefahr – gefährlich
die Natur – natürlich
die Wut – wütend

küssen – der Kuss
backen – der Bäcker
schmücken – der Schmuck
tanzen – der Tänzer

*Hörverstehen Teil 1*

Guten Tag, liebe Hörerinnen und Hörer. Unser Thema heute ist „Meine Schulzeit". Wir haben Leute auf den Straßen Berlins gefragt, wie sie ihre Schulzeit erlebt haben. Hier einige Antworten, die wir am interessantesten fanden. Hören Sie selbst!

1
Nun, damals war alles anders. Wir hatten viel Respekt vor den Lehrern. Es gab weniger Drogen und Gewalt an der Schule. Meistens waren alle diszipliniert und freundlich. In meiner Schulzeit habe ich meine erste Frau Annette kennen gelernt. Sie war ein Jahr jünger als ich und ging mit meiner Schwester in eine Klasse. Die beiden waren befreundet und Annette war oft bei uns zu Besuch. Wir haben uns verliebt und nach dem Abi geheiratet.

2
Oh, meine Schulzeit war sehr schön! Das hatte aber wenig mit der Schule zu tun. Ich war damals Sportler, ich habe Leichtathletik gemacht und habe jeden Tag trainiert. Da blieb wenig Zeit für Hausaufgaben, Freunde und Familie … Dann habe ich mich im Sportunterricht schwer verletzt und durfte nicht mehr so viel trainieren. Das war in der 10. Klasse. Damit war meine Sportkarriere beendet.

3
Meine Schulzeit war ganz anders als in Deutschland. Ich komme aus Usbekistan. Als ich in der Grundschule war, gab es noch die Sowjetunion. Dann wurden wir unabhängig und vieles hat sich verändert, auch in den Schulen. Wir brauchten neue Lehrbücher und für unsere Lehrer war es auch schwierig. Ich selber war ein „Lehrerkind" – meine Mutter war meine Klassenlehrerin! Die Lehrerkinder hatten es in unserer Schule nicht leicht, aber ich persönlich hatte damit keine Probleme. Ich kannte aber einige, die in der Klasse keine Freunde hatten, weil ihre Eltern Lehrer waren.

4
Na ja, mein Abitur habe ich nicht in Deutschland gemacht. Nach der fünften Klasse haben mich meine Eltern nach England ins Denstone College geschickt. Am Anfang war es für mich nicht leicht: fremde Sprache, fremde Kultur, keine Freunde. Aber ich habe mich schnell an alles gewöhnt und nach ein paar Monaten sprach ich genauso gut Englisch wie alle anderen. Das College ist sehr alt und wirklich schön. Es hat sogar einen eigenen Golfplatz! Ich habe das College mit „sehr gut" abgeschlossen. England war toll!

5
Also, ich hatte in der Schule nur Probleme: Ich habe zwar immer gute Noten bekommen, hatte aber eine große hässliche Brille und war ziemlich dick. Ich war die Kleinste in der Klasse und alle haben mich ausgelacht. Ich hatte keine Freunde. Nur die Lehrer waren gut zu mir, weil ich ja fleißig war. Ich bin sehr froh, dass meine Schulzeit vorbei ist.

6

Sie fahren auf der A3 Düsseldorf Richtung Frankfurt und hören im Radio folgenden Hinweis:
„… und jetzt die aktuelle Verkehrslage. Auf der Autobahn A4 Eisenach Richtung Dresden zwischen Erfurt und Weimar kommt Ihnen ein Falschfahrer entgegen. Bitte fahren Sie rechts und überholen Sie nicht. Achtung: Falschfahrer auf der A4 Eisenach Richtung Dresden!
Auf der A3 Düsseldorf Richtung Frankfurt 25 Kilometer Stau wegen Unfall. Und zum Schluss noch die aktuellen Blitzer: In Köln auf der …"

7

Sie haben Zahnschmerzen und möchten bei Ihrem Zahnarzt telefonisch einen Termin vereinbaren:
„Guten Tag. Sie sind mit dem Anrufbeantworter der Arztpraxis Dr. Bergmann verbunden. Unsere Praxis ist vom 11. bis zum 21. Mai geschlossen. In dringenden Fällen wenden Sie sich bitte an unsere Vertretung – Frau Dr. Michael in der Lutherstraße 9. Die Sprechzeiten sind: Montag bis Freitag: acht bis zwölf Uhr, am Dienstag und Donnerstag: 13 bis 18 Uhr. Die Telefonnummer ist 03 84 35 61 67."

8

Sie fahren mit dem ICE von Stuttgart nach Berlin. Kurz vor Frankfurt hören Sie den folgenden Hinweis:
„Sehr geehrte Kunden, aus technischen Gründen endet dieser ICE in Frankfurt Hauptbahnhof. Zur Weiterfahrt wird für Sie ein Ersatzzug bereitgestellt. Um 13.50 Uhr erreichen wir Frankfurt/Main Hauptbahnhof. Der Ersatzzug fährt um 14.10 Uhr auf Gleis sieben. Bitte beachten Sie die Durchsagen am Bahnsteig. Danke für Ihr Verständnis und eine angenehme Weiterreise!"

9

Sie sind im Supermarkt und hören folgende Werbung:
„Verehrte Kunden, probieren Sie in der Getränkeabteilung unsere neuen Produkte! Erfrischender Energydrink mit Birnengeschmack für 1,39 Euro! Kalorienarmer Eistee mit frischem Geschmack von Zitrone oder Pfirsich für 1,79 Euro! Weiter haben wir diese Woche für Sie im Angebot: Grannys-Apfelsaft für nur 1,29 Euro und Grannys-Apfel-Kirsch-Saft für nur 1,89 Euro."

10

Sie wollen am Wochenende Ihre Freunde in Süddeutschland besuchen und möchten gerne wissen, wie das Wetter sein soll. Sie hören im Radio die folgende Wettervorhersage:
„… die aktuellen Temperaturen – München: sonnig, 21 Grad, Stuttgart: sonnig, 22 Grad und Konstanz: leicht bewölkt, 22 Grad. Und jetzt die Wettervorhersage für das Wochenende: Es bleibt trocken und sonnig. Temperaturen: 22 bis 25 Grad. Nachts 10 bis 14 Grad. Erst ab Montag ist mit leichtem Regen und sinkenden Temperaturen zu rechnen. Wir wünschen Ihnen noch einen wunderschönen Nachmittag …"

## 6 Klima und Umwelt

### 1 6

b)

WDR 2 Nachrichten. Um 12.30 Uhr, mit Christian Hermanns. In Nordrhein-Westfalen hat sich die Zahl der Toten durch den Orkan Kyrill auf fünf erhöht. Das teilte das Lagezentrum in Düsseldorf mit. Der Orkan Kyrill hat auch in anderen europäischen Ländern schwere Schäden angerichtet. In Großbritannien starben mindestens zehn Menschen. In Tschechien, Frankreich und den Niederlanden gab es jeweils drei Tote. Vielerorts fiel der Strom aus. Der Verkehr brach zusammen. Die Schnellzugverbindung Eurostar zwischen London und dem europäischen Festland wurde eingestellt. Tausende Reisende sitzen dadurch fest. Auf den Flughäfen wurden Hunderte Flüge gestrichen.

Mehr dazu von FFN-Reporterin Meike Behrend. Die Bahn hat zwar schon in der Nacht damit begonnen, die vom Orkan verursachten Schäden zu beseitigen, viele Strecken sind aber noch immer wegen umgestürzter Bäume oder abgerissener Oberleitungen nicht befahrbar. Ein weiteres Problem: Es fehlen noch Züge, denn in der Nacht mussten sie wegen der Sturmgefahr vorsorglich in Bahnhöfen oder auf offener Strecke anhalten. Deshalb haben die am Morgen dort gefehlt, wo sie eigentlich losfahren sollten. So mussten zum Beispiel fünf ICE-Züge in Göttingen zwischenparken. Ein am Bahnhof gelegenes Kino hat aber nur für die gestrandeten Reisenden aufgemacht und für sie eine kostenlose Filmnacht veranstaltet.

### 4 5

b)

*Interview 1*

+ Was haben Sie diese Woche für oder gegen die Umwelt getan?
– Ja, ich meine, ich fang' mal an mit dem Schlimmeren, also dem, was weh tut – dass wir ja alle, denk' ich, ständig sündigen gegen das, was die Umwelt eigentlich von uns erfordern würde, und je mehr Menschen auf der Welt Energie brauchen und verbrauchen, desto wichtiger wird's natürlich auch, dass alle irgendwo dabei mithelfen, Energie zu sparen, vernünftig sich zu verhalten im Umgang mit den eigenen Energie-Bedürfnissen und so weiter und so fort. Wir tun das ein bisschen, indem wir wenigstens einen Sonnenkollektor haben, auf dem Dach, und Regenwasser nutzen als Brauchwasser im Haus und, ja, dazu kommt dann eben, dass ich Fahrrad fahre, auch zur Arbeit Fahrrad fahre, auch wenn's mal regnet. Je älter ich werde, desto schwieriger wird das natürlich werden, aber wenn ich Glück hab', geht's noch 'ne ganze Weile.
+ Haben Sie gute Vorsätze für die Zukunft?
– Gute Vorsätze, Sie meinen jetzt aber auch in diesem Umweltbereich, oder?
+ Na klar!
– Ja, wir haben uns ziemlich lange erfolgreich dagegen gewehrt, einen Zweitwagen anzuschaffen, obwohl wir beruflich eigentlich ganz gut jeder ein

Auto gebrauchen könnten. Dabei wollen wir bleiben, also, nicht zuletzt eben motiviert durch die sich ja immer dramatischer verändernde ökologische Situation auf der Welt, äh, das ist, denke ich, so 'ne langfristige Entscheidung … ja.

*Interview 2*

+ Was haben Sie diese Woche konkret für die Umwelt oder gegen die Umwelt getan?
– Konkret für die Umwelt glaube ich, dass ich immer versuche, nur das zu kaufen, was ich wirklich brauche. Ich kaufe nicht so viele Kleider oder Sachen, die man irgendwann dann wegwerfen muss oder soll oder dass man keinen Platz mehr dafür hat. Ich kaufe nur das, was ich wirklich brauche. Und gegen die Umwelt, ja, ich dusche sehr gerne und sehr lange und das ist nicht so schön, zu viel Wasser und zu viel Strom.
+ Haben Sie gute Vorsätze für die Zukunft?
– Vielleicht werde ich kürzer, nicht so lang duschen, haha. Ja, weniger Shampoo benutzen.

## Ü 2

Der Deutsche Wetterdienst warnt für den morgigen Tag vor schweren Unwettern in Teilen Niedersachsens und Nordrhein-Westfalens mit starkem Regen, Hagel und Orkanböen, die Windgeschwindigkeiten von bis zu 150 Stundenkilometern erreichen können. Es wird mit massiven Behinderungen des Straßen- und Zugverkehrs gerechnet. Der Wetterdienst rät allen Anwohnern dringend, nach Möglichkeit das Haus nicht zu verlassen.

## Ü 3

+ Ich glaube, wir bekommen wieder Regen. Es ist schon Ende Juni und immer noch so kalt.
– Keine Sorge, der Sommer kommt bestimmt! Letztes Jahr war es auch erst im Juli so richtig heiß. So ist es doch fast immer. Früher war das ganz anders.
+ Viele meinen ja auch, der Klimawandel sei schuld, dass heute Weihnachten grün und Ostern weiß ist.
– Aber das hat es doch immer schon gegeben. Ich kann mich jedenfalls sehr gut daran erinnern, dass wir oft zu Weihnachten keinen Schnee hatten und in einem Jahr sogar zu Ostern auf dem See im Park eislaufen konnten.
+ Ja, ja. Und zu unserer Hochzeit, das war Ostern 1953, hat es geschneit. Ungefähr zehn Tage später war der Sommer da.
– So richtig heiße Sommer haben wir früher aber auch manchmal schon gehabt. Ich weiß zum Beispiel noch, dass wir in den 50er Jahren gleich mehrere heiße Sommer hatten.
+ Und da hat noch keiner von Rekordhitze und Klimawandel gesprochen. Da hatten wir noch ganz andere Sorgen.

## Ü 9

1. Nicht die Wintersportler sind das größte Umweltproblem in den Alpen, sondern die Autofahrer.
2. Nicht die Zitrusfrüchte haben die meisten Vitamine, sondern regionale Produkte, wie z. B. Paprika.
3. Nicht die Kühe sind das größte Umweltproblem, sondern die Menschen sind schuld an den Umweltproblemen.

## Ü 12

+ Hallo, schön dich zu sehen.
– Hallo. Heute ist es wieder so kalt. Das ist doch nicht normal.
+ Ja, finde ich auch. Gestern 28 Grad und heute 15. Man weiß gar nicht, was man anziehen soll.
– Stimmt. Ich bin gespannt, wie der Sommer sein wird! Bestimmt kalt und regnerisch …
+ Wahrscheinlich, wie letztes Jahr. Da hat es im August auch fast nur geregnet.
– Hm, lassen wir uns überraschen, vielleicht haben wir dieses Jahr etwas mehr Glück mit dem Wetter. Ich muss jetzt leider los. Sehen wir uns heute Nachmittag?
+ Ja, ich denke schon. Also, mach's gut und bis später.
– Bis später!

## Zertifikatstraining

*Hörverstehen, Teil 2*

+ Guten Tag, meine Damen und Herren, heute geht es um ein aktuelles Thema – den Klimawandel. Unser Gast im Studio ist heute Rainer Schröder, Professor für Ozeanphysik an der Universität Kiel. Herzlich willkommen, Herr Professor Schröder! Wir erleben gerade einen Winter mit mehr als 15 Grad Celsius und blühenden Bäumen. Und momentan zieht wieder ein Orkan durchs Land. Ist das schon der Klimawandel?
– Ja, das ist möglich. Warme Winter und Orkane können die Folge der globalen Erwärmung sein. Aber man darf sich nicht nur an einem Winter orientieren, sondern man muss das Wetter über viele Jahre beobachten. Erst dann kann man von einem Klimawandel sprechen. In Deutschland sind zum Beispiel die Temperaturen in den letzten hundert Jahren um circa ein Grad gestiegen.
+ Also ist in Zukunft mit tropischen Sommern und Aprilwetter im Winter zu rechnen? Wie im Sommer 2003?
– Ja, der Sommer im Jahr 2003 war extrem heiß. Europaweit sind 30 000 Menschen gestorben. Stellen Sie sich das mal vor, 30 000 Tote! Bei weiterer Erwärmung haben wir um 2050 jeden zweiten Sommer so eine Hitze. Das sagen jedenfalls britische Wissenschaftler.
+ Und die Winter?
– Im Schnitt werden die Winter immer wärmer. Das bedeutet aber nicht, dass nicht auch mal ein kalter Winter kommen kann. Letztes Jahr hatten wir ja einen schönen Winter.
+ Klimawandel ist ein globales Problem. Aber was wird sich speziell in Deutschland ändern? Müssen wir mit Klimakatastrophen rechnen?
– Nun ja, so klar ist das nicht, aber Hitzewellen, Stürme und Hochwasser werden öfter auf uns zukommen. Höhere Temperaturen bringen mehr Insekten und diese bringen neue Krankheiten. Das kann ein

Problem werden. Malaria war bisher kein Problem in Deutschland. Vielleicht wird es aber eins. An den Küsten wird der Meeresspiegel steigen. Alle zehn Jahre steigt er bereits jetzt um etwa drei Zentimeter an. Bei weiterer Erwärmung besteht die Gefahr, dass dieser Prozess immer schneller wird.

+ Ist der Klimawandel ein langsamer oder schneller Prozess?

– Das ist kein Prozess, der schnell und plötzlich passieren kann. Aber zum Beispiel die starken Hurrikanjahre 2004 und 2005 machen den Eindruck, dass sich das Klima sehr schnell verändert.

+ Die globale Erwärmung kann man nicht mehr stoppen. Das sagen zumindest die Wissenschaftler. Man vermutet, dass sich die Erde bis zum Jahr 2100 zwischen 1 und 6 Grad Celsius erwärmt. Kann man denn gar nichts tun?

– Es ist nicht ganz richtig, dass wir die Erwärmung nicht mehr stoppen können. Es ist möglich, die globale Erwärmung bis Mitte des Jahrhunderts anzuhalten. In den letzten zweihundert Jahren hat sich die Erde um 0,7 Grad erwärmt. Das Ziel der EU-Klimapolitik ist es, diese Tendenz bei maximal zwei Grad anzuhalten. Die Menschen müssen sich natürlich auch den Wetteränderungen anpassen. Wir in unserem Institut arbeiten seit vielen Jahren u. a. mit Landesbehörden zusammen, um schon jetzt klarzumachen, dass wir in 30 Jahren nicht mehr das heutige Klima haben werden.

+ Können Sie ein Beispiel nennen?

– Also, im Land Brandenburg gibt es zum Beispiel ein Waldumbauprogramm, bei dem man jetzt entscheiden muss, welche Baumarten angepflanzt werden sollen, die mit der zunehmenden Trockenheit in Brandenburg keine Probleme haben werden.

+ Der Hollywood-Film „The Day After Tomorrow" zeigt eine gigantische Katastrophe, die weltweit zu unvorstellbaren Zerstörungen führt. Amerika und Europa werden zu Eiswüsten. Ursache ist die globale Erwärmung. Ist ein solches Szenario überhaupt möglich?

– Das ist eher unwahrscheinlich. Im Film spielt sich in Tagen ab, was in Wahrheit zehn bis zwanzig Jahre dauert. Es ist auch unklar, woher die riesige Welle auf New York kommen soll. Das könnte nur ein Tsunami sein und diese werden nur von Erdbeben ausgelöst und haben mit dem Klimawandel nichts zu tun. Wenn wir unseren Planeten aber jetzt nicht schützen, dann werden wir nicht mehr lange etwas von ihm haben. Ich hoffe, dass das Publikum daran denkt, wenn der Film zu Ende ist.

+ Vielen Dank, Herr Professor Schröder! Und weiter geht es mit einem Bericht zum UN-Klimagipfel …

## 7 Peinlich? – Peinlich!

### 1 ②

**a)**

Willkommen in unserem Radio-Nachmittagscafé auf 102.7. Schönes Thema heute – wir wollen von Ihnen wissen, ob Ihnen schon einmal etwas Peinliches passiert ist. Wenn ja, rufen Sie an unter 0221/56843111.

*Gespräch 1*

+ Hallo, wen haben wir am Telefon?

– Frau Strohbach am Apparat.

+ Guten Tag, Frau Strohbach! Was ist Ihnen passiert?

– Also, bei uns im Getränkemarkt haben wir immer Schokolade neben der Kasse liegen. Für die Kinder, wissen Sie. Eine Kundin wollte bezahlen und der kleinen Tochter …

+ Oh oh. Ich kann mir schon denken …

– Ja, die war vielleicht so drei, vier Jahre alt. Der hab' ich eine Schokolade gegeben. Die hat sich natürlich gefreut und die Mutter sagte: „Und was sagt man dann zu der Tante?" Darauf die Kleine: „Mehr!"

+ Ist doch lustig!

– Ja, Sie lachen. Ich musste auch über die Situation lachen, aber der Kundin war es superpeinlich. Sie schämte sich total für ihr Kind. Na ja, für mich war es kein Problem.

*Gespräch 2*

+ Wen darf ich im Nachmittagscafé begrüßen?

– Ich heiße Tilman, komme aus Leipzig.

+ Schöne Grüße nach Leipzig! Was ist Ihnen passiert?

– Das war in der Straßenbahn. Ich wollte eigentlich nur aussteigen. Also bin ich aufgestanden und habe an der Tür gewartet.

+ Ja, und dann?

– Na ja, und dann habe ich mit dem Türöffnungsknopf gespielt. Komisch war, dass es auf einmal ganz laut klingelte. Alle Fahrgäste haben mich böse angesehen. Ich erinnere mich, dass der Fahrer direkt auf mich zukam und stinksauer war. Nun ja, ich habe den Türöffner mit der Notbremse verwechselt. Also ging der Alarm los.

+ Peinlich! Peinlich! Aber das wäre mir sicherlich auch passiert!

*Gespräch 3*

+ Letzte Peinlichkeit für heute! Wer ist am Telefon?

– André Köhler.

+ Und, Herr Köhler? Was ist Ihnen Peinliches passiert?

– Oh oh, dumm gelaufen damals. Eine Freundin hat mich mal gefragt, ob ich sie zum Flughafen fahren könnte. Klar, null problemo! Ich sollte halb drei bei ihr sein. Ich war echt total müde an dem Morgen, war aber trotzdem pünktlich. Also hab' ich geklingelt. Sie öffnet im Schlafanzug die Tür und fragt mich, was ich denn will. Sie meinte 14.30 Uhr, nicht 2.30 Uhr. Das war mir irgendwie total peinlich.

+ Also, ich finde es lustig …

### 3 ①

+ Und Eva? Wo warst du letzte Woche? Indonesien? Südafrika oder Kanada?

– Weder noch.

+ Komm schon, lass dich nicht ewig bitten und erzähl mir was Tolles von der großen weiten Welt. Du weißt doch, dass ich den ganzen Tag im Büro sitze.

– Na ja, du stellst dir das immer so toll und einfach im Ausland vor. Ist es aber nicht.

+ Wieso? Fremde Städte, exotisches Essen, interessante Leute …

– Ja, aber im Ausland merke ich immer, wie deutsch ich bin, und habe auch oft Probleme mich anzupassen.

+ Zum Beispiel?

– Na, zum Beispiel Australien. Da bin ich ja oft. Alle Leute sprechen dich sofort mit dem Vornamen an. Also, am Anfang fand ich das total unhöflich, aber dort ist das völlig normal. Ich habe auch das Gefühl, dass die Australier nicht so direkt sind. Also, wenn man ein Problem mit einer Person hat, dann sagt man es nicht so direkt wie bei uns hier in Deutschland. Der Australier verpackt alles in nette Worte.

+ Dass wir Deutschen extrem direkt sein sollen, habe ich auch schon gehört. Wie war es denn in Japan? Da warst du doch vor zwei Wochen, oder?

– Ja, also, das war ein wirkliches Erlebnis. Diese Kultur ist faszinierend, aber als Europäer versteht man so wenig. Im Restaurant zum Beispiel. Obwohl in vielen Knigge-Büchern steht, dass man Sushi mit den Händen essen darf, sollte man das nicht tun … Sehr wichtig ist auch die Visitenkarte. Das werde ich wohl nie verstehen, wer wem in welcher Situation die Karte geben darf. Ach, und was ich auch gelernt habe: Niemals in der Öffentlichkeit die Nase putzen. Das ist unhöflich.

+ Ehrlich? Das ist ja wirklich schwierig …

– Du musst aber nicht erst 9000 Kilometer fliegen, um kulturelle Unterschiede zu entdecken.

+ Willst du mir jetzt etwas über Belgien erzählen?

– Nein, da war ich leider noch nie. Aber in Italien war ich oft. Es ist zum Beispiel ein Klischee, dass Italiener immer zu spät kommen. Ich habe einen Kunden in Rom besucht und alle Angestellten waren immer pünktlich. Unterschiede gibt es natürlich. Bei uns ist es unhöflich, wenn man eine Person nicht zu Ende reden lässt, aber in Italien zeigt man dadurch Interesse am Inhalt. Man sollte also immer mal reinreden oder auch nachfragen.

+ Und das italienische Essen? Geht man zum Geschäftsessen dort wirklich so gern ins Restaurant?

– Einladen! Das ist dort eine Lebenseinstellung. Jeder macht das. Die Italiener sind sehr offen und großzügig und besprechen Geschäftliches wirklich gern beim Essen. Das ist übrigens in Russland auch so.

+ Russland? Da warst du auch schon?

– Aber ja. Und dort habe ich erst mal zwei Tage Sightseeing gemacht: Roter Platz, Lenin-Mausoleum, Kreml, Basileus-Kathedrale, Kaufhaus Gum, ja wir waren mit unseren Geschäftspartnern sogar im Bolschoi-Theater! Aber kein Wort über optische Systeme. Wichtig ist für russische Partner, dass sie die Person kennen lernen, mit der sie Geschäfte machen. Und natürlich ist es total unhöflich, wenn man sich nicht für diese Gastfreundschaft bedankt. Als unsere russischen Partner in Deutschland waren, haben wir also auch Sightseeing gemacht und waren sehr gut essen.

+ Herrje – das ist ja alles kompliziert. Vielleicht ist es gut, dass ich nur hier im Büro sitze.

– Weißt du, alles hat so seine Vor- und Nachteile. Aber ich bin wirklich gern unterwegs.

**4 ⓶**

**b)**

Oh, das wollte ich nicht. Das war ein Versehen.

Das muss ein Missverständnis sein. Entschuldigen Sie!

Das kann doch nicht wahr sein! Wirklich?

So eine Überraschung! Was du nicht sagst!

Wo liegt das Problem?

Habe ich Sie richtig verstanden?

Ich bin nicht sicher, ob ich dich richtig verstanden habe.

**5 ⓶**

Wenn man sich in Deutschland mit dem Zeigefinger an die Schläfe tippt, dann bedeutet das so viel wie: „Du spinnst wohl!" oder „Du bist ja doof!" Bei uns in den USA kann das aber auch heißen, dass man intensiv über etwas nachdenkt.

Bei uns in Bulgarien schüttelt man mit dem Kopf, wenn man „ja" sagen möchte und nickt für ein „Nein". Das ist in Deutschland, wie auch in vielen anderen Ländern, genau anders herum. Das kann natürlich zu Missverständnissen führen.

Es ist generell nicht in Ordnung, mit dem Finger auf eine Person zu zeigen, aber wenn man das in Deutschland tut, dann meistens mit dem Zeigefinger. Das ist in Indonesien total unhöflich. Wir benutzen zum Zeigen den Daumen.

In Griechenland ist es total unhöflich, einer Person die Handinnenfläche zu zeigen. Wenn Deutsche zum Beispiel die Zahl fünf mit der Hand anzeigen, dann habe ich so ein komisches Gefühl. Ein Grieche würde diese Geste eher vermeiden.

**Ü ⓶**

*Mann 1:* Entschuldigung – wir möchten zahlen, bitte!

*Kellner:* Zusammen oder getrennt?

*Mann 1:* Zusammen, bitte.

*Mann 2:* Aber nein, das kommt überhaupt nicht in Frage. Ich zahle.

*Mann 1:* Aber nein, das geht doch nicht. Hast du nicht beim letzten Mal gezahlt? Außerdem sind wir zu dritt. Das ist doch viel zu viel.

*Mann 2:* Wir können ja teilen.

*Frau:* Aber ich hatte doch eine Vorspeise und ihr nicht – nein, lasst mich zahlen. Obwohl, ich weiß gar nicht, ob ich so viel Geld dabei …

*Mann 2:* Nein, nein – kein Problem, ich könnte ja …

*Mann 1:* Wie viel ist es denn?

*Kellner:* Bitte, das ist die Rechnung.

*Mann 2:* Ähm, ich denke, das Einfachste ist, jeder zahlt für sich.

*Mann 1:* Ja, gut, also ich hatte die Ente und zwei Weine … oder waren es drei? Irene, weißt du das?

*Frau:* Du hattest drei. Ich hatte die Zwiebelsuppe, das Huhn und drei Mineralwasser.

*Mann 2:* Und ich die Pizza und drei Bier, bitte.

*Kellner:* Äh – einen Moment bitte, also Sie hatten …

## Ü 10

**b)**

+ Ja, das kann doch wohl nicht wahr sein!

– Entschuldigen Sie. Das war ein Versehen. Das wollte ich nicht.

+ Das ist mir klar, dass Sie das nicht wollten. Aber das hilft mir nicht weiter.

– Was machen wir denn jetzt? Ich bin nicht aus Deutschland, hatte noch keinen Unfall …

+ Ich rufe die Polizei, damit sie den Schaden aufnehmen können.

– Die Polizei rufen? Es ist doch aber nur ein Licht kaputt …

+ Das kostet aber mehr als 25 Euro. Das ist kein kleiner Schaden.

– Ja, es ist aber auch kein großer Schaden. Was kostet es denn? Ich zahle sofort.

+ Keine Ahnung. Ich könnte in die Werkstatt fahren und Ihnen die Rechnung schicken.

– Das ist eine gute Idee. Hier ist mein Ausweis und auch meine Handynummer.

+ Ist in Ordnung. Ich melde mich bei Ihnen.

## Ü 11

+ Sie da! Stopp! Sie dürfen hier nicht springen!

– Das verstehe ich nicht! Wieso?

+ Sehen Sie dort das Schild? Dieser Bereich ist jetzt für die Schwimmgruppe reserviert.

– Na so was! Das Schild habe ich nicht gesehen. Ich bin gerade erst gekommen.

+ Kein Problem. Das passiert.

– Wann ist die Schwimmgruppe denn fertig?

+ In etwa einer halben Stunde. Sie können so lange das andere Becken nutzen.

– Geht klar.

+ Kein Problem. Wiedersehen.

## 8 Generationen

## 4 1

Hallo, ich bin Stefanie Sonnbichler. Ich wohne in Sankt Johann in Tirol. Ich bin mit meinen zwei Schwestern in einer Großfamilie aufgewachsen. Für uns Kinder war das sehr schön, wir hatten eine tolle Kindheit! Auf dem großen Bauernhof unserer Großeltern ist auch heute noch für alle genug Platz. Außer den Großeltern, meinen Eltern und uns Kindern lebt hier auch noch Franz, der Bruder meiner Mutter, mit seiner Familie. Wir Kinder konnten früher viel im Freien spielen. Einen Abenteuerspielplatz brauchten wir nicht, wir hatten ja den Hof. Am liebsten haben wir da Verstecken gespielt. Aber wir mussten natürlich auch im Haushalt mithelfen. Dafür gab es dann in der Küche unserer Großmutter immer etwas zu naschen. Inzwischen habe ich selbst eine Familie und seit der Geburt unseres Sohnes Simon leben bei uns vier Generationen unter einem Dach.

## 5 2

**a)**

*Fragebogen A: Meine Kindheit*

+ Also, Britta, was haben Sie denn als Kind am allerliebsten gemacht?

– Am allerliebsten? Im Freien gespielt und Höhlen gebaut.

+ Und was war ein besonders schöner Moment in Ihrer Kindheit?

– Die Ferien. Immer in den Ferien bin ich zu meiner Oma gefahren. Und als ich mal für sechs Wochen bei meiner Oma bleiben durfte – das war fantastisch!

+ Und was hat Ihnen als Kind gar nicht gefallen?

– Na ja, ich hätte gern abends im Fernsehen die „Winnetou"-Filme gesehen, das waren solche Indianerfilme. Aber ich musste schon immer 19 Uhr ins Bett. Na ja …

+ Was hätten Sie als Kind gerne sehr schnell gelernt?

– Ich wollte immer alles lernen, was mein großer Bruder gerade gelernt hat oder schon konnte.

+ Ja, und wie alt wären Sie eigentlich mit zehn gern gewesen und warum?

– Ich wollte immer gern 14 sein, weil man da einen Personalausweis bekommt und wie ein Erwachsener behandelt wird.

*Fragebogen B: Mein Leben heute*

+ Britta, was machen Sie zurzeit am liebsten?

– Was ich zurzeit am liebsten mache? Hm, am liebsten habe ich zurzeit Zeit für mich allein.

+ Gut, und was war in diesem Jahr ein besonders schöner Moment?

– Ich bin zum ersten Mal Tante geworden. Das war toll!

+ Und was hat Ihnen in diesem Jahr gar nicht gefallen?

– Na ja, es gab ziemlich viel beruflichen Stress. Das könnte weniger sein.

+ Was möchten Sie jetzt gerne ganz schnell lernen?

– Vielleicht ruhiger und entspannter mit Problemen umzugehen. Das wäre gut.

+ Und wie alt wären Sie jetzt gerne und warum?

– Na ja, ich bin jetzt bald 30, und eigentlich fühl' ich mich ziemlich wohl. Also, es könnt' eigentlich alles so bleiben!

## Ü 10

**a)**

1 Seit wann fährst du mit dem Fahrrad ins Büro?

2 Seit wann trägst du Miniröcke?

3 Seit wann lernst du Türkisch?

4 Seit wann wohnt deine Mutter bei euch?

5 Seit wann wohnt ihr in dem neuen Haus?

6 Seit wann seid ihr zusammen?

**b)**

1 Seit ich weiß, dass ich im nächsten Jahr ein Semester in der Türkei studieren werde. Die Sprache hat mir aber schon immer gefallen.

2 Seit wir Kinder haben. Die 3-Zimmer-Wohnung in der Stadt war zu klein. Außerdem ist das Leben auf dem Land viel gesünder.

3 Du kannst Fragen stellen. Das ist doch jetzt modern. Und so kurz ist der Rock nun auch nicht.

4 Ich hatte vor einem Monat einen Unfall und das Auto war lange in der Werkstatt. Seitdem fahre ich lieber mit dem Rad.

5 Schon seit ein paar Monaten. Sie ist von der Treppe gefallen und hat sich das Bein gebrochen. Jetzt wohnt sie bei uns. Die Kinder freuen sich sehr, da sie ihnen täglich Geschichten vorliest.

6 Schon länger. Du weißt doch, dass ich im Sommer auf Mallorca war. Wir haben uns auf einer Party im Hotel kennen gelernt.

## Ü 11

### b)

ein Buch drucken
ein Ticket für die Achterbahn
kochen und backen ohne Zucker?
über die Ursachen nachdenken

## Ü 12

### b)

die Geschichte des Lächelns
Gefährlich! Misch dich nicht ein!
Ich fürchte mich ein bisschen vor energischen Menschen.
das durchschnittliche Gewicht

# 9 Migration

## 4 2

*Interview 1*

+ Bernd, wie hast du dich auf die Auswanderung vorbereitet?
– Ich hab' am Donnerstag Bescheid bekommen, dass ich am Montag in Norwegen sein sollte, Zeit zur Vorbereitung war also nicht.
+ Warum bist du ausgewandert?
– Ende 2005 musste meine Firma schließen und ich wurde entlassen. Ich war dann fast ein Jahr arbeitslos. Mit über 40 hat man in Deutschland als Maurer auf dem Bau keine Chancen mehr. In Norwegen wurden Handwerker gesucht, deshalb habe ich mich beworben, und es hat auch sofort geklappt. Hier in Norwegen verdient man auf dem Bau besser als in Deutschland. Klar, das Leben kostet mehr, aber hier kriege ich 22 Euro pro Stunde, in Deutschland waren es acht oder neun Euro.
+ Gab es Schwierigkeiten?
– Der Anfang war nicht leicht. Die Sprache war das größte Problem. Ich hab' ja kein Norwegisch verstanden. Aber meine Kollegen haben sich toll um mich gekümmert und mein Chef hat schnell gemerkt, dass ich was kann.
+ Dann hast du also schon neue Freunde?
– Ja, meine Kollegen kommen oft abends vorbei und am Wochenende gehen wir zusammen fischen. Wir sind fast wie eine große Familie.
+ Auf einer Skala von 1 bis 5 – wie zufrieden bist du mit der Situation?
– Ich würd' sagen, eine 1. Mir gefällt's hier.

+ Willst du irgendwann nach Deutschland zurück?
– Nein, im Moment nicht, vielleicht, wenn ich in Rente gehe?

*Interview 2*

+ Mandy, warum bist du ausgewandert?
– In Leipzig habe ich keine feste Stelle als Kellnerin bekommen. Die ständige Suche hat mich genervt. Als eine Freundin von mir hier im Ort in einem Hotel angefangen hat, bin ich mitgefahren. Ich wollte mich zuerst informieren, hab' dann aber gleich eine Stelle bekommen.
+ Dann war die Jobsuche einfach?
– Ja, ich brauchte nur ein Vorstellungsgespräch.
+ Das hört sich ja alles ziemlich positiv an, gab es auch Probleme?
– Na klar. Mein Freund ist noch in Deutschland, das war schon schwer am Anfang – und die Telefonrechnung ist immer ziemlich hoch. Aber das Problem haben wir bald gelöst. Er zieht im Sommer auch nach Tirol und fängt als Schreiner an.
+ Dann willst du nicht zurück?
– Nein, unsere Chancen sind hier besser im Moment.
+ Auf einer Skala von 1 bis 5 – wie zufrieden bist du mit der Situation?
– Sehr. Ich würd' sagen, eine 2+, wenn mein Freund dann kommt, ist es sicher eine 1.

## 4 4

### a)

1. Ich heiße Katarzyna und komme aus Polen. Ich bin schon öfters in Deutschland gewesen. Was ich am meisten vermisse, ist das polnische Essen. Am Anfang habe ich sehr meine Familie vermisst. Alles war neu für mich, auch die deutsche Sprache. Was besonders mir Schwierigkeiten gemacht hat, war, wenn ich eine Fahrkarte am Automaten lösen sollte.

2. Ja, hallo, ich heiße Emily und komme aus Frankreich und bin seit Oktober 2005 hier in Deutschland. Also, als ich hier angekommen bin, hab' ich gleich gemerkt, dass das Wetter mir nicht so gut gefallen hat – und zwar, ich komme aus Südwest-Frankreich und bei uns scheint die Sonne sozusagen und hier ist es eigentlich irgendwie ziemlich kalt und im Winter wird es ganz, ganz früh sehr dunkel und ich fühlte mich irgendwie ein bisschen deprimiert. Also, ich finde das nicht so gut für die gute Laune, aber ich habe mich teilweise daran gewöhnt oder gewöhnen müssen. Und was das Essen angeht, habe ich eigentlich und … vermisse ich immer noch Käse, das ist nämlich so, dass wir in Frankreich sehr viele Käsesorten haben und ich esse sehr gerne Käse, und von daher, ja – ich vermisse eigentlich Käse. Und, was ich eigentlich sehr überraschend fand, hier in Jena zumindest, war zum Beispiel, dass es bestimmte Cafés gibt, wo man Spiele spielen kann, also, man kann etwas trinken und gleichzeitig spielen und ich finde diese Atmosphäre ganz, ganz schön und sehr gemütlich und das gibt's nicht bei uns.

## Ü 1

**b)**

Liebe Zuhörer, herzlich willkommen bei „Auf und davon". Zu unserem heutigen Thema „Migration" möchten wir Ihnen vier sehr unterschiedliche Geschichten erzählen über Personen, die aus ihrer Heimat ausgewandert sind.

Als Erstes möchten wir Ihnen die Journalistin Hatice Akyün vorstellen. Sie ist mit drei Jahren nach Deutschland gekommen. Ihr Vater ist 1972 als Gastarbeiter ins Ruhrgebiet gekommen, nach Duisburg, mit der ganzen Familie. Akyün ist eine Deutsch-Türkin der zweiten Generation. Sie lebt und arbeitet in Berlin. Ihre Eltern sprechen schlecht Deutsch, denn sie haben es nie richtig gelernt. Sie dachten, dass sie nicht für immer in Deutschland bleiben würden. Akyün hat eher Probleme mit Türkisch und so schreibt sie ihre Artikel und Bücher auf Deutsch.

Der Schweizer Johann August Sutter hatte in der Schweiz, im Kanton Bern, ein Textilwarengeschäft. Er hatte aber große finanzielle Probleme und die Schweizer Behörden suchten ihn. Deswegen wanderte er 1834 nach Amerika aus. Seine Familie blieb in der Schweiz. In Amerika bekam er Land, das er Neu-Helvetien nannte. Er arbeitete in der Landwirtschaft und wurde schnell reich. 1848 fand man auf Sutters Land Gold. Bald kamen viele Menschen und suchten nach dem gelben Metall. Am Ende verlor Sutter alles.

Auch der Deutsche Martin Becker ist ausgewandert. Von Deutschland nach England. Warum? Becker hat bis letztes Jahr an dem Charité-Krankenhaus in Berlin als Arzt gearbeitet. Er musste viele Überstunden machen und hatte kein gutes Gehalt. Er wusste, dass sich die Situation nicht ändern wird. Er hatte also die Wahl: bleiben oder ins Ausland gehen, wo die Bedingungen der Ärzte besser sind. Also ist er weggegangen, nach Cambridge. Dort arbeitet er nun in einer Klinik. Er hat eine gute Position, normale Arbeitszeiten, ein besseres Gehalt und auch mehr Zeit für seine Familie.

Unser letztes Beispiel ist die Schriftstellerin Nelly Sachs. Sie wurde 1891 in Berlin geboren und schrieb schon früh Gedichte. Sachs war Jüdin und beschäftigte sich auch mit der jüdischen Kultur und Religion. In Deutschland darf sie als jüdische Schriftstellerin ihre Werke bis 1933 veröffentlichen. Dann kommt Hitler in Deutschland an die Macht. Sachs floh vor dem Nationalsozialismus nach Schweden. Dort schrieb sie bis zu ihrem Tod vor allem über ihr Exil und den Krieg.

## Ü 6

**a)**
1. leise
2. führen
3. reiten
4. alt
5. Das ist leicht.

# 10 Europa – Politik und mehr

**2 9**

*Moderator:* „Politikmüdigkeit" ist im Moment ein beliebtes Schlagwort. Im Studio heute Abend sind zwei junge Leute, mit denen wir über das Thema sprechen wollen. Guten Abend, Anette und Christian.

*Anette:* Guten Abend.

*Moderator:* Ich möchte euch nach eurer Meinung zu Politikern und zur Politik allgemein fragen. Ich stelle euch unseren Hörern zunächst kurz vor. Anette Kühne ist 25. Sie wohnt in Kehl in Baden-Württemberg und arbeitet in Straßburg in einem Hotel. Christian Ärmlich ist 28, kommt aus Freiburg und lebt jetzt in Basel. Er arbeitet in einem Reisebüro. Anette und Christian, interessiert ihr euch für Politik?

*Anette:* Also, ich eigentlich gar nicht. Ich bin ziemlich unpolitisch. Aber ich gehe alle vier Jahre wählen. Das ist irgendwie Pflicht, finde ich. In einer Partei bin ich nicht.

*Moderator:* Und du, Christian?

*Christian:* Ich war als Jugendlicher ziemlich an Politik interessiert. Mein Vater war in der SPD, in der Sozialdemokratischen Partei, und hat sich sehr in der Kommunalpolitik engagiert. Seit ich in Basel lebe, habe ich mich eigentlich nicht mehr um Politik gekümmert. Als Deutscher darf ich hier sowieso nicht wählen. In der Schweiz wird sehr oft der Bürger gefragt. Das finde ich gut. Wenn ich in einer deutschen Partei wäre, dann wäre ich in der CDU, also bei den Christdemokraten.

*Moderator:* Woran denkt ihr bei dem Wort Europa?

*Anette:* Wenn man in Straßburg arbeitet und in Kehl lebt, fährt man jeden Morgen über die deutsch-französische Grenze. Heute merkt man gar nicht mehr, dass das eine Grenze ist. Das ist für mich Europa. Früher hätte man gewartet und wäre kontrolliert worden.

*Christian:* Ja, für mich ist die Europapolitik auch wichtig. Die Schweiz ist nicht in der EU, aber Basel ist trotzdem sehr europäisch. Es gibt zum Beispiel einen deutschen, einen französischen und einen Schweizer Bahnhof.

*Moderator:* Was sind für euch wichtige politische Ziele?

*Christian:* Ganz klar die Umweltpolitik. Die Schweiz tut zum Beispiel viel für die Sauberkeit der Flüsse. In Europa gibt es aber viele Länder, in denen die Umweltpolitik leider keine große Rolle spielt.

*Anette:* Ja, Umwelt- und Klimapolitik finde ich auch wichtig. Bei uns in der Region ist die Arbeitslosigkeit ja nicht so hoch, aber ich finde, die Politik in Deutschland und Frankreich muss viel mehr dagegen tun.

*Moderator:* Erst mal vielen Dank, wir machen jetzt etwas Musik.

## Ü 1

### b)

*Interview 1*

+ Entschuldigung, darf ich Sie mal was fragen?
– Okay, wenn es nicht zu lange dauert.
+ Was fällt Ihnen zu Europa ein?
– Europa … das ist nicht so leicht zu sagen … Also, ich denke, dass Europa, also die EU, vor allem eine wirtschaftliche Union ist. Der Euro oder die Öffnung der Grenzen und der Arbeitsmärkte in Europa sind ja der Beweis dafür. Und dann steht die EU vielleicht auch noch für Frieden und Sicherheit. Das war ja nicht immer so.

*Interview 2*

+ Können Sie mir sagen, was Ihnen zu Europa einfällt?
– Zu Europa? Tja, … vielleicht die vielen Sprachen und Kulturen in Europa. Wenn sich die Europäer wirklich kennen lernen und verstehen wollen, müssen sie noch viel lernen! In Europa bietet das Leben große Vielfalt an und ich finde es sehr interessant … und ich reise gern. Am liebsten würde ich alle Länder Europas kennen lernen.

*Interview 3*

+ Was bedeutet Europa für dich?
– Hmm … In der Schule haben wir gerade eine Projektwoche zum Thema Europa gemacht. Also, da ging es um Politik, aber auch um die Menschen, die Kultur und so. Unser Lehrer hat uns erzählt, dass man früher nicht ohne Reisepass reisen konnte. Und man musste ja auch immer Geld wechseln. Er findet die EU gut. Aber mein Vater sagt, dass die billigen Arbeitskräfte aus einigen anderen Mitgliedsländern unseren Arbeitsmarkt kaputt machen. Ich weiß nicht … Viele Deutsche arbeiten doch auch in anderen europäischen Ländern.

*Interview 4*

+ Woran denken Sie zuerst, wenn Sie das Wort Europa hören?
– Europa? Ja, da denke ich zuerst an meine Tochter. Sie hat in der Schule Englisch und Französisch gelernt, ein Jahr in Mailand studiert, arbeitet jetzt in Warschau und ist mit einem Portugiesen verheiratet. Das muss man sich mal vorstellen. Eine echte Europäerin, oder?

## 1 1

### b)

*Dialog 1*

+ Frau Nadkarni?
– Ja.
+ Guten Tag, ich bin Marianne Schneider. Wir hatten miteinander telefoniert.
– Ja, Frau Schneider! Das ist aber schön, dass Sie uns abholen!
+ Wie war Ihr Flug?
– Sehr angenehm. Auch das Umsteigen in London war kein Problem.
+ Na, prima. Seit wann sind Sie denn schon unterwegs?
– Mein Bus zum Flughafen ging um 5.45 Uhr.
+ Oh, das ist früh. Dann schlage ich vor, wir fahren erstmal in Ihrem Hotel vorbei. Beim Abendessen treffen wir dann die anderen Kollegen. Ich hab das Auto in der Tiefgarage. Kommen Sie, hier entlang ….

*Dialog 2*

+ Ein schönes Bild, nicht wahr?
– Ja, wirklich. Ich muss sagen, es gefällt mir richtig gut.
+ Es ist mal was anderes – sehr originell.
– Ja, wissen Sie, eigentlich mag ich moderne Kunst nicht besonders, aber das hier finde ich sehr interessant. Und die Farben!
+ Ja, die Farben sind wirklich schön.
– Wissen Sie, wer der Maler ist?
+ Nein, leider nicht. Aber ich weiß, dass Herr Beermann das Bild erst vor kurzem gekauft hat …

*Dialog 3*

+ Na, Frau Becker? Auch erst mal eine kleine Pause?
– Ach, Herr Rahn …! Ja, allerdings, nach den zwei Workshops brauche ich unbedingt einen Kaffee.
+ Ich auch! Ah, gar nicht schlecht, der Kaffee …
– Hmhm … Haben Sie eigentlich schon Herrn Wegner gesehen? Der wollte doch auch hier sein.
+ Ach, das wusste ich gar nicht … Nein, ich habe ihn noch nicht gesehen. Ich habe auch schon lange nicht mehr mit ihm gesprochen. Wie geht es ihm denn?
– Sehr gut, soweit ich weiß. Ich habe ihn vor ein paar Wochen auf einer Konferenz in Berlin getroffen, da wollte er gerade in Urlaub fahren. Nach Spanien.
+ Ach, nach Spanien mal wieder?! Ich glaube, er kennt Spanien bald besser als Deutschland.
– Ja, das stimmt …

*Dialog 4*

+ Ah, Sie gehen auch in den Raum „Provence"?
– Ja, ich gehe in die Präsentation, gleich, um 14 Uhr.
+ Oh, ich sehe, Sie haben ein aktuelles Programm. Wo gibt es denn das?
– Gleich am Eingang rechts, auf dem Tisch.
+ Aha, das muss ich mir nach dem Vortrag holen. Darf ich vielleicht kurz in Ihr Programm gucken?
– Ja, klar.

+ Sie interessieren sich also für die Präsentation von Herrn Bernhard von der Telekom?
– Ja, er ist mein Kollege.
+ Ach, dann sind Sie auch bei der Telekom? In Leipzig?
– Ich war erst zwei Jahre in Leipzig und seit 2004 arbeite ich in Bonn. Und Sie?

## 1 4

+ So, ich setze mich mal zu Ihnen. Sie haben doch nichts dagegen?!
– Äh … ach, Herr Ehrlicher …. Nein, natürlich nicht, bitte.
+ Ah, Sie haben die Spaghetti? Die schmecken doch immer so schrecklich! Nein, also, die würde ich nie essen.
– Na ja …
+ Oh, eine schöne Krawatte haben Sie da … Sagen Sie mal, wo haben Sie DIE denn gekauft? Die sieht aus wie die Krawatten, die mein Großvater immer hatte! Haha, ist das komisch … Genau wie die Krawatten von meinem Großvater!
+ Na, jetzt erzählen Sie doch mal: Wie war denn das letzte Gespräch mit dem Chef? Bekommen Sie jetzt mehr Geld oder nicht?
– Äh … also, wissen Sie, Herr Ehrlicher, ich finde, das Thema müssen wir nicht hier in der Kantine besprechen.
+ Aha, das heißt wohl, dass Sie NICHT mehr Geld bekommen … Das war ja klar! Ich meine, der Chef zahlt eben nur mehr, wenn es nicht anders geht. Sie bekommen ja sowieso so wenig, jedenfalls weniger als ich. Oder?
– Entschuldigen Sie mich bitte.
+ Ja, dann bis später! Über den Chef sprechen wir noch in Ruhe, was?

**Bildquellen**

Cover   unten: © pixelio.de
S.    4   Start B1: © Cornelsen, Funk; E5: © Cornelsen, Abt
S.    7   E10: © pixelio.de
S.    8   b: © Cornelsen, king & queen media
S.    9   e: © Cornelsen, Funk; g: © Cornelsen, Funk
S.   12   Hintergrund: © Cornelsen, Corel
S.   13   a, b: © Cornelsen, Kuhn; unten: © Cornelsen, Corel
S.   20   a: © DB, AG; b: © Bananastock RF
S.   21   Mitte rechts: © SNCF; unten links: © pixelio.de; 2. von links, oben u. unten: © Comstock RF
S.   22   oben: © Getty RF; unten: © Comstock RF
S.   25   a: © pixelio.de; b: © mauritius images RF
S.   30   © Cornelsen, Kämpf
S.   31   © Behörde für Inneres, Hamburg
S.   33   c: © adpic RF; d: © mauritius images RF; a, e: © Bildunion RF
S.   37   © Bildunion RF
S.   38   a, c: © mauritius images RF
S.   43   oben: © Comstock RF; links: © adpic RF; rechts: © pixelio.de
S.   54   © mauritius images / Bananastock RF
S.   56   von links nach rechts: © Fontshop RF; © Comstock RF; © Imagesource RF; © Comstock RF
S.   58   © Comstock RF
S.   59   © Imagesource RF; © Getty RF
S.   62   b, d: © Regionalverband Ruhr
S.   63   i: © Cornelsen, Archiv; b, d, f: © Regionalverband Ruhr; h: © pixelio.de
S.   68   unten: © Cornelsen, Renner
S.   70   c: © pixelio.de; unten links: © Presse- und Imformationsamt der Stadt Bochum
S.   74   oben: © pixelio.de
S.   75   © GNU, Trexer
S.   79   © Cornelsen, Funk
S.   80   © Geistalschule Bad Hersfeld
S.   81   oben links, rechts: © Geistalschule Bad Hersfeld; unten links: © Comstock RF
S.   84   links: © latis RF; Mitte, rechts: © pixelio.de, © Creative Commons, L. Roth
S.   85   oben: © Stephan Rumpf; Mitte: © Creative Commons Att. 2
S.   86   oben rechts: © Cornelsen, Finster; unten links: © Geistalschule Bad Hersfeld; unten rechts: © Cornelsen, ips
S.   94   rechts: © Comstock RF
S.   95   oben links: © Creative Commons, F.C. Müller
S. 102   links oben: © mt-journal; links unten: flickr © rene_imre
S. 104   unten: © pixelio.de
S. 110   © pixelio.de
S. 111   © Cornelsen, Funk
S. 113   c, d, e: © Cornelsen, Corel
S. 116   oben: © Cornelsen, Funk
S. 120   a, f, h: www.peinlig.de; c: © mauritius images RF
S. 121   oben: © digitalstock RF
S. 122   © Compact Verlag GmbH
S. 124   unten: © Cornelsen, Corel
S. 128   © Bildunion RF
S. 138   a, b, c, d, f: © Cornelsen, Hannes
S. 146   © Cornelsen, Funk
S. 150   a: © Gewobag-Archiv; b: © mauritius images RF; c: © pixelio.de; d, f: © adpic RF
S. 151   © Creative Commons, Lalli
S. 153   © Mobile e.V.
S. 156   oben: © X Filme
S. 161   oben: © Cornelsen, Kuhn; 2. v. oben: © adpic RF; 3. v. oben: © digitalstock RF
S. 162   a: © Comstock RF; d: gemeinfrei
S. 166   oben: gemeinfrei
S. 170   a: © European Community 2007; c: © Europäische Gemeinschaften 1995–2007; e: © 2002 STEP IN; d: © Bananastock RF
S. 171   f: © A. Beimdiek; g: © Imagesource RF
S. 172   a: © European Community, 2007; b: © pixelio.de; d: © Cornelsen, Archiv
S. 175   Hintergrund: © Cornelsen, Corel
S. 177   © GNU, M. Brückels
S. 178   c: © GNU-Lizenz freie Dokumentation; d: © Sokrates Nationalagentur Österreich

S. 179   © European Community, 2007
S. 181   © European Community, 2007
S. 183   a: © GNU-Lizenz freie Dokumentation; b: gemeinfrei; c: © pixelio; d: © 2005 David Monniaux;
         f: © P. Turi; g: © Auswärtiges Amt
S. 189   © Cornelsen, Hannes
S. 194   oben: © Cornelsen, Funk
S. 211   © Corbis RF
S. 214   © Cornelsen, Demme
S. 215   oben: © Fotosearch RF

Cover   oben: © Corbis, Skelley
S.   4   E1, E2: © mauritius images; E3: © Johanna Freise; E4: © ullstein bild
S.   7   E6: © ullstein bild; E7: © Stock4B; E8: © mauritius images; E9: © Picture-Alliance/dpa
S.   8   a: © P. Widmann; c: © Picture-Alliance/ZB
S.   9   d: © G. Hahn; f: © Teamwork, Duwentaester
S.  12   a: © ullstein bild; b: © mauritius images; c: © mauritius images; d: © ullstein bild; f: © mauritius images;
         g: © Picture-Alliance/dpa;
S.  16   a: © ullstein bild / Caro; b: © Picture-Alliance/akg; c: © ullstein bild; d: © ullstein bild / akg; e: © ullstein
         bild; f: © ullstein bild / C.T. Fotostudio
S.  20   c: © ullstein bild; d: © mauritius images
S.  21   oben rechts, unten rechts: © Cornelsen, Schulz
S.  24   © mauritius images
S.  25   c: © Cornelsen, Schulz
S.  28   a, d: © Cornelsen, Schulz; b: © ullstein bild; c: © BilderBox
S.  29   e, g: © mauritius images; f: © ullstein bild; h: © Cornelsen, Schulz
S.  30   © Cornelsen, Kämpf
S.  32   © Picture-Alliance / Picture Press
S.  33   b, unten: © BilderBox; f: © ullstein bild
S.  38   b: © ullstein bild / Joker
S.  46   a: © ullstein bild; b: © mauritius images
S.  46 /
    47   Mitte: © Keystone
S.  48   © Cornelsen, Schulz
S.  49   links: © ullstein bild; rechts: © BilderBox
S.  51   © Jahreszeiten Verlag
S.  52   © Johanna Freise
S.  54   © Globus Infografik
S.  57   © mauritius images
S.  62   c: © ullstein bild
    63   e: © ullstein bild; g: © mauritius images
S.  64   links: aus Michael Holzach, Timm Rautert, „So deutsch wie Wachowiak“, in Zeit-Magazin, Nr. 13, 1974,
         S. 18; rechts: © Picture-Alliance/akg-images
S.  68   oben: © blickwinkel
S.  69   oben: © Les Éditions Albert René; unten: © ullstein bild
S.  70   a, b, unten rechts: © ullstein bild
S.  71   a, b, c: © ullstein bild
S.  72   © ullstein bild
S.  74   unten: © Cornelsen, Schulz
S.  81   Mitte oben: © Picture-Alliance/dpa; Mitte unten: © Fotex; rechts unten: © BilderBox
S.  85   unten: © United Features Syndication Inc. / distr. kipkakomiks.de
S.  86   oben links: © Picture-Alliance/dpa; unten Mitte: © Cornelsen, Schulz
S.  87   © Cornelsen, Schulz
S.  88   © Picture-Alliance/dpa
S.  94   links: © mauritius images
S.  97   © Keystone
S.  98   © Picture-Alliance/akg-images
S. 100   © jobTV24.de
   101   © jobTV24.de
S. 102   links außen: © REGIERUNGonline;  links Mitte: © ddp; rechts oben und unten: © Picture-Alliance/dpa;
         rechts Mitte: © ullstein bild
S. 103   oben: © images.de; unten: © ullstein bild
S. 104   oben: © ullstein bild
S. 105   © Picture-Alliance/dpa
   106   © Picture-Alliance/dpa
S. 107   oben: © ullstein bild; Mitte: © Picture-Alliance/dpa; unten: © Bildunion

S. 112 © Globus Infografik
S. 113 a: © Bildagentur Waldhäusl; b, f: © ullstein bild
S. 114 1: © ddp; 2: © Picture-Alliance/dpa; 3: © Ingo Kuzia/FreeLens Pool
S. 116 unten: © ullstein bild
S. 120 b, g, e: © Bilderbox
S. 121 unten: © Filiz Soyak
S. 124 oben: © ullstein bild
S. 129 a, b, c, d: © ullstein bild
S. 131 links: © Cornelsen, Schulz; rechts: © Picture-Alliance/dpa
S. 138 e: © ullstein bild
S. 139 © Random House, Bertelsmann
S. 144 © Juniors Bildarchiv
S. 145 © campus Franfurt/New York
S. 154 a: © ullstein bild; b: © Cornelsen, Schulz
S. 155 c: © ullstein bild; d: © Globus Infografik
S. 156–
     158 © Wüste Filmproduktion GbR
S. 160 oben: © Globus Infografik; unten links: © Picture-Alliance/dpa; unten rechts: © Picture-Alliance / Bildagentur Huber
S. 161 unten: © mediacolors
S. 163 © Haus der Geschichte Baden-Württemberg
S. 162 b, c: © ullstein bild
S. 164 © Picture-Alliance/dpa
S. 166 unten: © Piper Verlag GmbH
S. 170 b: © Joker
S. 171 h: © FreeLens Pool
S. 172 c: © Presse- und Informationsamt der Bundesregierung
S. 178 b: © Joker
S. 186 a, d: © mauritius images; b: © PhotoAlto; c: © Visum
S. 192 © jobTV24.de
S. 193 oben: © jobTV24.de; unten: © Wüste Filmproduktion GbR
S. 194 links: © BilderBox; rechts: © plainpicture
S. 195 oben: © Stock4B; unten: © Joker
S. 198 © F1 online
S. 215 Mitte, unten: Picture-Alliance/dpa
S. 221 Wüste Filmproduktion GbR

## Textrechte

S. 39 © Verbraucherzentrale Bundesverband e.V.
S. 53 „Aurélie", Text und Musik: Wir sind Helden, © Freudenhaus Musikverlag / Wintrup Musikverlag, Detmold
S. 69 „Bochum", Text und Musik: Herbert Grönemeyer, © Grönland Musikverlag administriert von Kobalt Music Ltd.
S. 103 „Der Theodor im Fussballtor", © 1948 by Siegel Ralph Maria Musik Edition Nachfolger / Chappell & Co. GmbH & Co. KG
S. 139–
     141 „Die blauen und die grauen Tage" von Monika Feth, © Random House, Bertelsmann
S. 149 „Die Erde ist rund" von Peter Bichsel, © suhrkamp taschenbuch

Nicht alle Copyrightinhaber konnten ermittelt werden; deren Urheberrechte werden hiermit vorsorglich und ausdrücklich anerkannt.

Auf dieser CD für die Lerner finden Sie alle Hörtexte
zum Übungsteil.